33 RAZONES PARA VOLVER A VERTE

ALICE KELLEN

33 RAZONES PARA VOLVER A VERTE

Argentina • Chile • Colombia • España
Estados Unidos • México • Perú • Uruguay

1ª edición en **books4pocket** Junio 2021

Copyright © 2016 by Alice Kellen
All Rights Reserved
© 2016 *by* Ediciones Urano, S.A.U.
Plaza de los Reyes Magos, 8, piso 1.º C y D – 28007 Madrid
www.titania.org
www.books4pocket.com

ISBN: 978-84-16622-64-1
E-ISBN: 978-84-9944-935-7
Depósito legal: B-6.116-2021

Fotocomposición: Ediciones Urano, S.A.U.

Impreso por Novoprint, S.A. – Energía 53 – Sant Andreu de la Barca (Barcelona)

Impreso en España – *Printed in Spain*

Para mamá, papá y el tete.
Y para todos los que creen en amores imperfectos.

A veces te hundes,
caes en tu agujero de silencio,
en tu abismo de cólera orgullosa,
y apenas puedes volver,
aún con jirones
de lo que hallaste
en la profundidad de tu existencia.

El pozo, Pablo Neruda

Año 1999

Mike, Luke y Jason estaban preparados para el siguiente lanzamiento. Hacía un día espléndido y el cielo estaba pintado de azul celeste. No había nubes. Uno de los chicos golpeó con el bate de madera la pelota de béisbol, que danzó suavemente bajo el caluroso sol de la tarde.

—¡Aparta, pecosa! —gritó Mike cuando adivinó la trayectoria de la pelota.

Jason no corrió lo suficiente como para lograr atraparla y la pelota se desplazó en el aire con total libertad antes de estrellarse contra el brazo de la niña pelirroja que, sentada en la acera de la calle con las piernecitas cruzadas, observaba jugar a los chicos.

—¡Ay!

La pequeña se llevó una mano al hombro, donde la pelota acababa de golpearla, y se masajeó la zona irritada con la punta de los dedos. Seguro que le saldría un moratón.

Mike apoyó el bate en el suelo de la calzada mientras Jason corría hacia ella. La había visto en el colegio. Era imposible no fijarse en ella, no solo porque era la nueva, sino porque tenía un montón de pecas, como si alguien hubiese sacudido una brocha de pintura sobre su piel, salpicándola de estrellas, y porque el cabello, que caía por sus hombros con delicadeza, era del color de las calabazas maduras.

Parecía diferente.

Y, aunque se esforzaba por negarlo, a Mike le atraían las rarezas.

Siguió a Luke cuando vio que él también iba a ver si le había pasado algo.

—¿Te has hecho daño? —Jason intentó verle el brazo, pero ella rehusó su contacto y se apartó. Tenía acuosos los ojos color caramelo.

Jason la miró apenado, sin saber qué más decir para resarcirse del sentimiento de culpa, y se giró al escuchar a su espalda las pisadas de sus amigos. Ni Luke ni Mike parecían demasiado preocupados por la chica.

—¿Vas a llorar? —Mike ladeó la cabeza con curiosidad—. ¿Qué pasa, que tienes dos años? ¿Eres un bebé?

Jason le dirigió una dura mirada de reproche que Mike fingió no ver antes de dar otro paso al frente, acercándose más a ella.

—¿No sabes hablar? —insistió.

Luke y Mike rieron.

La niña miró a este último cohibida, impresionada por los fríos e imperturbables ojos grises que endurecían todavía más su rostro enfadado. No estaba demasiado segura de qué había hecho mal ni por qué la incordiaba; al fin y al cabo, había sido él quien la había golpeado después de llamarla «pecosa». Rachel tragó saliva y se armó de valor.

—¡Puedo hablar y tengo siete años! —se defendió. El chico rubio, el único que se había preocupado por lo ocurrido, le sonrió y asintió con la cabeza, animándola a que siguiese haciéndoles frente—. Le has tirado mal la pelota, ¡no sabes jugar!

Luke arqueó las cejas con sorpresa, Mike la miró con la boca entreabierta y Jason sonrió más ampliamente, admirado porque una chica se atreviese a plantarles cara.

—¿Qué has dicho, pecosa?

—Cerebro de mosquito, orejas de rana, ni oyes ni piensas, eres como una banana... —canturreó Rachel a pesar de que le temblaban las piernas como si estuviesen hechas de gelatina de limón.

Nunca antes se había enfrentado a un chico.

—¿Cómo…? —Mike frunció el ceño.

—Solo es una canción… —balbuceó Rachel.

Ella siempre procuraba evitar meterse en líos; recogía los juguetes cuando su padre se lo pedía, hacía los deberes en cuanto llegaba del colegio e intentaba ayudar en las tareas de la casa: ponía la mesa, metía la ropa sucia en la lavadora y a veces pasaba el plumero por la estantería de su habitación donde guardaba todos sus cuentos.

Lo único que Rachel deseaba era caer bien a los otros niños del colegio. Hacía unas semanas que papá y ella se habían instalado en aquel vecindario, pero sus compañeros no eran nada simpáticos y el primer día de clase unas niñas habían empezado a llamarla «zanahoria» y le habían quitado el coletero rosa con el que se sujetaba el pelo: era su preferido porque tenía unos corazones de plástico pegados alrededor. Echaba de menos a sus antiguos amigos, pero no podía decírselo a su padre. Él siempre decía que tenía que ser fuerte, que los obstáculos solo están ahí para que alguien pueda saltarlos.

Cuando su madre se marchó al cielo, él le explicó que iban a mudarse porque la casa donde habían vivido todos aquellos años resultaba «demasiado dolorosa». Rachel no entendía cómo una casa podía «doler», pero su padre estaba triste y deseaba contentarlo. Él le aseguró que empezarían desde cero y que sería divertido, y ella se mantuvo callada y fingió que no sabía que mamá había muerto porque un camión había arrollado su coche cuando volvía del trabajo. Se lo había oído decir a tía Glenda durante el funeral, mientras los vecinos la miraban con pena y mordisqueaban los canapés de queso y tomate seco que servían.

Aquel día, Rachel se encerró en la despensa de la cocina, se sentó en el suelo abrazándose las rodillas y se quedó allí escuchando lo que aquellos invitados decían sobre su madre. No salió hasta que todos se hubieron marchado. Poco después, dejaron atrás el pequeño pueblo cerca de Seattle donde había crecido, a sus amigos del colegio, a la tía Glenda y un montón de recuerdos que ya no podrían perseguirlos.

—Eres rara —declaró Luke rompiendo el silencio.

—¡No es verdad! —gimoteó ella con voz chillona.

Quince minutos antes, a través de la ventana de la cocina, había estado mirando a los chicos mientras se divertían practicando algo parecido al béisbol. Al descubrirla, su padre había apartado un poco más la cortina y le había sonreído antes de animarla a salir un rato para jugar con ellos, siempre que no se alejase demasiado de la puerta de casa. Al final, movida por la curiosidad, le había hecho caso. Se había sentado en la acera con las piernas cruzadas, observándolos con atención. Le sonaba haberlos visto en su nuevo colegio, pero no sabía cómo se llamaban porque nunca había hablado con ellos.

—Vale, toma. —Mike le tendió el bate de béisbol—. A ver qué puntería tienes tú.

Lo último que le apetecía era enfrentarse a él, pero estaba muy nerviosa y era incapaz de reaccionar y protestar, así que permaneció inmóvil durante unos segundos, sosteniendo el bate con las dos manos, consciente de que acababa de aceptar el reto por culpa de su silencio.

—Son las seis —dijo Luke.

—¿Las seis...? —Mike apartó la vista de Rachel y se giró hacia su amigo—. Vigila y avísame si ves que llega a casa.

Rachel no entendía nada de lo que decían ni tampoco tenía intención de preguntarles sobre qué estaban hablando o cuál era el problema de que fuesen las seis de la tarde. El verano todavía no había terminado, así que a esa hora el sol continuaba ondeando en lo alto del cielo como si alguien lo hubiese colgado allí con hilo de pescar.

El amable chico rubio se acercó a ella. Sonrió tímidamente.

—Me llamo Jason Brown —dijo y, sin darle tiempo a protestar, le quitó el bate.

—Yo soy Rachel —respondió ella, indecisa, apenas en un murmullo.

Él asintió, se giró y se colocó a su lado en una posición adecuada para batear. La miró de reojo cuando estuvo listo para explicarle la forma más básica de golpear la pelota.

—Te enseñaré cómo tienes que hacerlo.

—¡Eh, Jason! ¡Eso es trampa! —gritó Mike desde el otro lado de la calle, con la pelota en la mano a la espera de poder lanzarla.

Rachel arrugó la nariz.

Aquel niño era... era... ¡tonto!

Sin pensárselo más, le arrebató el bate de béisbol a Jason.

—No hace falta que hagas esto. Si quieres, puedo decirle a mi amigo que te deje en paz. Solo está enfadado porque le has dicho que no sabe jugar.

Rachel negó con la cabeza.

—Gracias, pero sé batear. Mi padre me enseñó.

Cuando Jason se hizo a un lado, la niña flexionó levemente las rodillas, mantuvo la cabeza recta, la mirada al frente y los brazos en el centro, con el bate levemente inclinado hacia la derecha.

Aquellos ojos pálidos se clavaron en ella desde el otro lado de la calle. Rachel tuvo que hacer un gran esfuerzo para concentrarse.

—¡Allá va, pecosa!

Cogiendo impulso, él lanzó la pelota de béisbol. Rachel percibió cómo cortaba el aire emitiendo un débil silbido mientras trazaba un arco perfecto. Se obligó a mantener los ojos muy abiertos, a pesar del molesto reflejo del sol y, cuando llegó el momento indicado, retiró el bate hacia atrás y después lo movió nuevamente hacia delante, golpeando así la pelota con precisión.

Pudo ver la sorpresa dibujada en su rostro.

Él no había previsto que Rachel fuese siquiera capaz de utilizar adecuadamente un bate de béisbol, así que ni se había molestado en prepararse para correr.

La pelota aterrizó en el suelo, a lo lejos.

Había ganado. Jason chocó el puño con ella.

—Juegas muy bien —le dijo.

—Gracias.

—¡Eh, tu padre ha llegado! ¡Está en casa! —gritó Luke, que se había perdido toda la diversión al irse a vigilar.

Mike Garber asintió con la cabeza. Caminó hasta Rachel con decisión, le quitó el bate de béisbol de las manos y la señaló con el dedo índice.

—Mañana, aquí, a las cinco, la revancha. Y no llegues tarde.

En otras circunstancias, Rachel hubiese podido tomárselo como una amenaza debido al tono inflexible de su voz, pero estaba segura de que no tenía nada por lo que preocuparse. De hecho, cuando él mostró una leve sonrisa antes de marcharse corriendo calle abajo, ella vio un atisbo de calidez en sus ojos. Y ese agradable descubrimiento provocó que algo en su interior se estremeciese.

Año 2002

Como todas las tardes desde que se había mudado a San Francisco, hacía ya tres años, Rachel se sentó en la acera de la calle, tras la casa donde vivía Mike, a la espera de que este saliese a recibirla con una sonrisa y, juntos, se encaminasen por el sendero de piedra y gravilla que atravesaba la urbanización y se dirigía directamente a la zona donde residían Luke y Jason. Siempre quedaban después de merendar, dispuestos a malgastar el resto del día entre juegos y travesuras; hasta las seis, cuando Mike debía volver a estar en casa.

La niña suspiró, angustiada por el intenso frío que parecía congelar el aire a su alrededor. Se levantó y comenzó a caminar de un lado a otro, dando de vez en cuando pequeños saltitos, con la esperanza de que Mike no se retrasase mucho más. Normalmente, no solía hacerla esperar.

Rachel contempló el vaho que escapaba de sus labios entreabiertos y alzó un dedo en alto, deseando tocar el frío que se materializaba frente a ella. Sin embargo, antes de que pudiese siquiera intentar tal estupidez, escuchó un grito ahogado que provenía de la casa y, temblando, se acercó hasta la verja de la entrada, con la intención de descubrir qué era lo que ocurría.

No era Mike quien gritaba. Era la voz aguda de una mujer.

Se aferró con una mano al barrote de metal y apoyó la frente en la verja.

¿Qué estaba sucediendo? ¿Por qué chillaba de esa forma la madre de Mike? ¿Y si le había pasado algo a él...?

Conforme los gritos se incrementaban, interrumpidos en ocasiones por una vigorosa voz masculina, comenzó a impacientarse. Movió la cabeza de un lado a otro, anhelando encontrar a algún vecino en la calle que pudiese ayudarla, pero allí no había nadie.

Dudó, con la mirada fija en la manivela, recordando las palabras que Mike le había repetido en varias ocasiones desde que se conocían: «Nunca pases de la puerta de la entrada. Espérame fuera, tras el muro. Prométeme que lo harás». Y, por supuesto, Rachel se lo había prometido.

Tanto ella como Luke y Jason sabían que en su casa tenía problemas, a pesar de que Mike rehusaba hablar de ello. Él prefería hablar de cualquier tontería cuando no sabía cómo escapar de alguna pregunta o intentar hacerle la puñeta a Rachel para que ella se olvidase de todas las cuestiones que se agolpaban en su mente curiosa. Solo decía lo esencial, que en resumidas cuentas, era que no podían ir a jugar a su casa porque a su padrastro no le gustaban las visitas.

Pese a la promesa que le había hecho, Rachel no podía evitar que un escalofrío la sacudiese cada vez que volvían a escucharse gritos y llantos. Era incapaz de distinguir las palabras exactas, pero las pocas que lograba cazar al vuelo no eran nada agradables. Temía que a Mike le hubiese ocurrido algo o que estuviesen haciéndole daño, así que, finalmente, giró la manivela y abrió la puerta de la entrada.

Cualquiera hubiese sido capaz de advertir a simple vista que le temblaban las manos, incluso a pesar de que dos enormes guantes rosas las cubrían protegiéndolas del frío. Ignorando el miedo que se apoderaba de ella, avanzó por el descuidado camino hacia la casa, que se recortaba a unos metros de distancia entre algunos árboles enormes que nadie se había molestado en podar. Si su padre hubiese visto aquel jardín, se habría puesto manos a la obra de inmediato; parecía que hacía años que nadie se preocupaba por el estado de la vegetación, ni por el escalón roto que conducía al porche o las tablas de madera sin brillo del suelo.

Antes de que pudiese llegar a la puerta, esta se abrió y Mike clavó su mirada en los ojos aterrorizados de ella.

—¿Qué estás haciendo aquí? —siseó él, casi sin mover los labios y echando una rápida ojeada por encima del hombro al interior de la casa.

—Tu ceja... Tienes sangre.

Mike cerró la puerta de la calle sin hacer ruido y se giró hacia ella mientras se limpiaba la ceja con el dorso de la mano, quitándole importancia.

—No es nada. ¡Venga, vámonos!

—Pero...

Cuando Mike vio que la chica parecía haberse quedado petrificada en el porche, dio un paso hacia atrás y la cogió de la mano, arrastrándola hacia el exterior, con el corazón latiéndole más rápido que nunca. Una vez que hubo cerrado la verja, ambos avanzaron varios metros corriendo hasta internarse en el camino de gravilla. Él cogió mucho aire de golpe, miró de reojo a Rachel e intentó adivinar sus pensamientos. No quería involucrarla en sus problemas. Se metió las manos en los bolsillos de la cazadora, comenzó a andar y contó mentalmente los hierbajos que iba pisando y dejando atrás. Contar cosas le calmaba.

—Te dije que no entrases nunca —le recordó.

—¡Lo siento! En serio, no quería, pero es que... —Se paró frente a él, impidiéndole que pudiese seguir caminando—. ¿Tu padrastro te ha hecho eso? —preguntó, alzando un dedo en alto con lentitud para señalarle la ceja, que había dejado de sangrar.

Él negó con la cabeza, contrariado por todos los sentimientos que se agolpaban en su interior, solapándose conforme pasaban los años; por una parte quería gritar, expulsarlo todo fuera, pero, por otra, cuando la miraba tenía el presentimiento de que Rachel, a pesar de llevar con normalidad la muerte de su madre, era demasiado frágil para entender y aceptar que, en ocasiones, ocurren cosas malas contra las que no siempre se puede luchar. Mike había madurado rápido. Por el contrario, ella todavía soñaba con que su padre, el señor Robin, le comprase un traje de tul rosa para el día de carnaval. Y leía cuentos de príncipes, castillos y dragones; cuentos donde el bien siempre vencía al mal y a los villanos les daban su merecido. Su escala de grises era limitada.

A pesar de estar tan cerca y unidos, sus mundos eran completamente diferentes.

—Mike... Puedes contármelo todo. —Rachel tiró de los extremos del gorro que llevaba puesto y se lo quitó—. Toma, póntelo tú. Yo no tengo frío.

Él contempló durante unos segundos el amasijo de lana que ella le ofrecía.

—Es rosa. —Con una sonrisa, lo cogió y volvió a colocárselo a Rachel en la cabeza, con cuidado de no tirarle del pelo—. Y no te preocupes más, pecosa. Tan solo han tenido una pelea; ocurre a veces, ¿sabes? Los mayores discuten. —Atrapó la nariz roja de la niña entre sus dedos, intentando calentársela en vano—. Pero lo de la ceja no ha tenido nada que ver, ha sido un accidente —aclaró, deseando no tener que mentirle—. Ahora vamos, Luke y Jason nos están esperando.

Año 2004

Mike cogió una pila de discos de vinilo y los transportó con cuidado hasta la mesa del escritorio donde el padre de Rachel estudiaba con interés unos ejemplares nuevos que había encargado la semana anterior.

Robin Makencie era un amante de los clásicos del rock, tenía ediciones muy valiosas y peculiares, y Mike se ofrecía para ayudarlo cada vez que hacía un nuevo inventario y organizaba las estanterías donde guardaba los discos. Cualquier excusa era buena para pasar menos tiempo en su casa y todavía más si podía estar con Robin, el tipo de hombre que hubiese deseado tener como padre. No tenía nada que ver con su padrastro Jim; eran polos opuestos.

El señor Robin le había abierto las puertas de par en par años atrás, poco después de que retase a su hija a golpear aquella pelota de béisbol. Le enseñó todo lo que sabía sobre música, a distinguir un acorde de otro y a apreciar la magia de cada melodía. Habían pasado muchas horas dentro de las cuatro paredes de su estudio. A veces, también los acompañaban Jason y Luke. Y Rachel solía entrar con sigilo cuando ya llevaban allí un buen rato, siempre con un libro en la mano, para dejarse caer sobre la alfombra que había en el centro de la estancia y seguir con la lectura.

—Deberíamos repasar de nuevo los de la letra efe. Aquí se nos ha colado uno. —Robin le tendió con delicadeza el disco y Mike lo miró con interés antes de depositarlo en la estantería correspondiente.

—Vale. Ahora los miro —dijo—. ¿Ponemos música mientras tanto?

—Claro. —Robin le sonrió; unas arrugas amables aparecían en las comisuras de sus ojos claros cuando lo hacía—. Elige tú, chico.

—¿Nirvana?

—Siempre Nirvana... —El señor Robin negó con la cabeza y lo miró divertido. De todos los grupos que coleccionaba y veneraba, aquel no era precisamente su preferido, aunque le gustaba escucharlo de vez en cuando—. ¿Se puede saber por qué te gusta tanto?

—No lo sé. —Mike se encogió de hombros y colocó sobre la enorme pila de discos otro más—. Puede que sea porque... está roto. Todo está roto.

Robin frunció el ceño y no llegó a responder porque Rachel abrió la puerta en ese momento y entró. Vestía un peto vaquero y llevaba el cabello pelirrojo recogido en una trenza. Se cruzó de brazos frente a ellos.

—¿Sabéis qué hora es? ¡Me muero de hambre!

Mike arqueó una ceja y la miró divertido.

—Llevas chocolate en la mejilla, pecosa.

—¡Por culpa vuestra! —Se limpió con brusquedad. La habían pillado—. Aun así sigo teniendo hambre. Y deja de llamarme pecosa.

Robin prorrumpió en una de esas carcajadas que parecían aletear por la habitación tiempo después, como si su risa fuese más vigorosa que la de los demás.

—Está bien. Seguiremos luego, ¿de acuerdo, chico? Es sábado, tenemos toda la tarde. —Mike asintió con la cabeza—. Veamos qué podemos hacer para comer...

Año 2006

Rachel le echó un vistazo al reloj que descansaba en su mesita de noche. Era la una de la madrugada y al día siguiente tenía clase, pero no podía dejar de leer. Se sentía atrapada por esa historia. Bostezó, pasó otra página con delicadeza y antes de que pudiese seguir avanzando, su padre entró en la habitación.

—¿Todavía estás despierta?

—Solo... solo un poco más —pidió.

Robin se acercó hasta su cama, le quitó el libro de las manos y lo dejó con cuidado a un lado. Le acarició la cabeza con la mano y se inclinó para darle un beso en la frente.

—Es muy tarde, Rachel. Mañana más.

—Vale —refunfuñó algo molesta.

Se acurrucó en la cama y se quitó la pulsera de cuentas azules que llevaba puesta. La dejó sobre la mesita de noche produciendo un suave tintineo y Robin se fijó en ella.

—¿Es nueva?

—Sí. Me la regaló Mike.

Su padre esbozó una pequeña sonrisa, le dio un segundo beso y apagó la luz de la lamparita que descansaba a un lado.

—Buenas noches, cariño.

—Buenas noches, papá —susurró en la penumbra.

Año 2008

—Creo que lo odio —susurró Rachel.

Jason esbozó una sonrisa afable.

—Yo creo que lo amas.

—No. Eso es imposible.

Suspiró hondo antes de apoyar la cabeza sobre el hombro de Jason, sin apartar la mirada de Mike y la joven con la que coqueteaba delante de sus narices. No se parecía en nada a ella: la chica tenía el cabello muy corto, casi a la altura de la nuca, y completamente negro, del mismo color que el ajustado vestido que llevaba puesto. No tenía pecas. Ni una sola peca. Su rostro era una superficie tersa y blanquecina, y nada rompía la monotonía de aquella aburrida perfección.

Aquella noche Luke cumplía dieciséis años. Su familia le había dejado celebrarlo en el garaje de su casa y, además, se habían tomado la molestia de irse a cenar a la ciudad, con la intención de dejarlos a solas durante unas cuantas horas.

En el centro de la estancia descansaban dos viejos sofás y una mesa repleta de cervezas que había traído el hermano mayor de uno de los chicos del equipo. La música estaba muy alta e impedía que los invitados pudiesen hablar sin tener que gritar.

—¿Seguro que no quieres nada? —insistió Luke, pero ella denegó el ofrecimiento con la cabeza. Jason sí aceptó la cerveza y sacudió la mano para quitar las gotitas de agua helada que recubrían el bote.

—¿Hasta qué hora podemos quedarnos?

—No lo sé, supongo que hasta las... —Dejó de hablar cuando un compañero del equipo de fútbol americano en el que estaba Luke lo cogió por detrás y le rodeó el cuello con un brazo fingiendo ahogarlo, como si fuese algo súper divertido.

Rachel suspiró. En aquel garaje repleto de gente con la que no estaba familiarizada, sin una gota de alcohol en su cuerpo que pudiese distraerla de lo que sucedía, sentía cómo el estómago le daba una brusca sacudida cada vez que la mano de esa chica rozaba el brazo de Mike a propósito. Y él no hacía nada por apartarla, por supuesto.

Se aferró con más fuerza al brazo de Jason, dando las gracias en silencio por tener allí a su mejor amigo. Era el único en quien confiaba lo suficiente como para dejarle entrever sus confusos sentimientos. Cuando acudían a alguna fiesta, Jason nunca la juzgaba ni la dejaba sola para largarse con cualquier desconocida, a diferencia de *otros*.

Creyó que empezaría a escuchar el rechinar de sus dientes si la chica continuaba insinuándose tan descaradamente. No es que ella tuviese derecho a oponerse a nada, pero prefería que sus ojos no fuesen testigo de ello. Se giró hacia Jason.

—¿Te importa... te importa si salimos un rato fuera? —propuso—. El humo me está dejando idiota —añadió, dirigiéndole una mirada feroz a un compañero del equipo de Luke que, sentado a su lado, fumaba marihuana.

Jason asintió con la cabeza y, en cuanto se pusieron en pie, otros dos estudiantes ocuparon el hueco que acababan de dejar en el sofá.

Rachel agradeció el viento fresco de la noche que le golpeó el rostro en cuanto puso un pie en el exterior. Todavía tenía los ojos algo enrojecidos por culpa del chico que había estado fumando a su lado. Los cerró durante unos instantes, intentando aliviar la irritación.

Ambos recostaron la espalda en la pared de cemento que bordeaba la casa de Luke, por la que intentaba escalar una buganvilla repleta de pequeñas flores rojizas.

El cielo era completamente negro, apenas había estrellas, más allá de algunos diminutos puntitos blanquecinos que no parecían tener la fuerza necesaria para brillar con claridad.

Mike le había confesado un día que contar estrellas le servía para tranquilizarse. Decía que era perfecto porque, al concentrarse en tener que llevar la cuenta, olvidaba momentáneamente las preocupaciones y los miedos que lo acechaban. Se lo había contado años atrás, cuando a ella todavía le costaba dormir por las noches sin que su madre estuviese a su lado leyéndole un cuento, pero no lo había olvidado. Igual que tampoco olvidaba que había dicho que lo hacía a menudo, cuando estaba nervioso, cuando sentía que se ahogaba, cuando llegaba a un callejón sin salida...

—¿Estás bien? —Jason la miró de reojo tras darle un trago a su cerveza.

—Sí, bueno, supongo.

Emitió un sonoro suspiro que rompió el silencio de la noche. Odiaba no poder disfrutar de la fiesta por estar tan pendiente de lo que Mike hacía en todo momento. Se sentía débil, enamoradiza y tonta.

—¿Por qué no hablas con él?

—¿Para qué? Es evidente que no le gusto.

Rachel se toqueteó las puntas del pelo con nerviosismo.

—Te quiere.

—Sí, mucho. Como a una hermana.

Jason contempló el semblante serio de la chica y apoyó una mano en su hombro al darle un suave y reconfortante apretón.

—Podemos irnos, si quieres —propuso.

—¿Adónde pensáis iros?

La voz de Mike, curiosa y vibrante, se alzó tras ellos.

Al girarse, Rachel no solo se encontró con sus cristalinos ojos, sino también con los de la chica que todavía lo acompañaba; los suyos se asemejaban a dos pequeños trozos de carbón, negros y brillantes. Notó que algo se encogía en su estómago con brusquedad y se preguntó cómo era posible que enamorarse de alguien provocase una sensación tan dolorosa y desagradable. No sentía mariposas aleteando, demonios; sentía como si una estampida de ñus furiosos se desatase en su interior.

—Mike, ¡no seas entrometido! —intervino la joven desconocida. Él pestañeó confundido cuando la miró—. ¿No te das cuenta de que los estamos interrumpiendo? Vamos, ¡volvamos dentro! —lo instó, tirándole de la manga de la camiseta.

—Solo queríamos tomar el aire —aclaró Jason—. No hace falta que os marchéis.

Mike Garber centró su mirada en Rachel durante unos incómodos segundos y solo rompió el contacto al posar la vista en la mano de Jason, que seguía apoyada cariñosamente sobre el hombro de la chica. Un músculo se tensó en su mandíbula produciendo un movimiento casi imperceptible.

La morena que lo acompañaba insistió de nuevo, asegurándole que lo mejor sería que fuesen junto a los demás compañeros del instituto. Con desparpajo, entrelazó sus dedos largos y repletos de anillos entre los de Mike, cogiéndole de la mano, y logró que él se diese la vuelta y la siguiese al interior del garaje.

En cuanto volvieron a quedarse a solas, Rachel exhaló una gran bocanada de aire tras advertir que llevaba un buen rato conteniendo la respiración. Chasqueó la lengua, al tiempo que le arrancaba una flor a la buganvilla y la frotaba entre sus dedos hasta deshacerla en pequeños trocitos.

—¿Sabes en qué estoy pensando? —Sonrió cuando se giró hacia Jason.

Él tragó el sorbo que acababa de darle a su cerveza y alzó una ceja en alto.

—En palomitas recién hechas. Y en una película para acompañarlas, claro.

—¿Qué? ¿Cómo demonios lo has sabido?

Le dio un manotazo en el hombro, divertida y asombrada.

—Siempre sonríes así cuando te apetece ese plan. Bien, veamos, ¿en tu casa o en la mía?

Rachel rio.

—En la mía. Papá todavía no ha devuelto las películas que alquilamos el otro día. —Estiró los brazos en alto, alegre por el cambio de rumbo que acababa de tomar la noche—. Pero quedémonos un poco más, que es el cumpleaños de Luke, aunque me apuesto lo que sea a que si nos fuésemos ni se daría cuenta.

—Seguro. —Jason se encogió de hombros—. Venga, volvamos dentro.

—Sí, vamos.

Año 2009

—Mike, pásame el pastel de carne —exigió Rachel con los brazos extendidos.

—Se pide «por favor».

—¡Dámelo! —protestó alzando la voz.

El Señor Robin apartó la mirada del televisor y emitió un sonoro suspiro, al tiempo que centraba su atención en los dos jóvenes que lo acompañaban en la mesa. No estaba seguro de cuándo dejarían de discutir o de intentar fastidiarse el uno al otro, especialmente porque a pesar de ello, ambos eran inseparables; se buscaban constantemente y, después, en cuanto se encontraban, luchaban por sacar a relucir sus diferencias. Si Mike decía tener frío, su hija insistía en que hacía calor (aunque estuviesen a dos grados). Si su hija pretendía ver en la televisión un capítulo de *Friends*, Mike aseguraba estar sumamente interesado en un documental sobre microorganismos marinos.

—Mike, acércale el pastel de carne. Y Rachel, pide las cosas adecuadamente, que no te cuesta nada.

Los dos jóvenes se miraron en silencio. Finalmente, ella emitió un bufido y apoyó un codo en la mesa con desgana. Sonrió falsamente.

—¿Me puedes pasar el pastel de carne, «por favor»? —preguntó, pronunciando las dos últimas palabras con cierto retintín.

—Por supuesto, pecosa. —Mike se inclinó para darle el plato—. Que aproveche.

Rachel se giró bruscamente hacia su padre, que volvía a centrar la mirada en la pantalla, atento a las noticias.

—¿Lo has oído? ¡No deja de llamarme pecosa!

—¡Basta ya! —El Señor Robin les dedicó una mirada asesina—. ¡Dejad de pelearos! ¡Nadie diría que tenéis diecisiete años! ¿En qué demonios se supone que estáis pensando?

Mike bajó el mentón y se centró en su plato de comida. Terminó de devorar el pastel de carne en silencio y, en cuanto hubo rebañado los restos de salsa, fue a la cocina y depositó en la pila el plato y los cubiertos sucios. Cuando notó que algo le rozaba la espalda, se giró. Era Rachel. Ignoró el cosquilleo que sintió.

—Aparta, necesito coger un vaso —pidió ella, todavía manteniendo el ceño fruncido e indicándole con el brazo que se desplazase a un lado.

Mike sonrió, pero no se movió. Permaneció de espaldas a la pila y al mueble donde se guardaban los utensilios de cocina.

—Apártame tú —sonrió travieso.

Rachel refunfuñó por lo bajo.

—Empiezo a tener dudas sobre acompañarte a ver ese dichoso partido de béisbol.

—No mientas. Lo estás deseando.

Él sintió una extraña satisfacción al ver que ella se sonrojaba. Era una de las pocas veces que saldrían los dos solos a hacer algo, algo concreto, como una especie de cita. No había sido premeditado. El señor Robin le había regalado a Mike esas dos entradas la semana anterior, por su cumpleaños, y no había nadie más con quien desease compartirlas.

Cuando Rachel intentó apartarlo de nuevo para coger el vaso, él la sujetó por la cintura y la retuvo suavemente frente a él.

—Pero ¿qué demonios haces?

Rachel se estremeció entre sus brazos. No estaba acostumbrada a que Mike la tocase así. De hecho, no estaba acostumbrada a que Mike la tocase de ningún modo. Mientras que Luke o Jason la abrazaban a menudo o se entretenían a veces jugando con su cabello, enrollando los mechones con los dedos, con Mike siempre había existido esa distancia, esa barrera que ninguno de los dos había intentado romper. Ni un roce. Nada más allá de acariciarse sutilmente con la mirada.

Él se mostró dubitativo durante unos segundos, todavía sin soltarla. Sabía que debía alejarla de él, que no podía estar con ella de esa forma... Se lo había prometido a sí mismo hacía años, pero esa promesa se quebraba poco a poco y cada vez le resultaba más difícil intentar cumplirla.

Ella era su debilidad. Esos ojos ambarinos y curiosos, y la graciosa nariz repleta de pecas que Mike solía contar en silencio. Una, dos, tres, cuatro, cinco, seis..., podía hacerlo durante horas y conocía cada una de las diminutas marcas que bañaban su piel. Era su secreto. A falta de las pecas de su rostro, se conformaba con volver a contar estrellas, pero si podía elegir..., si podía elegir, siempre la prefería a ella.

Sin embargo, últimamente tendía a perder la concentración en cuanto sus ojos abandonaban aquellas pálidas mejillas y descendían hasta los labios de la joven. Unos labios gruesos que imitaban la forma de un corazón y provocaban que el suyo se acelerase. Un acelerón brusco, de esos que dejan sin respiración.

Mike la retuvo frente a él con más firmeza y su mirada plateada quedó suspendida sobre esos tentadores labios. Alzó lentamente la vista hasta encontrar sus ojos. Muy lentamente. Como si la estuviese viendo por primera vez en mucho tiempo. Vaciló antes de hablar:

—Ven conmigo a ese... ese estúpido baile de primavera... —Frunció el ceño; se sentía un poco ridículo—. Ya sabes, esa cosa que se celebra en el instituto y a la que hay que ir en pareja... Quiero que seas tú.

Después, aún nervioso, la impulsó más hacia él. Deslizó las manos desde su cintura hasta las caderas, palpando las curvas de su cuerpo a través de la ropa. Quería besarla. Iba a besarla.

—No puedo, Mike. —Ella tomó una bocanada de aire—. Le dije a Jason que iría con él porque... bueno, porque ninguno de los dos tenía pareja. Creí que se lo habrías pedido a alguien. El baile es pasado mañana —le recordó.

¿Por qué había tenido que esperar hasta el último momento para hacerle la pregunta con la que ella llevaba semanas soñando?

Mike la soltó de golpe y se movió hacia un lado, alejándose.

—Genial. Lo entiendo. De verdad que sí. —El corazón parecía golpearle las costillas mientras intentaba esbozar una sonrisa—. Seguro que lo pasaréis bien. —Caminó hacia la puerta y se giró una última vez hacia ella—. Y, a propósito, no hace falta que me acompañes al partido. Le pediré a Luke que venga.

Rachel quiso decir algo, cualquier cosa que lograse apaciguarlo, pero lo conocía lo suficientemente bien como para percibir su enfado y cuando Mike se enfadaba se encerraba en sí mismo, y ella nunca sabía cómo romper la coraza con la que se protegía de todo y de todos.

El Señor Robin apartó la mirada del televisor cuando advirtió el andar apresurado de Mike. Se levantó del sillón apoyando ambas manos en los mullidos brazos y carraspeó antes de hablar.

—¿Ya te marchas?

Mike casi se sorprendió al verlo allí; estaba tan perdido en sus propios pensamientos que ni siquiera recordaba que había otra persona en la casa. Asintió con la cabeza como toda respuesta.

—¿Estás bien?

Robin se acercó hasta él y sostuvo con una mano la puerta de la calle entreabierta mientras lo miraba con atención. Siempre lo hacía. Lo observaba desde todos los ángulos, como si esperase encontrar respuestas, la solución a todos sus problemas, ese algo inesperado que lograse salvarlo. Lo miraba, en realidad, como lo hubiese mirado un padre, hurgando en sus secretos e intentando vislumbrar más allá de la superficie.

—Sí, como siempre. Genial. —Se encogió de hombros con fingida despreocupación—. Te traeré mañana el disco de Queen que me llevé la semana pasada.

—No importa, ¡quédatelo! —Robin le revolvió el cabello con la mano—. Y si te ocurre algo, sea lo que sea, aquí me tienes.

Mike parpadeó más de lo normal.

—No me pasa nada —replicó con más dureza de lo que pretendía—. Será mejor que me vaya ya. Nos vemos mañana. Y te traeré ese disco —insistió, caminando hacia atrás por el sendero de la entrada—, sé que estás enamorado de Freddy —bromeó.

Año 2010

Rachel se acomodó entre los cojines del sofá mientras presionaba con insistencia el botón de «siguiente» del mando a distancia, tratando de encontrar algún programa decente que amenizase aquel aburrido jueves. Su padre acababa de marcharse a la ciudad, donde trabajaba como vigilante nocturno en un edificio de oficinas, después de haber cenado juntos una pizza.

Estaba palmeándose el estómago con gesto ausente, cuando llamaron al timbre. Algo sorprendida, dado que ya había anochecido, se puso en pie y se calzó las zapatillas.

En cuanto abrió la puerta, emitió un gemido ahogado al encontrarse con el rostro magullado y ensangrentado de Mike.

—¡Oh, Dios mío! ¡Oh, Dios! Mike, ¿estás bien? —Se hizo a un lado para dejarlo pasar—. Mike, ¡di algo, por favor!

Él dio un paso al frente con la mirada clavada en el suelo de madera. La puerta se cerró a su espalda con un golpe seco que retumbó en el silencio de la noche. Todavía sin mirarla, extendió los brazos buscando el calor de su cuerpo y la estrechó con desesperación contra su pecho.

—Estoy bien —le susurró al oído—. Tranquila...

Se hubiese quedado así para siempre; pegado a ella, unidos en cierto modo, sin decir nada, sin más preguntas ni más respuestas. Solo silencio... y la calidez y el agradable aroma a frambuesas que Rachel emanaba.

Suspiró hondo cuando ella se apartó para evaluar su rostro con atención. Y de inmediato sintió el peso de la culpabilidad al ver que se enjugaba una lágrima con el dorso de la mano. No tendría que haber ido allí. Justo ahora.

—Siento haber venido...

—Mike, ¡deja de decir tonterías! Ven, túmbate en el sofá. —Cogió su brazo y lo acompañó hasta el comedor—. Quédate aquí, ¿de acuerdo? Voy a por algunas cosas para curarte. No te muevas.

—No me muevo.

Regresó del baño llevando un cuenco con agua, gasas, desinfectante y un antiséptico. Tras dejar todos aquellos utensilios sobre la mesita, se sentó junto a él en el sofá. Temblaba cuando se inclinó sobre su rostro para inspeccionarlo.

Tenía un corte en el labio inferior y la sangre, ya seca, formaba un reguero rojizo que se perdía bajo su barbilla. Por lo demás, se entreveían algunos rasguños superficiales en la mejilla derecha y la piel que cubría el pómulo izquierdo empezaba a mostrar un color amarillento.

—¿Cómo puede hacerte esto? —preguntó.

Él no respondió. Rachel sintió las lágrimas agolparse de nuevo en las los párpados y su mirada se tornó borrosa. Respiró hondo, tratando de contener la angustia.

—No te preocupes. —Pasó la mano por su frente con ternura, apartándole el cabello castaño hacia atrás. Mike se estremeció ante el contacto—. Yo cuidaré de ti.

Después, todavía trémula, se apresuró a coger el trapo, meterlo en el cuenco y escurrir el agua sobrante. Lo deslizó con cuidado por su barbilla, las mejillas, los labios... Limpió todas las heridas; las que podían verse y las que Mike se callaba. Cuando terminó, aplicó el desinfectante y antes de coger el antiséptico, rompió aquel prolongado silencio.

—¿Qué ha pasado?

Él rehuyó su mirada. Odiaba mentirle, y esa noche tenía que hacerlo.

—Lo de siempre.

—¿Y qué es exactamente «lo de siempre»? —Presionó la herida de la mejilla con un algodón y él gruñó, molesto por el escozor—. ¿Por qué tienes que defenderla? ¡Ella quiere seguir con ese monstruo, es su decisión! —exclamó consternada—. ¿Por qué dejas que te hagan esto? ¡Jim ni siquiera es tu padre...! ¡No deberías...! ¡No tienes que aguantarlo más! —gritó, e hizo una pausa para inspirar hondo porque le faltaba el aire y su voz sonaba entrecortada.

Mike se concentró en el gesto enfadado de Rachel, no sabía qué decir.

Hubiese podido denunciar a su padrastro un millón de veces, pero sabía que, si lo hacía, su madre le daría la espalda. No quería estar solo, más solo. Cuando era un crío, había albergado la esperanza de que, en caso de que ella tuviese que escoger entre uno de los dos, lo habría elegido a él. Ahora, ese pensamiento era solo una ridícula utopía. Ya no se engañaba a sí mismo. Su madre aseguraba querer a ese hombre. Incluso cuando la pegaba y la vejaba con insultos, incluso cuando regresaba a casa oliendo a una desagradable mezcla de alcohol y tabaco, o incluso cuando (por suerte) desaparecía durante varios meses sin previo aviso y acababa regresando e irrumpiendo de nuevo en sus vidas.

A Mike le daba igual que ella no quisiera que la defendiese. Era incapaz de quedarse de brazos cruzados. Sabía que cada vez que se enfrentaba a Jim, ambos salían mal parados, pero no podía evitarlo. Ese era su papel dentro de aquel caos en el que había crecido. Y ahora, ahora todo se había descontrolado demasiado...

Después de la pelea de aquella noche y de lo que Mike estaba obligado a hacer, ya nada volvería a ser igual. Ni siquiera él. Sabía que una parte de sí mismo se rompería para siempre, pero no tenía otra opción. No la tenía.

—Mike, ¿por qué no puedes responderme? Dime algo. Lo que sea... —suplicó.

—Es mi madre —contestó.

Apartó la mirada de ella cuando vio la decepción en sus ojos castaños. Eso era peor que un par de puñetazos. Le hubiese gustado poder ofrecerle un argumento elaborado y lógico, pero ya le había mentido demasiado. Esa era la auténtica razón. Aunque a veces le costaba reconocerla como tal, ella seguía siendo su madre y él le debía lealtad; tenía que cuidarla. ¿Quién lo haría si no? Él la quería. De algún modo retorcido e incomprensible, la quería. Era su única familia.

—¿Vas a defenderla siempre? ¡Tú ya has sufrido demasiado por culpa de sus malas decisiones! Y lo peor es que ella no quiere una vida diferente ni remediar la situación, ¿no te das cuenta, Mike?

Rachel tiró de mala gana el algodón sobre la mesa auxiliar del comedor, donde estaban los demás utensilios, y sollozó antes de esconder el rostro entre sus manos. Él se incorporó en el sofá, sintiéndose más culpable que nunca. La abrazó, preguntándose por qué no lo había hecho antes, por qué no la había abrazado cada día... Descansó la barbilla sobre el tembloroso hombro de la joven y le acarició el cabello y la espalda con la mano que tenía libre.

—No llores, Rachel, por favor. —La retenía con tanta fuerza que aflojó por temor a hacerle daño—. Lamento... no sabes cuánto lamento que no puedas entenderlo, pero necesito que estés a mi lado —suplicó—. Algún día todo esto quedará atrás. Si tú me das la espalda, no sé cómo podría...

—Sabes que siempre estaré para ti —lo cortó—. Incluso aunque no te entienda. No importa. Supongo que puedo entender que a veces no consiga entenderte.

Mike curvó las comisuras de sus labios al tiempo que hundía una mano en el cabello pelirrojo de Rachel, sujetando su nuca con delicadeza.

—Solo me he quedado con lo de que siempre estarás para mí —se burló—, pero con eso me es más que suficiente.

Ella sorbió por la nariz, sin ser consciente de que en aquel mismo instante Mike se concentraba en contar las pecas de su nariz. Una a una. Tranquilizándose.

—Pecosa, ¿nunca te he dicho que eres preciosa? —Rachel tomó aire cuando sus miradas se enredaron y negó lentamente con la cabeza—. Pues debería haberlo hecho. Eres preciosa, Rachel —repitió.

Él dejó de sonreír y deslizó los dedos por la palma de su mano; la mantuvo abierta sobre la suya y recorrió con la yema del índice las líneas que surcaban aquella superficie aterciopelada. Quería meterse bajo su piel. Esa mano era tan perfecta, tan pequeña y delicada...

—¿Qué estás haciendo?

—No lo sé. Te toco. —Ascendió por el mentón y las mejillas, despacio, disfrutando del recorrido, como si estuviese dibujándola con los dedos en su memoria. Limpió las lágrimas que todavía brillaban sobre su piel, eliminando aquel rastro de dolor—. Y creo que voy a besarte.

—Mike...

—¿Te apartarás si lo hago?

—Tendrás que arriesgarte.

Lo hizo. Arriesgó.

Fue un beso tierno, húmedo, lento. Mike atrapó aquellos labios entre los suyos y mordisqueó con cuidado la piel suave y deliciosa mientras Rachel gemía en su boca.

Estaba perdiendo el control. Tenía la certeza de que aquello no era lo correcto; no para ella, al menos, pero la deseaba más que nada en el mundo. Y, por eso mismo, temía arrastrarla a su infierno. Ella merecía algo mejor, más estable.

Mike desechó la llamada de su conciencia y profundizó el beso ignorando el intenso dolor que sentía en el labio a causa de la reciente herida, y acunó su rostro con ambas manos, trazando pequeños círculos con el pulgar sobre su mejilla. No quería perderla. Todavía no.

—Espera... —murmulló Rachel.

Ambos respiraban agitados. Él rozó sus labios una última vez, conteniéndose, y se separó de ella despacio, contemplando hipnotizado el rubor que le cubría las mejillas.

—¿Qué ocurre?

—Solo... Solo necesito asimilar... lo que acaba de ocurrir.

—Emitió una risa dulce y Mike sonrió travieso y se inclinó sobre ella hasta que ambos estuvieron tumbados sobre el sofá. La miró desde arriba y le apartó con la mano el cabello suelto, despejando su rostro.

—De acuerdo. Puedes ir asimilándolo mientras sigo besándote, ¿no?

Deslizó la boca por su cuello y dejó un reguero de besos que desembocaba en la barbilla de la joven y se desviaba después por el pómulo, la punta de la nariz y sus labios entreabiertos.

Rachel cerró los ojos, todavía aturdida. Era como estar flotando a muchos, muchos metros de altura. Sentía vértigo. Las manos de Mike se movían por su cuerpo con soltura y cierta familiaridad, como si conociese de antemano cada tramo de su piel.

Ella hundió los dedos en su cabello y le acarició la espalda con la otra mano. Cuando pensaba que era imposible estremecerse más, Mike inventaba nuevas caricias, nuevos besos y nuevas palabras que le susurraba al oído. Deseando tocarlo, deslizó la camiseta por su torso y se la quitó. Se miraron en silencio. No huyó de aquellos ojos grises al despojarse también de la suya; permaneció quieta mientras él devoraba con la vista el sujetador azul oscuro que vestía. Mike inclinó la cabeza y depositó un beso suave en su estómago, al lado del ombligo, que le erizó la piel.

—Estás temblando.

—Estoy nerviosa.

Mike apoyó las manos a ambos lados de su cuerpo. Tenía el ceño fruncido y una mirada culpable que ella no supo descifrar.

—¿Por qué estás nerviosa?

—Porque sí. Porque eres tú y soy yo. Por eso mismo. Si fueses cualquier otra persona no sentiría nada, no temblaría. Te quiero, Mike. Siempre te he querido. Lo sabes.

Él tragó saliva con cierta dificultad. Temía mover un solo dedo más, tocarla de nuevo, no poder escapar de aquellas palabras. Escondió la cabeza en el hueco del hombro de Rachel, la pegó a su cuerpo y la retuvo con desesperación. Piel con piel. Y solo el latir de sus corazones. No supo cuánto tiempo estuvieron en silencio, pero fue una eternidad y, al mismo tiempo, un suspiro. No quería soltarla.

—¿He dicho algo malo? —La voz insegura de Rachel inundó la estancia.

—No, claro que no. —Él la estrechó con más fuerza, clavando la yema de sus dedos en la línea de su cintura—. Solo quiero quedarme así para siempre. Abrazarte. Sentirte. Solo eso.

No hubo más besos. Rachel se entretuvo acariciando el cabello de Mike y él continuó con el rostro escondido en su cuello; cada vez que ella notaba su aliento cálido soplando contra su piel, sentía un cosquilleo raro, como si le pellizcasen el corazón.

—¿Vas a quedarte a dormir? —preguntó en un susurro.

—¿Quieres que me quede?

—Sí.

—Entonces lo haré.

—Pero mañana...

—No te preocupes, me iré antes de que llegue Robin.

Mike alzó la cabeza y después se movió para coger del suelo su camiseta y la de Rachel.

—Levanta los brazos —pidió, y cuando ella lo hizo le pasó la prenda de ropa por encima de la cabeza y la bajó suavemente por su cuerpo, rozándole la cintura con los nudillos.

—He hecho algo malo —confirmó la joven, incapaz de apartar la vista de la expresión contrariada de Mike mientras terminaba de vestirse.

—No. Te juro que no. Tú nunca podrías hacer nada malo. —Le sujetó la barbilla con los dedos e hizo un esfuerzo por sonreír—. ¿Sabes por qué me encantan tus pecas?

Se mantuvo callada mientras él se tumbaba de nuevo en el sofá y la acomodaba sobre su pecho. Ella le rodeó el torso con un brazo, cerró los ojos e inspiró hondo.

—¿Por qué?

—Porque son como estrellas sobre el lienzo más bonito del mundo, tu rostro... —confesó—. Cuando era pequeño, antes de que mi padre trabajase en la empresa de transportes, solía volver a casa a las seis y entonces se desataba el infierno. Yo siempre estaba allí, pero nunca entraba dentro. Me quedaba en el jardín, detrás del abeto que talaron hace dos años, escuchando los gritos, los llantos y... —Tomó aire, no estaba acostumbrado a hablar de aquello con tanta franqueza—. Y contaba lo que fuera, las piedras del jardín, las hojas, las estrellas. Aquello era lo único que me tranquilizaba. Igual que tus pecas. Me calman, las necesito. Te necesito.

Deslizó la mano por el rostro de Rachel, acariciando sus mejillas suaves y se contuvo como nunca antes para no besarla. No volvería a hacerlo. No la besaría. Eso sería injusto y egoísta. No quería arrastrarla hacia la abrumadora oscuridad que, tarde o temprano, lo atraparía. Estaba destinado a ello.

En cuanto despertó, Rachel notó la ausencia del cuerpo de Mike. Si no hubiese sido porque todavía olía a él, a aquel aroma a jabón mentolado y fresco, hubiese pensado que todo había sido un sueño.

—Te he preparado el desayuno, cariño. —Su padre apareció en el umbral del comedor y le tendió una taza de café con leche antes de depositar sobre la mesita de cristal el plato que llevaba en la otra mano. Ella le sonrió, todavía rememorando la noche pasada—. Tortitas. Muy hechas, como a ti te gustan.

—No era necesario. Gracias, papá.

—¿Desde cuándo las tortitas son algo innecesario, hija? —rio y se sentó en el silloncito que había enfrente, también con una taza de café en las manos—. Te quedaste dormida en el sofá —bostezó—. Hacías lo mismo cuando eras pequeña, ¿recuerdas? No había forma de que conciliases el sueño en la cama.

Rachel le dio un sorbo a su desayuno, deleitándose con el delicioso aroma y el sabor algo amargo del café recién hecho. Asintió con la cabeza, distraída. Distraída porque no dejaba de pensar en sus ojos claros, en sus labios, en el tacto algo áspero de sus manos y el modo en que la había mirado, como si fuese lo más valioso para él en ese instante.

Suspiró y se giró hacia su padre, que la miraba como si ella fuese transparente y él pudiese ver todos los secretos que escondía. Ignoró el calor que se apoderó de sus mejillas y contempló las marcadas ojeras que destacaban bajo sus ojos verdosos. ¿Cuándo habían empezado a aparecer las primeras canas en su cabello castaño y esas arruguitas cerca de las sienes...?

—Deberías acostarte ya —le aconsejó—. ¿Cuándo van a cambiarte el turno de noche? No es justo que siempre te toque a ti.

—¡Si todo en esta vida tuviese que ser justo...! —emitió una risita vivaracha. Así era su padre, conformista y desenfadado, sabía amoldarse a los diferentes escenarios que la vida iba colocando frente a él—. No te preocupes por mí. —Se frotó el mentón—. ¿Qué tienes pensado hacer hoy? ¿Has quedado con los chicos?

—Sí, tenemos que cuadrar los horarios de la universidad, los míos no coinciden con los de Jason y Mike. Y Luke va por libre, tiene tantos partidos y entrenamientos que será casi como si estuviese en otra ciudad. No creo que podamos verlo mucho...

Permaneció pensativa durante unos instantes, contemplando los rayos de sol que parecían resbalar por el ventanal el comedor. Ahora que todos iban a ir a la universidad temía que las cosas entre ellos cambiasen.

Jason, Mike y Luke estudiarían Publicidad y Marketing. El único que sabía desde hacía tiempo qué quería hacer era Jason. Mike nunca tuvo claro a qué deseaba dedicarse, así que siguió los pasos de su amigo, lo que no era un mal plan porque, a pesar de no ser muy constante y metódico, tenía buenas ideas y podía ser muy creativo sin ni siquiera proponérselo. Y a Luke no le importaba demasiado qué estudiar con tal de poder jugar al fútbol. Todavía era pronto para saberlo, pero le habían dado una beca deportiva y apuntaba maneras para convertirse en una promesa más pronto que tarde.

¿Y ella? Bueno, ella siempre supo que su futuro estaba lleno de palabras y páginas garabateadas. Cualquier trabajo relacionado con eso le resultaba atrayente, así que había conseguido que la admitiesen en la misma universidad que los chicos para cursar literatura, aunque estaría en un campus diferente. Por eso llevaba días intentando cuadrar sus horarios para que pudiesen coincidir y verse durante los ratos libres. No concebía cómo podría ser su vida sin esos tres chicos a su alrededor. Había crecido con ellos. Era quien era por ellos.

—Será mejor que me vaya ya a la cama. —Su padre se levantó del sillón y, antes de marcharse, le dio un cariñoso beso en la frente.

—Descansa, papá.

Nadie volvió a ver a Mike durante los siguientes dos días.

Fue como si se hubiese desvanecido de la noche a la mañana. Le llamaron, lo buscaron, preguntaron a otros amigos del instituto...

Nada. Ni rastro.

Rachel no podía apartar de su cabeza el estado en que se encontraba la noche del jueves, ¿le habría hecho algo su padrastro?

Se había acercado a su casa un montón de veces, pero no se había atrevido a volver a cruzar la verja... ¿y si en realidad se había ido por algo de lo que había sucedido con ella? Jason y Luke estaban preocupados, pero no les dijo nada de lo que había pasado entre ellos. Y aunque estaba segura de que Jason imaginaba algo, porque era increíblemente intuitivo, no se sintió con fuerzas para contarle los detalles. Que la había besado. Que se había quedado a dormir a su lado. Y que después había desaparecido del mapa. ¿Era por ella? ¿Se había ido por eso? No conseguía encajar las piezas del rompecabezas. Mike jamás se había ausentado así sin más, y mucho menos sin decírselo a alguno de los tres. Se sentía desencantada. Pero luego... Luego recordaba que era él. Y todo lo demás dejaba de preocuparla. Porque Mike nunca le haría daño, nunca.

No podía ser por ella, tenía que haberle pasado algo. Algo grave que explicase que no pudiese contactar con ellos. Tenía que hablar con los chicos y tenían que ir a su casa a pesar de todas las prohibiciones.

El sábado por la noche iba a llamar a Jason cuando este se le adelantó y le contó que Luke acababa de ver a Mike en una fiesta de la urbanización.

—Dice que está raro —añadió—. Que no parece el mismo.

—¿Qué quieres decir? —Rachel empezó a vestirse de inmediato, todavía con el teléfono apoyado sobre el hombro derecho.

—No lo sé.

—¿Y dónde dices que es esa fiesta?

—En casa de Jack. El del equipo de Luke, el defensa derecho —aclaró. Quedaba a solo tres manzanas de su casa—. ¿Seguro que estás bien? ¿Sabes algo que yo no sepa? Si ha ocurrido algo con Mike puedes contármelo.

—Hablaremos después, pero no te preocupes.

Intentó parecer calmada. Estaba segura de que había una explicación. Mike se la daría, le detallaría punto por punto por qué se había esfumado y después la abrazaría y le susurraría que todo iba a ir bien. Eso, o bien algo había pasado con Jim. Rachel tuvo un mal presentimiento al volver a recordar las heridas de su rostro cuando irrumpió en su casa dos noches atrás.

—De todas formas —Jason no parecía convencido—, me acercaré a esa fiesta en... una hora, más o menos. Antes tengo que terminar de hacer un par de cosas. ¿Quieres esperarte y te recojo de camino?

—No. Iré primero —contestó decidida—. Nos vemos allí.

—Claro. Nos vemos.

Colgó el teléfono y emitió un suspiro cargado de preocupación antes de regresar al comedor. Rodeó el sillón donde su padre estaba sentado, viendo un concierto en diferido de David Bowie. Sonrió con ternura y le dio un beso en la mejilla.

—Tengo que salir, papá. No creo que llegue tarde.

Robin apartó la mirada de la pantalla y la centró en su hija.

—Está bien. Ve con cuidado.

La casa de Jack estaba repleta de estudiantes que gritaban y bailaban emocionados, probablemente celebrando que en un par de semanas muchos de ellos estarían en la universidad, disfrutando de un nuevo comienzo.

Rachel atravesó el interior de la vivienda, parando a menudo para saludar a los conocidos que encontraba a su paso. Tardó un buen rato en conseguir salir al jardín trasero. Respiró hondo, aliviada por el aire fresco de la noche, mientras observaba en derredor intentando encontrar a Luke... o a Mike.

Esquivó a varias personas y avanzó sobre el césped. En medio del jardín había una piscina llena de gente. Se quedó absorta viendo cómo una pareja se lanzaba agua entre risas, y después regresó al interior y tropezó con Stuart, el chico con quien solía sentarse en clase de biología.

—¿Quieres algo de beber?

—No. Estoy buscando a Mike, ¿lo has visto?

Había un grupito de chicas que reían sentadas sobre la mesa de la cocina con unos cubatas en la mano.

—Creo que lo he visto subir al piso de arriba hace un rato —comentó como de pasada—. ¿Seguro que no te apetece nada? El hermano mayor de Jack ha comprado un arsenal de bebidas.

—De verdad que no, pero gracias, Stuart.

Se despidió con la mano y subió de dos en dos los escalones hasta la planta superior. Se encontró a un par de jóvenes hablando en el pasillo. No los conocía, así que los ignoró y pasó por su lado en silencio. Avanzó unos cuantos pasos hasta que escuchó una voz femenina que provenía de la habitación más cercana. La acompañaba otra voz. Una que era mucho más ronca, más grave, más familiar.

La puerta estaba entornada, pero el hueco abierto era lo bastante grande como para observar la estancia completa. Aunque quería huir de esa voz, Rachel dio un paso adelante. Y entonces lo vio. Los vio.

Sintió un vuelco en el estómago cuando se encontró con esos ojos que tan bien conocía. Mike la miró fijamente, imperturbable, como si estuviese vacío por dentro, como si fuese una persona distinta con el mismo envoltorio. Él estaba de cara a la puerta donde ella permanecía inmóvil, sentado en el borde de una cama. Había una chica sobre sus piernas, a horcajadas, y no dejaba de reír. Rachel solo podía ver su espalda; estaba desnuda de cintura para arriba, y mientras ella besaba su cuello, él la sujetaba con una mano, clavando los dedos en la piel morena de la desconocida.

Hizo falta que los labios de esa chica atrapasen los de Mike y él devorase su boca sin vacilar, para que Rachel reaccionase al fin y diese media vuelta.

Bajó las escaleras a trompicones. Nunca había sido tan consciente de sus propias palpitaciones; las oía en el pecho, en los oídos, en todo su cuerpo. Salió de aquella casa. Estaba tiritando. Se ahogaba. Era como si pudiese percibir cómo su corazón se rompía literalmente en pedacitos tan pequeños que iba a resultar imposible buscarlos y unirlos de nuevo entre sí...

Corrió por las calles de la urbanización agradeciendo el viento frío de la noche y el dolor en las piernas. Le faltaba el aire y le picaba la garganta. Hubiese corrido hasta agotarse, pero al vislumbrar el umbral de su casa se acercó a la puerta y apoyó las manos sobre las rodillas. Todavía intentaba recuperar el aliento cuando alzó la mirada hacia el cielo lóbrego y negro. No había ni una sola estrella, tan solo un vacío aplastante y triste. Pero era mejor así. Era mejor la nada que las dichosas y estúpidas estrellas de Mike.

Tenía que calmarse si no quería que su padre la viese en aquel estado tan lamentable. Recostó la espalda contra el muro de la fachada y reprimió un sollozo tapándose la boca con una mano. No podía ser real. Era incapaz de creer que la hubiese traicionado así la única persona por la que lo hubiese apostado todo.

Se secó las lágrimas con rabia y se prometió a sí misma que no lloraría más. «No vas a llorar. No vas a hacerlo», repitió mentalmente. Después, despacio e intentando no hacer ruido, metió la llave en la cerradura de la puerta y entró en casa.

Todo habría estado sumido en la oscuridad si no fuese por la lamparita del comedor que su padre debía de haber olvidado apagar y que emitía una cálida luz anaranjada. Rachel depositó las llaves en el pequeño cesto de mimbre que había sobre la mesa del recibidor y avanzó hacia el comedor caminando de puntillas. Estaba a punto de presionar el interruptor de la lámpara cuando advirtió que su padre se había quedado dormido en el sillón.

Reprimió las ganas de llorar un poco más y se acercó a él.

—Papá, despierta —susurró con suavidad—. Vamos, en la habitación descansarás mejor —insistió.

Esperó pacientemente unos instantes. Cuando posó su mano sobre la suya, que descansaba en el brazo del sillón, se le erizó el vello de la nuca. Su padre, que siempre desprendía calidez, tenía las manos frías.

—¿Papá? Papá, estás... ¿Estás bien? —Lo sacudió con fuerza, al tiempo que sentía su corazón encogerse en un puño—. ¿Qué te ocurre...? ¡Despierta, papá! ¡Por favor! —Continuó zarandeándolo por el brazo—. ¡Oh Dios! Oh, Dios mío. ¡Abre los ojos, por favor!

Aterrorizada, cuando comprendió que nada de lo que estaba haciendo daba resultado, corrió hasta la cocina, donde apenas una hora antes había dejado el teléfono tras hablar con Jason y, con dedos temblorosos, logró marcar el número de los servicios de emergencia.

—¿En qué puedo ayudarla? —respondió una voz al otro lado de la línea.

Rachel tragó saliva bruscamente, intentando deshacer el nudo que le impedía hablar. Sentía la bilis ascender por su garganta y tuvo que hacer un gran esfuerzo para contener las náuseas. No dejaba de temblar.

—Es una emergencia. Mi padre... mi padre no responde. Está inconsciente —logró decir—. Es el 5th de Farstown. ¡Por favor, dense prisa! ¡Es urgente!

Cinco años después

I

Solo se escuchaba el suave susurro de los dedos golpeando contra el teclado del ordenador. Ya casi había anochecido. El resplandor de la luna se filtraba por la ventana de la cocina confiriéndole a la estancia un aura de misterio que en realidad no poseía. Cuando el móvil comenzó a vibrar sobre la mesa, Rachel dio un respingo.

—Joder —masculló llevándose una mano al pecho antes de alcanzar el teléfono y descolgar la llamada—. ¿Diga?

—Sam ha muerto.

Rachel se quedó congelada con el aparato pegado a la oreja. Era la tercera esposa de su casero y se llamaba Rita Edwards. Aunque llevaba viviendo en aquel piso casi tres años, solo había visto a la mujer en contadas ocasiones. Era menuda, tenía el pelo tintado de un tono tan rubio que parecía casi blanquecino y solía pronunciar mal la letra ele, como si tuviese restos de comida en el paladar y fuese incapaz de mover adecuadamente la lengua.

—¿Puede... puede repetir lo que acaba de decir? —titubeó.

Escuchó a Rita suspirar sonoramente.

—Mi marido, Sam Edwards, está ahora en un lugar mejor. En el cementerio. El funeral fue ayer; compramos peonías blancas y rosas, y todo estaba precioso. Tendrías que haberlo visto —detalló, aunque por el tono neutro de su voz hubiese sido difícil saber si hablaba de una boda o de un entierro.

Rachel frunció el ceño, disgustada por la suerte de Sam. Apenas lo conocía, pero le había dejado el apartamento a buen precio cuando decidió dejar atrás la costa oeste de Washington y regresar de nuevo a San Francisco. De vez en cuando se pasaba por allí si había algún desperfecto y siempre se mostraba sonriente y tranquilo, como si no tuviese ninguna prisa por nada en particular.

—¿Sigues ahí? ¿Rachel? —gritó Rita.

—Sí, sí, perdone. Así que Sam... —Se mordisqueó la cara interna de la mejilla—. Lo lamento muchísimo, de verdad. Es una noticia terrible.

—Vas a tener que abandonar el apartamento, Rachel —declaró la mujer sin sutilezas ni adornos innecesarios. Clara y concisa. Directa al grano—. Sé que la noticia te pillará por sorpresa, pero tras la muerte del bueno de Sam, necesito dinero en efectivo.

—¡Pero si siempre pago mis facturas!

—Lo sé, cielo, pero eso no es suficiente —prosiguió Rita, implacable—. Necesito venderlo. Dime, ¿cuántos días crees que tardarás en mudarte? Deberíamos acordar un plazo. Eso es lo que suele hacerse en estas situaciones.

—Yo... no lo sé... —Aturullada, se apartó con agobio algunos mechones de pelo que se escurrían por su rostro. No estaba preparada para hacer frente a aquello, así, de golpe, justo cuando por fin parecía que encontraba una estabilidad—. ¿Cuánto dinero pide por el apartamento?

El mero hecho de preguntarlo fue una estupidez. Mucho. Pedía mucho. Rachel no entendía cómo alguien podía llegar a pagar tanto por unos cuantos metros cuadrados y unas paredes finas como el papel que podían considerarse casi una reliquia.

Bajó la mirada al suelo y la clavó en *Mantequilla*, el gato con el que compartía aquel piso que pronto dejaría de llamar hogar. Suspiró hondo mientras el felino se paseaba entre sus piernas, exigiendo más comida a pesar de su incipiente sobrepeso.

—Quizá si esperase algunos meses... —Se oyó decir, aunque por el tono de su voz no parecía demasiado convencida—. Tendría que pensármelo...

No le faltaba demasiado para terminar la novela que tenía entre manos y su editora le había asegurado que le conseguiría un buen adelanto, después de que la primera y la segunda parte de la saga hubiesen funcionado medianamente bien. Además, tenía algo ahorrado, aunque era poco.

Necesitaba tiempo.

Antes de que pudiese decir algo más, Rita se adelantó y aplastó toda esperanza.

—Lo lamento, Rachel, pero ya tengo el apartamento más o menos apalabrado. Tengo deudas que pagar ahora que Sam ya no está, así que durante el funeral les prometí a unos primos lejanos que en quince días estaría libre para que pudiesen echarle un vistazo —explicó—. Si no les interesase podría avisarte...

—Ya, lo entiendo. Gracias, pero no. —Reculó—. Seguro que puedo encontrar algo durante estos días. No se preocupe.

—Sé que lo harás.

—Sí, bueno, tengo que colgar —farfulló de mala gana y luego se obligó a suavizar el tono—. Y, de nuevo, siento lo de Sam.

Lanzó el teléfono sobre la repisa de la cocina en cuanto Rita Edwards se despidió. Los ojos de *Mantequilla* se alzaron con curiosidad hacia el lugar donde se había producido el ruido, y cuando dedujo que no había ocurrido nada digno de su interés, prosiguió lamiéndose la pata con total despreocupación, ajeno al desastre que se avecinaba para ambos.

—Estamos jodidos —Anunció Rachel, como si el animal fuese a entenderla.

Estuvo un buen rato parloteando sola, maldiciendo y quejándose al tiempo que recorría la cocina de punta a punta, con una mano en la frente. Cuando liberó un poco de tensión, cerró la ventana con un golpe seco, sacó el tarro de crema de cacahuete y cogió una cucharilla pequeña de café. Se sentó nuevamente en la mesa y clavó la mirada en la pantalla del ordenador, releyendo lo que había escrito aquella tarde mientras engullía una cucharada tras otra.

Había empezado a escribir poco después de regresar a Washington bajo el cobijo de tía Glenda. La mujer todavía vivía en la casa que había sido de sus abuelos. No se había casado nunca, aunque, una noche de confesiones, le contó que había estado prometida con un apuesto soldado que juró que volvería, pero nunca lo hizo. Glenda era una mujer oronda que vivía gracias a una subvención del estado y que pasaba la mayor parte del tiempo viendo la televisión o alimentando a los gatos del puerto. A Rachel le agradaba que fuese callada y que le dejase su espacio. El único aspecto de ella que la sacaba de quicio era su afición por hojear una y otra vez los álbumes familiares de fotografías. Sentía cómo una parte de sí misma se iba rompiendo más y más conforme señalaba las fotografías de sus padres, todavía jóvenes y sonrientes, de ella cuando era pequeña, o de los abuelos y los primos, y murmuraba lo guapos que eran todos y el precioso color de cabello que su hermana había lucido siempre y lo triste que era que aquel conductor ebrio hubiese arrollado con un camión su pequeño e indefenso coche, convirtiéndolo en un amasijo de hierros.

Los recuerdos que Rachel conservaba de su madre eran en realidad los recuerdos de Robin, los detalles, las vivencias y los momentos que él le había relatado con el paso de los años, cada vez que ella preguntaba (que era constantemente, hasta que entró en la adolescencia y dejó de hacerlo, como si todo se resumiese al «aquí y ahora»).

En el fondo, a quien ella echaba de menos era a su padre. Lo echaba tanto, tanto de menos, que prefería ignorarlo, fingir que había perdido la memoria de cualquier cosa concerniente a él y evitar tropezarse con fotografías o detalles que despertasen el recuerdo. Y había cientos, miles de diminutas cositas que nunca antes había tenido en cuenta y que conseguían evocarlo. El olor a caldo, por ejemplo. El tubo de la pasta de dientes mal cerrado (le rogó a Glenda que tuviese cuidado con eso), las tortitas, los programas de humor negro con risas enlatadas, cada vez que sonaba una de sus canciones preferidas de rock... Con el tiempo, sin embargo, había aprendido a no prestar atención a ese tipo de cosas. Estuvo un par de meses viviendo en aquel rincón de Seattle sin hacer nada en concreto hasta que consiguió un trabajo en la gasolinera del pueblo para el turno de noche. Le gustaba. No se parecía en nada a lo que había pensado que sería su vida, evidentemente, pero era tranquilo, fácil, y durante la madrugada los clientes aparecían a cuentagotas.

Se entretenía leyendo durante todas aquellas horas muertas; empezó por los polvorientos libros que encontró en casa de tía Glenda y siguió por los de la biblioteca. A veces, entre lectura y lectura, imaginaba sus propias historias y no tardó mucho en comenzar a darles forma sobre el papel. Sus escritos solían terminar en la papelera o arrugados quién sabe dónde, pero en una ocasión una de esas historias se le presentó tan clara ante sus ojos que empezó a centrarse más en ella, a sentir que los personajes caminaban solos por el mundo y que la trama encajaba y se hacía más y más grande... Hasta que un día se sorprendió al ver que acababa de terminar el esbozo de una novela. Un esqueleto no demasiado bueno, pero que le sirvió para decidir qué quería hacer.

Al principio, todo lo que escribía era agrio, doloroso y triste. Sus palabras destilaban rencor y en sus trazos era imposible encontrar un ápice de positivismo. Volcó sobre el papel lo que no podía expresar de ninguna otra forma. Aunque, en cierto modo, nunca lo dejó salir completamente; aquellos garabatos se los quedó ella y el dolor también.

Las pocas veces que se permitía ser débil, pensaba en Luke y en Jason y se preguntaba (e intentaba imaginar) qué estarían haciendo en aquellos momentos; si serían felices, si habrían encontrado su lugar en el mundo, si estarían pensando también en ella en ese mismo instante...

El tiempo fue curando las heridas. Sin saber cómo, Rachel estaba preparada para sobrevivir a cualquier adversidad y seguir adelante. Y conforme quedaron atrás meses, años y etapas, las emociones que antes parecían abarcarlo todo se hicieron a un lado, buscando un rincón en el que permanecer rezagadas.

Escribir se convirtió en su pasatiempo favorito. Tampoco es que tuviese nada mejor que hacer en aquel solitario pueblo. Ella se hizo al ambiente y adoptó la soledad del lugar como propia. Era extrañamente agradable saber que su destino solo dependía de sí misma y de nadie más. A menudo daba largos paseos por los alrededores. La zona habitada tenía forma alargada y parecía delinear el borde de la costa, como si desease ejercer de guía para indicarle al inmenso océano Pacífico cuándo debía dejar de avanzar. Todo estaba repleto de frondosos bosques de hayas y abetos, y el rugir furioso de las olas que a ella la calmaba. Era como si el mar le murmurase todos sus secretos.

Dejó de escribir en su diario, como había hecho siempre, pero a cambio empezó a indagar sobre *otros*, sus personajes. Normalmente lo hacía por las tardes y, después, corregía en el trabajo de noche. Se acostumbró tanto a ese horario, que años después aún continuaba esa misma pauta, a pesar de que ya no trabajaba en la gasolinera y ni siquiera seguía viviendo en Washington.

Hacía tres años que había regresado a San Francisco. Después de que tía Glenda tuviese que ser ingresada en una residencia por trastornos degenerativos, se dio cuenta de que no había nada que siguiese atándola a aquel sitio húmedo y frío donde siempre lloviznaba y, cuando pensó a qué lugar podría ir, tan solo aparecieron en su mente paisajes y recuerdos de esa ciudad que de algún modo retorcido echaba de menos; el grandioso Golden Gate, sus casas victorianas de colores, lo divertido que era mezclarse entre los turistas en Fisherman's Wharf o subir a Twin Peaks para disfrutar de las vistas, las noches que los chicos y ella convencían a su padre para que les acercase a Little Italy a probar las mejores pizzas del mundo...

Rita Edwards tuvo la dudosa amabilidad de darle cinco días más de plazo, de modo que en vez de quince fueron veinte. Rachel pensó que era un tiempo prudencial para dar con un apartamento decente a un precio de alquiler similar al que pagaba.

Tardó poco en comprender las dificultades de encontrar algo económico que no tuviese un techo a punto de caerse a pedazos. Casi todos los pisos bonitos, repletos de luz y en zonas agradables, se salían de su presupuesto. La suerte había estado de su parte cuando tropezó de casualidad con el bueno de Sam, años atrás, y ahora el equilibrio del universo estaba haciendo de las suyas.

Visitó un sinfín de apartamentos que en las fotografías de la inmobiliaria parecían aptos. En una de esas ocasiones estuvieron a punto de robarle el bolso antes de que hubiese conseguido entrar en el portal del edifico que el agente inmobiliario pretendía enseñarle. En otra ocasión se encontró con un apartamento cuyas ventanas, por alguna misteriosa razón, estaban tapiadas. Durante aquellos días, saludó a una familia de okupas, discutió con propietarios para intentar ajustar el precio que exigían y tuvo que dejar que sus ojos se enfrentasen a innumerables moquetas con vida propia, papeles de pared con diseños que harían llorar al niño Jesús y escaleras en tal mal estado que muy pronto serían declaradas cómplices de asesinato.

Centrada en la desesperada búsqueda de un apartamento aceptable, apenas tuvo tiempo de escribir ni de responder los correos electrónicos de Emma Sowerd, su editora. Esta sabía hacer bien su trabajo, porque había levantado una pequeña editorial en muy poco tiempo, y le había dado una oportunidad cuando no esperaba nada, así que la apreciaba, pero era especialista en agobiar y meter presión, que era exactamente lo último que necesitaba en esos momentos.

Todavía no había encontrado ningún apartamento y solo faltaban cinco días para que se cumpliese el plazo que Rita le había dado.

Salió a correr mucho más de lo normal. Era algo que hacía varias veces a la semana, pero no recordaba la última vez que había superado su media habitual de diez kilómetros porque, siendo una persona de costumbres, realizaba siempre el mismo recorrido, en el mismo horario y los mismos días. Sin embargo, durante aquellas dos semanas, simplemente trotó sin parar por las empinadas calles de la ciudad sin mirar atrás, sin preocuparse por si se le hacía de noche o por si se alejaba demasiado. La muerte de Sam y todo lo que implicaba le traía malos recuerdos. La situación era similar a algo que ya había vivido cinco años atrás. La inseguridad. La inestabilidad. En aquel entonces, se había sentido igual de perdida cuando la ambulancia y el equipo médico formado por dos mujeres y un hombre había irrumpido en su casa, tan solo para confirmar lo que muy en el fondo ella ya sabía: que su padre estaba muerto.

No pudieron hacer nada. Rachel se bloqueó de tal forma que tuvieron que llevarla al hospital y, una vez allí, un psicólogo del centro especializado en situaciones similares pasó la madrugada junto a ella, intentando que aceptase lo que había ocurrido de la mejor manera posible. Estaba en *shock*. Le aconsejaron que se abriese, que llorase y dejase salir las emociones, pero no fue capaz de derramar ni una sola lágrima. Le dolía tanto que no conseguía canalizarlo.

El psicólogo, que se llamaba Ian Foster y pareció adjudicarse el caso como algo personal, no se separó de ella mientras estuvo en el hospital y se tomó la molestia de llamar a la funeraria, al seguro y al banco. En más de una ocasión, a Rachel le tentó la idea de contactar con Jason. Porque sí, le necesitaba, pero otra parte de ella se sentía como si la hubiesen arrancado de golpe del mundo que hasta entonces había conocido. Fue como dejar atrás a la niña que vivía en su interior, abandonándola, abandonándose. Así que al final decidió almacenar en su buzón de entrada todos los mensajes de preocupación que le llegaron de Jason o Luke durante los días posteriores y, tal como le aconsejó Ian Foster, gastó la poca batería que le quedaba en el teléfono para avisar a su tía Glenda de lo que había ocurrido y pedirle si podía coger el siguiente vuelo a San Francisco.

Pasó las horas previas al funeral en la habitación de hotel en la que Glenda se hospedaba. No había querido volver a pisar la que había sido su casa, aquel lugar repleto de recuerdos, así que su tía se tomó la molestia de traerle ropa limpia y recoger en un par de maletas los papeles y las pertenencias más importantes. Rachel malgastó el resto del día tumbada en la cama, con la mirada fija en el techo blanco de la impersonal estancia, preguntándose por qué no conseguía llorar. El pecho le ardía por dentro, como si las lágrimas se agolpasen en su interior. Quemaba. Aquello fue lo último que pensó antes de meterse en la ducha y dejar que el agua caliente arrastrase la tristeza. Cuando salió, se vistió con unos vaqueros y una camiseta que su padre le había regalado de uno de sus grupos de rock preferidos; cogió el radiocasete que le había pedido a Glenda que trajese y juntas se dirigieron al cementerio donde iba a celebrarse el funeral.

Lo último que hizo antes de marcharse a Seattle, fue acercarse al banco a firmar unos papeles. Ya estaba al tanto de la situación: dado que ella no podía pagar su casa y todavía estaba hipotecada, tendrían que quedársela ellos a cambio de anular la deuda. Rachel había aceptado su propuesta. El hombre trajeado del banco se mostró compasivo en todo momento, le recordó que su padre había dejado unos ahorros en su cuenta y le explicó cómo podía acceder a ellos. Además, la ayudó a buscar un trastero a un precio módico, propiedad de esa misma empresa, donde poder guardar parte de sus pertenencias. Una vez que terminaron todos los trámites, se rascó el mentón con gesto pensativo y le preguntó qué pensaba hacer.

—No lo sé. —Rachel lo miró, sentada en la cómoda silla del banco. El edificio, pintado de un color verde oliva, olía a desinfectante y a productos químicos de limpieza—. Tengo... tengo que reorganizar mi vida.

—Tu padre era un buen hombre. Lamento muchísimo la pérdida. Le preocupaba tu futuro, las dos veces que cambió el plan de ahorros fue con la intención de mejorarlo y siempre te nombraba y tenía en cuenta mis consejos. No hay una gran cantidad de dinero, porque estaba enfocado a un plazo largo, pero te dará para mantener el trastero y cubrir algún gasto extra. —La miró con cierta impotencia—. ¿No tienes ningún familiar?

—Sí, mi madre tenía una hermana, Glenda Collins. Se ha quedado en el hotel para organizar el viaje de vuelta. Vive en un pueblo pequeño de Washington, cerca de Seattle; me iré con ella.

Rachel pensó en si tenía a alguien más.

Recordó a Jason y sus ojos cálidos, y a Luke y sus bromas y sonrisas... y finalmente a Mike. Pestañeó rápido al notar que le escocían los ojos, como si al fin reaccionase después de aquellos días grises. Negó con la cabeza para sí misma.

No, no había nadie más. Estaba sola.

2

Lo único que Rachel deseaba en el mundo era estampar su firma en un dichoso contrato de alquiler. No pedía tanto. Incluso había empezado a tener pesadillas. Soñaba que las páginas grapadas y garabateadas del contrato se alejaban y por más que corría nunca conseguía alcanzar aquel manojo de papeles.

Apenas le quedaban cuarenta y ocho horas de plazo cuando dejó a un lado su orgullo y se decidió a llamar a Rita Edwards.

No sirvió de nada.

Durante todos aquellos años, se había convencido de que su estilo de vida era inmejorable: iba a lo suyo, no ayudaba a nadie, pero tampoco pedía ningún favor, tan solo se valía de sí misma. Eso era bueno, siempre y cuando fuese suficiente y ahora no lo era, pero no se le ocurría nadie a quien pudiese recurrir. La persona con la que más confianza tenía era probablemente la mujer de una verdulería cercana; siempre le guardaba los mejores tomates y le decía qué productos eran frescos y cuáles habían llegado hacía varios días. Ni siquiera sabía su nombre. Era Irina o Iris o algo así.

No había tenido demasiadas relaciones sentimentales. Tampoco las había buscado. En primer lugar, porque un tal Mike le enseñó lo que era un corazón hecho añicos y la experiencia no fue demasiado agradable. En segundo lugar, porque cada día que pasaba se volvía más recelosa y la mayoría de las personas que se cruzaban en su camino no le parecían nada interesantes.

Rachel no quería problemas y huía de los dramas. Solía sentirse más segura junto a gente práctica y eficaz. Por ejemplo, la cartera de su zona, una mujer de rostro enjuto que siempre llegaba puntual y se limitaba a murmurar «Buenos días» y «Adiós», le gustaba. En cambio, el vecino de enfrente, excesivamente hablador, entrometido y dispuesto a no dejarla tranquila (ni aunque fuese cargada con las bolsas de la compra), no le hacía ni pizca de gracia. Es decir, la humanidad se dividía en dos grupos: gente molesta y gente no molesta; desgraciadamente, casi todos pertenecían al primero.

Puede que por todo eso solo hubiese tenido dos parejas relativamente estables y ninguna de ellas duró más de unos cuantos meses. El primero se llamaba Nick Dallen y lo había conocido cerca del puerto, en Washington, cuando todavía vivía con su tía. Durante sus habituales paseos por la zona, se sentaba cerca de él y lo observaba lanzar las redes desde las rocas e intentar sacarlas después. Nunca hablaban. Un día, él se acercó y la invitó a salir. A Rachel le gustó que fuese directo, sin dar vueltas al asunto. Dijo que sí.

Nick era una persona simple. No en un mal sentido, todo lo contrario. Lo bueno de él era que no había nada más allá que esa primera capa que dejaba ver a todo el mundo; no existía un trasfondo oculto, no tenía misterios que ser descubiertos. Cuando salían se divertían lo suficiente como para que ella quisiese repetir.

Había perdido la virginidad en su coche, en el asiento trasero. No fue nada romántico, algo que le gustó porque así no parecía más de lo que sencillamente era, pero fue cuidadoso y le preguntó en varias ocasiones si le estaba haciendo daño. Mientras los cristales se empañaban y sus embestidas se tornaban más profundas y certeras, Rachel fue consciente de que nunca podría enamorarse de él y ese pensamiento la hizo sonreír. Tenía el control y nunca volvería a perderlo.

Su segundo pequeño amor se llamaba John Carrighton. Era el repartidor que le traía la pizza a casa cuando hacía un pedido a domicilio. Tenía los ojos negros y rasgados y siempre aprovechaba el momento de tenderle la humeante caja para rozarle la mano con delicadeza. Era atractivo. Tendría unos cuantos años más que ella y no era difícil adivinar que asistía al gimnasio con bastante asiduidad. Ella empezó a pedir pizza con más frecuencia de lo normal (traducido en números: engordó dos kilos y medio). Y él cada vez le hablaba más y tardaba más tiempo en darle el cambio. Pero la cosa no avanzaba y Rachel no estaba dispuesta a seguir comiendo pizza el resto de su vida. Así que al final, le preguntó a qué hora terminaba el turno y si le apetecería pasarse cuando acabase. A John le costó unos segundos procesar aquella información. Aceptó en cuanto asimiló sus palabras.

El sexo con John era agradable. No un estallido de fuegos artificiales, desde luego, sino más bien como explotar un montón de las burbujitas del plástico que suele envolver los objetos delicados. A Rachel le parecía suficiente. No hablaban demasiado, él era callado y a ella le encantaba que fuese así. De vez en cuando se quedaba a cenar e incluso a dormir si era demasiado tarde, pero su presencia le producía tan pocas emociones que a veces no estaba demasiado segura de si aún estaba allí o ya se había marchado. De algún modo retorcido que la hacía sentirse un poco culpable, le parecía que incluso *Mantequilla* llenaba más la casa.

Como última opción, puesto que ya había visitado la mayoría de las inmobiliarias que conocía y llamado a un sinfín de números de pisos que había mirado por internet, se acercó a un establecimiento que quedaba a veinte minutos de su casa y que hasta ese momento había descartado porque no parecía formar parte del público potencial de aquel lugar. Rachel realizó el recorrido a pie. Llevaba el cabello recogido, dejando al descubierto sus hombros ligeramente pelados por el sol del verano que estaba llegando a su fin.

La agencia tenía pinta de ser el lugar perfecto para suministrar lujosas mansiones a los nuevos ricos que llegaban a San Francisco con los bolsillos repletos de dinero que malgastar, pero Rachel se obligó a entrar. Puede que tuviesen algo para ella, pensó. Quizá también manejaban propiedades más austeras, pero les avergonzaba exponerlas en el escaparate.

Respiró hondo cuando entró, advirtiendo el suave toque del ambientador de jazmín, y se acomodó en uno de los sillones de la zona de espera.

No todo estaba perdido. Como plan B, siempre podía alquilar una habitación en un piso compartido donde *Mantequilla* y ella pudiesen resistir hasta que surgiese algo mejor. O un hostal, si no era durante demasiado tiempo.

Manteniendo las manos cruzadas sobre el regazo, se miró las uñas, pintadas de un llamativo color azul que empezaba a desconcharse por algunas zonas, y se las frotó con la yema de los dedos intentando eliminar los restos del esmalte, pero tuvo que dejar de hacerlo cuando la llamó uno de los trabajadores de la inmobiliaria.

Avanzó hasta la mesa de aquel hombre y se sentó en una cómoda silla de mullidos reposabrazos. Lo miró insegura cuando él se presentó, antes de preguntarle en qué podía ayudarla.

—Bueno, verá... —Se rascó nuevamente la uña con nerviosismo, logrando que otra viruta azul se desprendiese—. Estoy buscando un apartamento pequeño que no resulte demasiado caro. No sé... quizá algo por Pinehurst o en una zona similar.

El hombre le mostró una desagradable sonrisa pretenciosa. El tipo de sonrisas que marcan y diferencian quién está por encima de quién, formulada tan solo para empequeñecer a los demás.

—Lo siento, señorita, pero dudo que en esta inmobiliaria tengamos algo para usted. Lo que está buscando no se ajusta a la línea de propiedades que tenemos en catálogo.

Rachel abrió la boca, para instantes después cerrarla con consternación y comenzar de nuevo.

—Escúcheme, necesito encontrar un apartamento, incluso aunque sea de forma temporal. —Se inclinó hacia delante y clavó sus ojos marrones en los de aquel señor—. ¿No podría ayudarme? Por favor.

Él carraspeó y se aclaró la garganta.

—Lo siento mucho, pero le repito que nosotros...

—¿Rachel? —Ella se giró al escuchar que alguien pronunciaba su nombre y porque esa voz... esa voz podría haberla reconocido en cualquier parte—. Rachel, ¿eres tú?

Permaneció en silencio. No podía hablar. Tenía la boca seca. Quería levantarse, abrazarlo y decirle que tenía un aspecto increíble, pero como temía que las rodillas le temblasen demasiado, permaneció sentada, mirando fijamente a Jason Brown.

—¿Usted la conoce? —El hombre que segundos atrás la atendía se puso en pie en actitud servicial—. La señorita estaba buscando una propiedad económica, así que le informaba que...

Jason se echó a reír de pronto y el empleado volvió a guardar silencio.

—¡Te encontré! —Se inclinó hacia Rachel y la estrechó entre sus brazos con determinación hasta que ella dejó de tener los pies en el suelo—. Joder, ¡te encontré!

Tal como Jason recordaba, ella seguía oliendo a frambuesa. Le alegró descubrir que todavía utilizaba aquella primera colonia barata que vendían en casi todos los supermercados y que los tres le habían regalado al cumplir los dieciséis. Resultaba agradablemente familiar.

—Te has vuelto bastante escurridiza últimamente, ¿no? —Estaba agitado—. Pero nadie puede esconderse eternamente —sonrió—. Y ahora estás aquí. Por fin. Si hubiese sabido antes que todo lo que tenía que hacer era esperar que tú vinieras a mí, habría evitado muchas horas tiradas a la basura buscando tu nombre en Google.

Lo bueno de que Rachel estuviese tan nerviosa era que ni siquiera podía procesar la situación ni pensar con claridad lo que implicaba volver a reencontrarse con Jason. Si le hubiesen dado unos minutos para reflexionar sobre ello, seguramente habría huido a toda velocidad.

Jason apenas había cambiado, aunque había crecido unos cuantos centímetros más y ya no llevaba el cabello rubio por los hombros, sino que se lo había cortado y peinado de un modo más formal. Vestía un traje caro que nunca pensó que le vería puesto, porque no era nada propio de él. Rápidamente desvió la mirada hacia sus manos intentando descubrir alguna alianza en sus dedos, pero no, allí no había ni anillos ni marcas.

—Sigo siendo un hombre libre.

—Eso explica que tengas tan buen aspecto —bromeó ella, tras comprobar que la capacidad que Jason tenía para leerle la mente seguía intacta—. No, en serio, pareces sano y fuerte y todo eso. Me alegro de verte. —Su voz sonaba ronca, como si tuviese algo atascado en la garganta. Pero era cierto, se alegraba de descubrir que las cosas parecían irle bien. Había pensado en él infinidad de veces durante los últimos años y ahora que lo tenía delante ni siquiera sabía qué decirle, ¿por dónde empezar?, ¿qué preguntar?

Sonrió nostálgica y ambos se miraron fijamente durante lo que pareció una eternidad. Jason rompió aquel trance cuando le dio unos suaves toquecitos en el hombro con la punta de los dedos.

—Será mejor que vayamos a mi despacho y nos pongamos al día. —Bajó el tono de voz—. No me gustaría seguir entreteniendo a mis empleados; les pago bien la hora.

—Ah, vale, sí —aceptó mientras se colgaba el asa del bolso.

Miró a su alrededor unos segundos, fijándose en los trabajadores y algunos clientes que los miraban con curiosidad, de reojo, mientras fingían releer por encima papeles o revisar los cajones de sus mesas. ¿Todo aquello era suyo...? Lo siguió por una puerta que conducía a un largo pasillo y ambos dejaron atrás la sala principal.

Le sudaban las palmas de las manos.

Entró en la estancia y estudió el lugar. Una guitarra de color verde botella colgaba de una de las paredes, que estaban pintadas de un tono ocre clarito. Había una planta de hojas ovaladas y grandes al lado de la mesa de madera. Los utensilios, las carpetas de colores y los bolígrafos parecían haber sido ordenados a conciencia hacía poco tiempo.

Mantuvo el ceño fruncido cuando vio que, sin dejar de sonreír, Jason sacaba su móvil y tecleaba felizmente mientras rodeaba la mesa del despacho.

—¿Qué haces?

—Escribir... —contestó distraído.

—¿A quién? —preguntó, aunque ya intuía la respuesta.

—A Luke. —Pareció dudar, con el pulgar todavía levantado—. Y a Mike.

Cerró los ojos cuando ese nombre volvió a introducirse en su mente como un desagradable parásito que espera encontrar un lugar donde instalarse.

—Ah, qué bien. Así que seguís siendo amigos y eso. —Tenía muchas ganas de romper algo—. Me alegro. Me alegro mucho.

¿Sería raro que empujase la mesa del escritorio hasta volcarla contra el suelo? No estaba convencida de que la tensión que se manifestaba en sus hombros y en su mandíbula pudiese pasar desapercibida para alguien que, tiempo atrás, la había conocido tan bien.

Ignoró la rabia y se acomodó en una de las dos sillas libres que quedaban, frente a él, que de inmediato dejó el móvil a un lado.

—Es una larga historia —declaró Jason.

—Tengo tiempo.

Colgó el bolso en el respaldo de su asiento.

3

Dicho con palabras amables, no era demasiado satisfactorio descubrir que los tres habían permanecido juntos y unidos durante aquellos años mientras ella estaba sola, perdida en un pueblo del que nadie había oído hablar, donde solo llovía y llovía y llovía... Ellos, bueno, ellos lo debieron pasar en grande en la universidad, disfrutando de fiestas y experiencias nuevas. Era consciente de que Luke y Jason merecían todo aquello, pero Mike no. Jason tamborileó con los dedos sobre el brazo de su sillón y suspiró hondo.

—Es... es difícil ponerte al corriente —dijo, sin saber cómo empezar a contarle todo lo que había ocurrido porque, en primer lugar, no le correspondía a él revelar parte de la historia—. Pero por si te consuela, le di un puñetazo a Mike cuando nos encontramos. Le partí la nariz.

Vale, sí que consolaba un poquito.

Rachel entornó los ojos.

—¿En la fiesta de Jack?

—¿Qué fiesta? ¡No! Él también desapareció. Los dos desaparecisteis —matizó y se rascó el mentón pensativo—. Creí que lo sabías.

—No. Como seguís en contacto, pensé que... pensé... —Dejó de hablar y se encogió de hombros, indecisa y confundida.

Entre el hecho de tener a Jason enfrente y escuchar nuevamente el nombre de Mike, le parecía que su cabeza no funcionaba bien. Todo estaba aturullado y espeso, y muy turbio.

—Te llamé un montón de veces, Rachel. También pasé por tu casa. Al final, desistí. Una vecina aseguró que había hablado con tu tía cuando fue a recoger algunas pertenencias y que ella le comentó que pensabas irte a Seattle —dijo, aunque su voz no reflejaba el reproche que cabría esperar—. Luke y yo nos fuimos a la universidad y no volvimos a ver a Mike hasta dos años después, casi de casualidad...

Rachel tragó saliva y cuando habló lo hizo con un hilo de voz.

—¿Mike tampoco fue a la universidad?

Jason emitió una risa con cierto deje de tristeza que ella no pudo descifrar y después negó con la cabeza. Rachel sintió un escalofrío en cuanto advirtió la cantidad de preguntas que comenzaban a asaltarla y colocarse en fila india, dispuestas a encontrar una respuesta... Pero no quería. No quería ni preguntas, ni respuestas. No quería saber nada de todo ello. Se limitaría a lo básico.

—¿Cómo está Luke?

—Bien, más o menos. Es Luke —añadió como todo argumento.

—Ya. —De pronto sintió unas ganas tremendas de llorar, pero hacía años que no se permitía hacerlo—. Y por lo que veo, a ti las cosas te van perfectamente... —Se frotó la nariz—. Te lo mereces. No sabes cuánto me alegro. —Echó un vistazo al reloj que colgaba de su muñeca—. Creo que será mejor que me marche ya, se me está haciendo un poco tarde.

Jason se levantó, dio tres grandes zancadas y se paró frente a la puerta, evitando así que ella pudiese escapar. Y de verdad, de verdad que Rachel necesitaba salir de allí cuanto antes.

—¿Perdona? ¿Prisa de qué? Pero si acabas de decir que tienes tiempo... —Él se cruzó de brazos—. ¿Qué es lo que pasa? ¿Qué necesitas? Cuéntamelo.

—Nada.

Ella también se había puesto en pie y, cuando notó que él intentaba buscar en sus ojos algún tipo de respuesta, se entretuvo colocándose bien una de las horquillas que llevaba en el pelo. Se sentía débil. No quería derrumbarse delante de Jason. Lo único que deseaba era largarse. Como si él hubiese adivinado su momentánea fragilidad, se inclinó un poco más hacia ella y rompió la escasa distancia que los separaba.

—Rachel, lamento... lamento muchísimo lo que ocurrió —dijo de pronto, sacudiéndola por la sorpresa—. Todo lo que pasó aquella noche. Hemos intentado encontrarte desde entonces...

Ella presionó los labios con fuerza, antes de abrirlos para interrumpirlo.

—No es necesario que digas nada. Son cosas que pasan. —Se frotó las manos con nerviosismo; quería que dejase de bloquear la dichosa puerta—. ¿Puedes... puedes apartarte a un lado?

Jason negó con la cabeza sin alterarse y apoyó la espalda contra la superficie lisa de madera; dobló una pierna y se quedó allí quieto, mirándola en silencio durante unos instantes.

—Te fuiste sin avisar.

—Lo sé. Y lo siento, por ti, por Luke... —Dejó la frase a medias y suspiró—. Pero todo eso quedó atrás. Mira, no puedo permitirme el lujo de ponerme a recodar y a dar explicaciones que en realidad no tengo. Fue difícil, pero es pasado. Y ahora... ahora tengo problemas más importantes de los que ocuparme.

Paseó los dedos por la correa de su pequeño bolso color burdeos. No había estado tan nerviosa en años. Aquello era una tortura.

—¿Qué problemas tienes? Sea lo que sea, seguro que puedo echarte una mano.

—Deja que me vaya, Jason —rogó. Estaba a punto de derrumbarse.

—¿Estás buscando casa? —insistió.

Había indecisión en la mirada de Rachel. Se sentía como un cervatillo torpe y enclenque que debe decidir qué dirección tomar:

a la derecha, donde lo espera un grupo de cazadores furtivos, o a la izquierda, donde se relamen las hienas... No hacía falta demasiado ímpetu para que ella se sintiese amenazada y atacada. Pero por otro lado...

Por otro lado era Jason. Él, que nunca le había fallado. Él, que le hacía recordar épocas más felices que ella se esforzaba por olvidar. Y aunque cinco años era mucho tiempo, seguía mirándola con una calidez que la reconfortaba. Aún notaba la conexión que fluía entre ellos, esa especie de complicidad fuera de toda lógica.

—Solo... Bueno... Solo le preguntaba a tu empleado si teníais en catálogo algún apartamento económico, pero ya me ha dejado claro que no es así.

—Entonces supongo que es tu día de suerte porque estás frente al mejor agente inmobiliario de la ciudad —bromeó.

—Pensaba que Luke y Mike se habían quedado con todo el ego, pero veo que te han cedido una parte. Qué majos —ironizó, recuperando un atisbo de seguridad.

Jason emitió una carcajada y le dedicó una mirada aterciopelada, como si desease decirle sin palabras lo mucho que la había echado de menos. No dejaría que Rachel volviese a escaparse jamás. Su lugar siempre había estado allí, con él, con ellos.

—No digas tonterías; sabes que esos dos no cederían un ápice de ego ni aunque estuviesen a punto de morir. —La convenció para que volviesen a sentarse y rebuscó entre los papeles que estaban apilados en la mesa—. A ver... ¿dónde demonios he dejado...?

—¿Qué buscas exactamente?

—El hogar perfecto para ti —dijo mirándola de reojo un segundo, antes de seguir inspeccionando documentos.

—No te ofendas, pero ¿antes no deberíamos charlar para que sepas qué es lo que estoy buscando y cuál es mi presupuesto? Porque actualmente...

—¡Aquí está! —exclamó interrumpiéndola.

Dejó caer sobre la mesa un grueso catálogo y lo abrió por la página treinta y tres. En la fotografía se veía una casa preciosa de dos alturas; la parte inferior, recubierta por piedra rústica, contrastaba con el blanco impoluto de la superior, en la que destacaban unas enormes y altas cristaleras. La admiración pronto se desvaneció y ella prorrumpió en una risotada.

—Ya, vale, buen chiste, pero prostituirme no entra en mis planes más inmediatos.

—No sería necesario, créeme. —Tamborileó con la punta de los dedos sobre la imagen del catálogo—. Aquí es donde vivo. Donde *vivimos* —aclaró, dejando unos segundos de margen para que ella lo procesase—. He pensado que quizá te gustaría ser mi nueva compañera de piso —sugirió.

Se le veía nervioso, no quería asustarla o intimidarla porque sabía que entonces solo conseguiría poner más barreras entre ellos.

—¿Dónde *vivís*? —preguntó confundida.

—Sí. Con Luke... y Mike.

Ella hizo todo lo posible por seguir respirando.

—¿Y puede saberse por qué vivís juntos?

Jason se encogió de hombros.

—No había ninguna razón para no hacerlo. La casa es de uno de mis mejores clientes y nos dejó el alquiler a un precio especial. A Mike le gustó, y como él es quien paga la mayor parte... —Señaló la lista de especificaciones que se detallaban junto a la fotografía—. Hasta tiene piscina. Y está en un punto alto de la ciudad, hay un mirador increíble en una de las colinas.

—Qué bien. —Fijó la vista en la puerta como para cerciorarse de que sí, efectivamente, seguía allí. Luego tomó aire antes de enfrentarse a Jason—. Mira, es... es gratificante comprobar que las cosas os van bien, de verdad, pero antes que vivir con Mike preferiría que me sacasen los ojos con una cucharita de café. No quiero volver a verlo jamás —sentenció—. Y, además, ni en sueños podría pagar una casa semejante.

Jason se apresuró a cerrar el catálogo con un golpe seco y a dejarlo a un lado de la mesa.

—Rachel, no sería necesario que pagases nada —dijo, pero rectificó en cuanto contempló el gesto ofendido de la joven—. O podría alquilarte una habitación por lo mismo que estás pagando ahora, ¿qué te parece? —Inhaló hondo; no estaba logrando calmar las cosas—. Y sobre Mike, confía en mí: no sería un problema. Ha cambiado. Y lleva años buscándote.

Ella se estremeció. ¿Buscándola? ¿Por qué? Había dejado muy claro lo poco que le importaba...

—De verdad que no puedo. Pero gracias por la propuesta, en serio. No has cambiado nada —susurró.

Jason siempre había sido una persona dispuesta a ayudar a los demás, a tender la mano incluso a riesgo de que le cogiesen hasta el codo.

—Espera, Rachel. No puedes irte.

Se levantaron a la vez. Él intentó pensar en algo que pudiese retenerla; tenía tantas cosas que decirle, tantos momentos que le hubiese gustado pasar a su lado... no sabía cómo romper esa maraña de tensión que Rachel había tejido entre ellos. Algo había cambiado en ella. No era nada físico. De hecho, apenas hubiese notado el paso de los años de no ser porque estaba un poco más delgada. El cambio que Jason entreveía en su mirada era algo más profundo porque, para empezar, la chica de antaño se habría lanzado a sus brazos nada más verlo y habría soltado un gritito agudo lleno de emoción. Era patente que esa chica había desaparecido tras la muerte de Robin, porque en esos ojos suyos ya no había alegría; tan solo miedo y desconfianza.

—Estás diferente —señaló.

—Claro. Más mayor —contestó seria.

—No, no me refería a eso. Has cambiado.

—¿Te sorprende?

Jason dudó y permaneció unos segundos en silencio.

—Un poco. Aunque puedo entenderlo. Siento lo que le ocurrió a tu padre. Fue una gran pérdida para todos y no tuve ocasión de decírtelo en su momento. Me hubiese gustado ir al entierro. Lamento que no quisieses que lo hiciese, que estuviese allí contigo... —Rachel apartó la mirada y él ignoró el gesto—. Robin era una persona increíble.

Largarse sin más, huir de Mike y de todos ellos, fue la salida más fácil y rápida en aquellos momentos tan complicados. ¿Cómo hacérselo entender...?

—Gracias. No hace falta que me acompañes, sé dónde está la salida... —susurró con la voz ronca por el nudo que le oprimía la garganta; no se veía capaz de pronunciar ni una sola palabra más.

Abrió la puerta y salió. Jason la siguió por el pasillo y cruzó tras ella la sala principal, sorteando las mesas donde los agentes inmobiliarios atendían a los clientes.

—¡Rachel! ¡Espera!

Ella se giró y sostuvo la puerta entreabierta de la calle; el aire cálido del exterior contrastaba con el frío del aire acondicionado.

—¿Ni siquiera vas a meditar mi propuesta?

—No tengo mucho que pensar al respecto...

¿Por qué insistía? ¿Acaso no se daba cuenta de lo doloroso que resultaba todo aquello para ella? No podía permitirse el lujo de hurgar más en esa herida.

—Dame tu número de teléfono.

Jason volvió a sacar su móvil del bolsillo del pantalón y esperó pacientemente a que ella comenzase a dictarle.

—Creo que no es una buena idea. —Hizo una mueca—. Ahora mismo todo es demasiado precipitado...

—Rachel... —Le dirigió una dura mirada de advertencia.

Ella dio un paso al frente y pisó la acera de la calle. Evitó mirarlo y centró la vista en un caniche que paseaba unos metros más allá arrastrado por su exigente dueña. Era incapaz de enfrentarse a Jason, pero sí podía huir otra vez, y seguir con su vida y fingir que no había pasado nada.

—No quiero que te lo tomes como algo personal, Jason —aclaró—. Pero durante estos años he tenido tiempo para pensar. Mucho tiempo. He entendido que todo ocurre por una razón y que lo mejor siempre es dejar las cosas tal y como están. El destino decidió que tomásemos caminos separados y...

—Pensé que lo decidiste tú.

Rachel presionó los labios.

—No tuve muchas opciones.

Él cerró los ojos y suspiró hondo, consciente de haber dicho más de lo que debía y de que varios de sus empleados empezaban a prestarles una atención innecesaria.

—No pretendía decir... —Se mordió la lengua—. Deja de ser tan cabezota y dame tu dichoso número.

—Lo siento —negó con la cabeza y lo miró por última vez; una mirada cálida e íntima en la que Jason reconoció a la chica que tan bien conocía—. Cuídate mucho.

Sin más preámbulos, salió de allí caminando calle abajo y aguantó la respiración hasta que consiguió alejarse unos metros y paró en un paso de peatones frente a un semáforo en rojo. Notaba las pulsaciones fuera de control. ¿Qué broma sin gracia del destino era aquella? Ya tenía suficientes problemas como para tener que remover el pasado.

Antes de que la puerta de cristal se cerrase del todo, Jason se acercó a la mesa de William, el empleado que había atendido a Rachel a su llegada, y le indicó con un gesto de la mano que se pusiese en pie.

—Rápido, ¡ven aquí!

Él se acercó hasta la puerta por la que Jason seguía mirando y se mantuvo erguido mientras su jefe le apretaba levemente el hombro con la mano.

—¿Qué has hablado exactamente con ella?

—Apenas nada. Buscaba un apartamento pequeño y económico. Le he explicado que en esta agencia no trabajábamos con ese tipo de propiedades y entonces la chica...

—Síguela.

—Perdone, ¿a qué se refiere, señor? —William lo miró confundido.

—Ya me has oído. Síguela. Que no se te escape —ordenó—. Quiero saber dónde vive, ¿lo has entendido?

Continuó mirándolo indeciso.

—¿Me está pidiendo que espíe a la señorita?

—Veo que empiezas a pillarlo —siseó—. Si pretendes conservar la paga extra, yo que tú me daría prisa. Acaba de marcharse calle abajo, hacia la avenida. Si corres la alcanzarás; no es que tenga un pelo que pase muy desapercibido... —concluyó.

Lo observó seguir aquella misma dirección.

A pesar de que ahora vestía un caro traje de chaqueta que hacía juego con su corbata, Jason Brown apenas había cambiado. Una de las pocas variaciones que se habían dado en su vida tenía que ver con la chica que acababa de huir despavorida. Antaño tenía una mejor amiga llamada Rachel Makencie y ahora ya no, pero estaba dispuesto a solucionar ese pequeño problema, costase lo que costase. No era el tipo de persona que se rendía con facilidad o cedía ante una negativa. Jason sabía de negocios y, por tanto, también comprendía el valor de la perseverancia y de tener ideas fijas y claras. Encontrarla había sido todo un reto. Sonrió al recordar que, cuando eran pequeños, ella siempre fue la mejor jugando al escondite; podía aguantar una eternidad metida en cualquier armario o bajo la cama, tras un árbol o entre un seto...

No dejaría que se escapase de nuevo.

4

Rachel dio un trago a su taza de té y contempló con melancolía las cajas de cartón que descansaban a su alrededor, sobre el suelo del apartamento que abandonaría en menos de veinticuatro horas. Suspiró cuando *Mantequilla* se subió a una de las cajas y comenzó a arañar la superficie con la intención de afilar sus uñas.

Ese era otro de los problemas: transportar sus pertenencias, las pocas que tenía. Había llamado a una empresa de transporte y acordado con ellos la mini mudanza hasta el hostal en el que pensaba alojarse. Le habían ofrecido una habitación doble vacía a un precio que se podía permitir durante un par de semanas, hasta que lograse firmar algún contrato de alquiler.

Hacía dos años que no conducía. No es que no supiese hacerlo, es que no lo veía necesario. Tiempo atrás había sufrido un leve accidente (nada importante más allá de unas cuantas magulladuras), pero el coche quedó inservible y ella, pragmática, decidió no invertir en uno nuevo y empezar a utilizar el transporte público.

Había ido aprendiendo la lección: entendía las señales. Un golpe, malo. Dos golpes, empieza a correr. Tres golpes, estás jodido. A la mínima complicación, reculaba. Si intuía que algo podía salir mal, no volvía a repetirlo. Era un barco a la deriva pero feliz, que se dejaba llevar por la corriente y no intentaba remar en la dirección contraria. Así que si había tenido un percance estando al volante, no volvía a ponerse al frente de uno. Y fin del problema.

Se acercó al ventanal de la cocina y se sentó en una de las sillas que había frente al cristal, a la derecha de la mesa principal. Iba a echar de menos aquellas vistas; aunque no eran gran cosa, se había acostumbrado a observar ese tramo de ciudad todo el tiempo: cuando comía, cuando hacía una pausa para inspirarse, cuando se llevaba el portátil a la cocina para escribir mientras algo delicioso (y precocinado) se cocía en el horno...

Emitió un dramático suspiro sin dejar de acariciar el sedoso lomo de *Mantequilla*.

Cansada de darle vueltas al mismo asunto una vez tras otra, se decidió a darse una ducha. «Igual hasta me podría tomar un baño», dudó. De cualquier modo, no tuvo tiempo de elegir qué haría porque acababa de desnudarse cuando sonó el timbre de la puerta.

De mala gana cogió el albornoz blanco y, mientras se lo anudaba a la altura de la cintura, caminó a trompicones por el apartamento hasta llegar a la puerta principal. Esperaba que no fuese su pesado vecino parlanchín, porque no estaba de humor. Sin preguntar antes quién era, abrió.

Un latido, profundo, seco, intenso, golpeándole el pecho con brusquedad, la dejó sin respiración. No supo cómo consiguió mantener el equilibrio y permanecer en pie, inmóvil.

Necesitaba aire.

Mike Garber apoyó una mano en el marco de la puerta y la miró fijamente mientras ella se esforzaba por ubicarlo y procesar que realmente estaba allí, frente a ella. Después de tanto, tanto tiempo...

Podría haberlo reconocido en cualquier parte; quizá incluso con los ojos cerrados, porque ese aroma masculino... ese toque tan personal... era inconfundible. Mike había crecido un poco más y su cuerpo era atlético y musculoso; los hombros anchos, la cintura más estrecha. Seguía teniendo una mandíbula cuadrada que daban ganas de mordisquear y una sonrisa traviesa e insolente. Sus brillantes ojos grises la recorrieron de arriba abajo y después se entrecerraron bajo las espesas pestañas negras que los enmarcaban.

—Si he de ser sincero, no esperaba un recibimiento tan entusiasta...

Sonrió y desvió la mirada hacia sus piernas desnudas.

Ella tembló.

Mike tenía un timbre de voz especial, desde niño. Ronco y profundo, como si un aguijón envenenado se clavase en tu oído y no pudieses sacarlo de ahí. Incluso cuando terminaba de hablar, la sonoridad musical de su voz parecía quedarse flotando en el aire unos instantes. Y a ello había que sumarle aquel tono persuasivo, suave y cautivador que había ido perfeccionando con el paso de los años.

Atrapaba. Atrapaba como una pegajosa tela de araña. Y ella no quería ser un insecto nunca más.

Rachel reaccionó e intentó cerrar la puerta, pero Mike fue más rápido y, antes de que ella pudiese conseguir su propósito, introdujo un pie en medio y, después, resuelto, dio un paso al frente hasta que estuvo dentro del apartamento. Ignorando su enfado, paseó la mirada por la estancia, prestando especial atención a las cajas de cartón que se amontonaban en la entrada.

—¡Vete, márchate! —Rachel sacó el valor suficiente como para empujarlo, pero él apenas se movió, como si tuviese los pies clavados al suelo—. ¡Te lo digo en serio, Mike!

Él dejó de estudiar el interior del apartamento y agachó un poco la cabeza para poder encontrarse con sus cálidos ojos; la diferencia de altura entre ambos parecía haberse acentuado con el paso de los años.

—¿Y si no lo hago...? —la retó.

—Llamaré a la policía. —Rachel se cruzó de brazos con decisión, no solo para denotar su firmeza, sino también para protegerse de él. Se sentía incómoda vestida con aquel albornoz. Aunque en realidad se hubiese sentido incómoda de cualquier modo con su mera presencia.

—Deduzco que sigues enfadada.

—Que te jodan.

—¿Eso es una confirmación?

—Mike, por favor, vete.

Ella intentó mantener la respiración estable. Lo último que deseaba era que él descubriese que su inesperada visita dolía más de lo previsto, como si alguien hubiese arrancado bruscamente la costra que durante años se había esmerado por reforzar alrededor de la herida. Y ahora sangraba. El daño era tan profundo, que ni siquiera podía recordar un solo momento de su vida que no hubiese estado marcado por Mike, por su traición, por todo lo que ocurrió después, por los actos del pasado que dibujaron su futuro y la hicieron cambiar de rumbo.

—¿Podemos hablar? —Rachel negó con la cabeza y se mordió el interior de la mejilla—. Dame unos minutos, aunque sea por los viejos tiempos —suplicó.

—No, no quiero oír nada de lo que tengas que decir.

—Como quieras. —Mike suspiró hondo y después, pensativo, se frotó la mandíbula con el dorso de la mano—. De todas formas, es una suerte que te hayas tomado la molestia de embalar las cajas antes de que llegase, así será más sencillo llevarlas al coche...

—¿Perdona?

Alarmada y confundida, sin poder procesar aquel desfile caótico de acontecimientos, siguió a Mike cuando caminó por el apartamento sin antes molestarse en pedir permiso. Ahí estaba de nuevo el chico que ella creía haber conocido, dándole un giro a su vida en apenas un minuto y veinte segundos. Radical. Salvaje. Un desastre.

—¡Te vienes con nosotros! —Extendió los brazos a ambos lados del cuerpo, como si estuviese dando una noticia fantástica—.

A vivir —aclaró, por si todavía había alguna duda sobre cuál era su propósito—. ¿No es genial?

Rachel pestañeó. No podía pensar con claridad. Muy a su pesar, seguía sintiendo cómo su estómago se sacudía en cuanto fijaba la vista en el rostro de Mike. Había algo especial en él, que conseguía obnubilarla.

—Antes me arranco la piel a tiras.

Fue la primera barbaridad que se le pasó por la cabeza.

Mike no contestó e hizo una mueca extraña antes de seguir caminando por el pasillo hasta la cocina donde, para sorpresa de Rachel, comenzó a abrir los armarios con total tranquilidad, como si estuviese en su propia casa. Le costó casi un minuto reaccionar e impedir que continuase inspeccionando el interior de los muebles del apartamento. Se sentía aletargada, como si acabase de sufrir algún tipo de conmoción. Se aferró al tirador del armario que él pretendía abrir y lo presionó con decisión. Mike apartó la mano y se la metió en el bolsillo del pantalón vaquero.

—¿Qué escondes con tanto empeño?

—En serio..., en serio, Mike... —Trastocada, se llevó una mano a la frente, todavía incrédula por todo lo que estaba ocurriendo—. Dime qué estás haciendo aquí, qué es lo que pretendes... —Incapaz de continuar hablando, se humedeció los labios; tenía la boca pastosa y le costaba pensar con claridad.

Mike sonrió. Una de esas sonrisas aniñadas e irresistibles que, tiempo atrás, hubiese logrado que a Rachel le temblase el corazón. Ahora ya no. No. Ya no sentía nada.

—¿Por qué no dejas que abra el armario? ¿Qué pasa, escondes un alijo de maría ahí...? —Alzó una ceja y después la miró divertido—. ¡No jodas! ¡Qué fuerte! ¡Déjame ver!

Ya estaba intentando abrir nuevamente el dichoso armario (donde tan solo guardaba estúpidos utensilios de cocina), cuando ella, agobiada, levantó la voz.

—¡No tengo marihuana, Mike! —Con rabia, sin ningún atisbo de elegancia, se apartó algunos mechones que habían escapado del moño que minutos antes se había hecho para ir a la ducha y se enfrentó a él—. ¿Qué es lo que quieres exactamente? ¡No puedes entrar en mi casa sin mi permiso! ¿Lo entiendes? ¡No quiero verte! Y preferiría dormir en la calle que bajo el mismo techo que tú, ¿estoy siendo suficientemente clara? ¿Necesitas que te haga un croquis?

Había perdido el control. Tenía los dientes apretados, el corazón le palpitaba furiosamente en el interior del pecho y, a pesar de que no hacía un calor excesivo, notaba la piel ardiendo.

Mike la miró en silencio. Su rostro estaba desprovisto de emociones, era un lienzo en blanco sin dolor, sin rabia... Allí no había nada. Al menos, no a simple vista. Tras lo que pareció una eternidad, dio un paso atrás y bajó la vista hasta la puerta del dormitorio, donde un gato de pelaje anaranjado los contemplaba en silencio. El felino tenía los ojos de un azul pálido, como el cielo invernal.

—¿No piensas decir nada, Mike? Simplemente, te presentas aquí sin avisar y te quedas ahí parado, mirándome...

Él ladeó la cabeza con curiosidad y luego habló en un tono susurrante.

—Antes has dicho que no querías hablar.

—Y es cierto. Vale. Es cierto. Tú ganas. Lo único que quiero es que salgas de aquí.

Acunados por un silencio tenso, Mike le sostuvo la mirada unos segundos más antes de desviarla de nuevo hasta el felino, que seguía allí, sentado sobre sus patas traseras.

—Me gusta tu gato.

—¿Qué has dicho?

—Tu gato, que me gusta. Tiene pinta de ser simpático. —Aturdida, Rachel giró la cabeza hacia él. Era evidente que nunca podría adivinar qué era lo siguiente que pensaba hacer o decir—. Así que...

—se movió a su alrededor con gesto meditativo—, creo que me lo voy a llevar. Al menos hasta que te decidas a ser razonable y venirte a vivir con nosotros —concluyó mientras se inclinaba hacia *Mantequilla* y lo cogía en brazos.

Rachel contempló anonadada a Mike, que caminó hacia la puerta de la calle llevando a su gato pegado al pecho con total normalidad, como si secuestrar animales fuese algo que hiciese todos los días. Corrió desesperada por el pasillo, siguiéndolo, al tiempo que intentaba atarse bien el cinturón del albornoz.

—¡Mike! ¡Mike, maldita sea! ¡Para!

Por encima del hombro del chico, apresado entre sus fuertes brazos, *Mantequilla* la miró sin apenas inmutarse.

—¿Vas a venir con nosotros? —insistió.

—¡Por supuesto que no! —respondió indignada—. Y deja ahora mismo a *Mantequilla* en el suelo.

Con la mano que le quedaba libre, él rebuscó en el bolsillo de su pantalón vaquero. Rachel no supo qué era lo que pretendía, hasta que él le tendió una tarjeta de visita.

—Ahí tienes mi número —indicó—. Así que si quieres negociar un posible rescate o simplemente te sientes nostálgica y te apetece charlar un rato... ya sabes dónde llamar.

Rachel se llevó una mano al pecho, con el presentimiento de que si la situación se alargaba mucho más le daría un ataque de ansiedad. Cerró los ojos, respiró hondo y después volvió a abrirlos de golpe, manteniéndolos fijos en los de Mike.

—¡Te juro que si das un paso más...!

—¿Qué? ¿Me perseguirás corriendo por la calle vestida con un albornoz? —Esbozó una sonrisa triunfal y volvió a echarle un vistazo a sus piernas sin molestarse en disimular. Rachel casi podía sentir cómo su mirada le acariciaba la piel. Casi.

—Eres un imbécil.

Se encogió de hombros.

El gato emitió un débil maullido, probablemente cansado de que lo sostuviesen en brazos tanto tiempo. Mike le acarició la cabeza, tras las orejas, y volvió a relajarse.

—¡No puedes llevártelo!

Cuando él reanudó el paso, lo siguió escaleras abajo sin dejar de luchar contra el escurridizo nudo del albornoz.

—¡Tú no quieres hacer esto! ¡Mike, escúchame! —rogó, sujetándose a la barandilla de madera con tanta fuerza que no le hubiese sorprendido dejar la marca de sus uñas—. ¡Si sales por esa puerta llevándote a mi gato, no habrá vuelta atrás! ¡Te odiaré eternamente! —gritó desesperada, ignorando que los vecinos pudiesen oírla.

Con la puerta de la calle ya abierta, él dudó antes de dar el último paso y se giró.

—¿No se supone que ya me odias? —preguntó en un susurro, y su mirada se tornó intensa y, al mismo tiempo, vulnerable.

—Sí, claro que sí. Te odio, Mike. —Rachel tenía un nudo en la garganta—. Empiezas a entender la situación...

La tensión entre ellos parecía flotar en el aire. Mike se llevó un dedo a los labios, pensativo, mientras con el otro brazo apresaba con más fuerza al anaranjado felino.

—Entonces, ¿cuál es la diferencia? Si te devuelvo el gato, me odias. Y si lo secuestro, también. —Una sonrisa ladeada sirvió para enmascarar el deje de tristeza que escondían sus palabras—. No te ofendas, pecosa, pero te vendrían bien unas clases para aprender a negociar.

Rachel creyó sentir cómo su estómago daba un brinco al escuchar la palabra *pecosa* pronunciada por sus labios, por su voz, por él.

—No alarguemos más este momento. —Mike avanzó y dejó atrás la seguridad del rellano, saliendo al exterior—. Hasta pronto, pecosa.

Ahí estaba otra vez: aquel apelativo cariñoso pronunciado con suavidad, como si él fuese consciente de lo mucho que a Rachel le costaba volver a escucharlo. Lo vio caminar calle abajo. Se aproximó hasta la puerta de salida, dispuesta a seguirlo a pesar de no ir vestida, pero entonces chocó con la Señora Dorothy, que estaba intentando entrar en el edificio. La mujer estudió a su joven vecina sin tapujos, con una dura mirada de reproche.

—Yo estaba... estaba intentando ver si... —balbuceó avergonzada—, si había empezado a refrescar, para saber qué ponerme... de ropa.

Sacó una mano al exterior y fingió calcular la temperatura ambiental.

—Seguro que sí...

La anciana alzó la cabeza con orgullo al pasar por su lado y subió las escaleras contoneando las caderas como si con ese rítmico movimiento pudiese denotar que formaba parte de una élite superior.

Agarrándose al marco de la puerta, Rachel se inclinó para observar la solitaria calle. Ya no había rastro de Mike, ni de *Mantequilla*, ni de nadie. Cerró con un sonoro portazo.

Regresó a casa, se quitó el albornoz y comenzó a vestirse con lo primero que encontró: unos pantalones vaqueros, una camiseta blanca y zapatillas deportivas. Si ocurría un milagro y Mike decidía regresar, quería estar preparada para el segundo asalto.

Sin saber qué más hacer, se sentó en el sofá y se llevó los dedos al puente de la nariz al tiempo que se esforzaba por inhalar despacio, intentando encontrar la calma que Mike acababa de llevarse. Además de a su gato, claro.

Podría haber llorado perfectamente. De hecho, notaba un leve escozor en los ojos, como cuando se le irritaban si pasaba demasiado tiempo en el agua de una piscina con exceso de cloro. Sin embargo, a pesar de que estaba sola y nadie podía verla, reprimió las ganas, manteniendo los puños y los dientes apretados, parpadeando más de lo normal para calmar el picor.

No le daría esa satisfacción a Mike.

Tres años antes, cuando por fin encontró un trabajo que le gustaba y regresó a San Francisco con la intención de rehacer su vida, Rachel se prometió a sí misma que no volvería a derramar ni una sola lágrima más por él. Y pensaba seguir cumpliendo esa promesa. Le había brindado una gran lección. Mike le había enseñado que debía guardar sus sentimientos bajo llave y que nunca, nunca jamás, tenía que bajar la guardia.

Solo se permitía sentir cierta debilidad por *Mantequilla* que, para empezar, ni siquiera era humano, así que no contaba. ¿Adónde se lo habría llevado?, ¿tendría una caja de arena que poder utilizar en caso de emergencia?, ¿estaría asustado? No lo parecía mientras estaba entre sus brazos. Se acurrucó sobre sí misma, abrazándose las rodillas, y cuando miró a su alrededor advirtió que el apartamento parecía extrañamente vacío sin la presencia del gato.

Todo por Mike. Siempre Mike.

Regresaba de nuevo a su vida, tan irritante como de costumbre; rompiendo la tranquilidad de sus días con esa actitud de despreocupación total que la sacaba de quicio. Se removió incómoda en el sofá mientras contemplaba la tarjeta que le había dado y ahora sostenía entre los dedos. Era de color negro mate y tan solo podía leerse «Mike Cranston» con una caligrafía recta, justo encima del número de teléfono; no había información sobre a qué se dedicaba. Algo que a ella no le importaba. En absoluto. No tenía ni un poquito de curiosidad. Qué va. Ni siquiera le intrigaba saber por qué, al igual que ella hacía al escribir, Mike había decidido utilizar el apellido de soltera de su madre. «Cranston», volvió a leer. Nada de «Garber».

Cogió su móvil, dispuesta a llamar para exigir que le devolviese a su gato, pero al final decidió enviar un mensaje. No se veía con fuerzas suficientes para volver a enfrentarse a su voz y salir victoriosa de la batalla; todavía tenía que recuperarse de la impresión que le había causado aquel reencuentro tan repentino e inesperado, especialmente teniendo en cuenta que, el día anterior, ya había estado a punto de desfallecer al tropezarse con Jason y, a causa de ello, no había pegado ojo en toda la noche, dando vueltas en la cama, reviviendo una y otra vez las palabras que se habían dicho y pensando en todas las que se había guardado: que lo echaba de menos, que sentía no haberse despedido de él cinco años atrás y no estar preparada ahora para removerlo todo de nuevo...

Sacudió la cabeza.

De Rachel, para Mike, a las 18:24 horas.

Si ya te has cansado de jugar, devuélveme a *Mantequilla*. Que sea Jason quien lo traiga, porque preferiría no tener que volver a verte. Ah, y gracias por joderme la vida de nuevo. Tú siempre tan eficaz.

Permaneció unos segundos con la mirada clavada en la pantalla del teléfono, preguntándose si lo más sensato era enviarle aquel mensaje repleto de reproches... Con el pulgar temblándole un poco, presionó el botón de «enviar» y lanzó el móvil lejos de su vista, sobre el añejo sillón que tenía enfrente.

Apenas pasó un minuto cuando el teléfono emitió un pitido agudo que imitaba el cantar de un molesto pajarito. Desesperada, Rachel se lanzó en plancha a por él y cayó sobre el sillón. Sus ojos se movieron frenéticos por la pantalla iluminada.

Para Rachel, de Mike, a las 18:25 horas.

¿*Mantequilla*? No, gracias. Ya sabes que siempre fui más de mermelada. ¿Has probado la de melocotón? Es la mejor del mundo.

—¡Estúpido, estúpido Mike! —gritó—. ¡Aaaaj!

5

Tumbado en la cama, Mike sonrió al enviar su respuesta a Rachel.

Con la mirada clavada en el techo de la habitación, inhaló profundamente. A pesar de que hacía un buen rato que había salido de aquel antiguo edificio llevándose a su gato como rehén, todavía sentía la agitación en su estómago que se había desatado al verla. Había imaginado un millón de veces cómo sería ese momento, pero nada le hacía sombra a la punzante realidad. En cuanto tropezó con la calidez de sus ojos, supo que nunca había dejado de quererla. No podía. Era como si un hilo invisible los hubiese mantenido unidos desde pequeños...

Se dio la vuelta en la cama y miró al gato que ahora se lamía concienzudamente la pata derecha, sentado sobre la enorme alfombra que había en el suelo de su dormitorio.

—¿Sabes...? *Mantequilla* es un nombre de mierda —dijo y el felino se giró hacia él cuando escuchó que alguien lo llamaba—. Creo que debería cambiártelo. Podría llamarte... hum... ¿qué te parece *Elvis*? «Elvis Presley, el rey». Mola mucho —asintió, dándose la razón a sí mismo—. Sí, tienes cara de *Elvis*. Ya no tendrás que volver a avergonzarte cuando alguien te nombre, colega.

Mike estiró los brazos en alto cuando se incorporó en la cama. Alzó la mirada hasta el techo y empezó a contar en silencio, intentando calmarse y olvidar que Rachel había admitido odiarlo; «doce, trece, catorce, quince, dieciséis, diecisiete...» Después, salió de la habitación dejando que el gato terminase de limpiarse a solas como si necesitase intimidad para ello, y bajó las escaleras dispuesto a descubrir si quedaba mermelada de melocotón en la nevera.

Unos minutos más tarde, mientras se entretenía untando una tostada, escuchó el ruido de la puerta de la calle al cerrarse, seguido de las risas de Jason y Luke.

—Eh, tío, prepárame otra de esas —pidió Luke en cuanto entró en la cocina.

—Háztela tú. Estoy ocupado —contestó y le dio un bocado al pan crujiente mientras daba un paso al frente para regresar a su habitación cuanto antes.

Jason lo miró de reojo.

—¿Ocupado tú? —Alzó una ceja en alto.

Mike tragó con cierta dificultad, sin saborear apenas la mermelada. Se había dejado el móvil en el dormitorio y estaba impaciente por ver si Rachel le había contestado.

—Sí, tengo infinidad de cosas que hacer. —Fijó la mirada en la pared, pensativo—. Como, por ejemplo, bañarme en la piscina o... bueno, comerme esta tostada. —Señaló, levantando en alto la mano donde la sostenía—. Así que...

Incapaz de pensar en nada más dio media vuelta, pero antes de que lograse escapar de la cocina, Jason lo retuvo sujetándolo del hombro con firmeza.

—Dime qué demonios has hecho ahora. —Si se esforzaba, Mike podía escuchar el rechinar de sus dientes. Era sorprendente que lo conociese tan bien—. Me prometiste que no te meterías en nada relacionado con Rachel. Y esa promesa sigue en pie, ¿cierto?

Luke dejó sobre la repisa de la cocina el tarro de la mermelada y los miró a ambos antes de inmiscuirse en la conversación.

—No se te habrá ocurrido ponerte en contacto con ella, ¿no? —Ante el silencio, Luke lo asesinó con la mirada—. ¡No jodas, Mike! ¡Se suponía que teníamos un acuerdo! ¡Jason es el único que puede conseguir que vuelva. ¡¿Qué parte del plan no entendiste?!

Mike dio un paso hacia atrás y bajó la mirada al suelo sintiéndose un poco, solo un poco, culpable. Se revolvió el cabello con nerviosismo.

—¡Dejad de mirarme así! Lo siento, ¿vale? Lo siento.

Jason saltó sobre él, pero Luke reaccionó rápido y logró separarlos casi antes de que se rozasen, interponiéndose entre ambos.

Los tres habían estado hablando la noche anterior y se habían puesto de acuerdo para idear un plan que lograse traer de vuelta a Rachel a sus vidas. Y la primera norma, teniendo en cuenta que Mike se había comportado como un imbécil en el pasado, había sido que él no se metiese por medio. Después de tanto tiempo buscándola sin conseguir dar con su paradero, había sido un milagro que entrase por la puerta de la inmobiliaria; como si de algún modo el destino les tendiese la mano. Jason se daba cuenta de que había cometido un gran error al contarle a Mike que Rachel vivía en aquel edificio sin ascensor, en la zona sur del barrio, no muy lejos de la inmobiliaria.

—¡Siempre tienes que fastidiarla! ¿No puedes estarte quieto?

Mike lo miró dolido.

—Necesitaba... —Dudó—. Necesitaba verla —confesó finalmente, apenas en un susurro casi inaudible. Era cierto. Tenía que hacerlo. Encontrarse con ella había sido mágico y caótico a un mismo tiempo. Se le había ido de las manos; había dicho un montón de tonterías como siempre hacía cuando se ponía demasiado nervioso.

—¡Ni siquiera hemos averiguado en qué puerta vive! —exclamó Luke.

—Ya, bueno, fui llamando a todas las del edificio. —Lo cortó y se encogió de hombros—. No me mires así, solo tuve que hablar con unos seis vecinos antes de encontrarla. Luego... una cosa llevó a la otra...

Jason lo miró con los ojos entornados.

—¿Y...?

Mike se mordió la punta de la lengua antes de hablar. Sabía que había cometido un grave error, pero ya no había vuelta atrás.

—Y he secuestrado a su gato.

—¿Cómo dices? ¿He oído mal? —Jason se giró hacia Luke—. Dime que tengo problemas auditivos o mataré al idiota que tengo delante.

—¿A quién llamas idiota? —Mike dio un paso al frente. Estaba empezando a cabrearse. Vale que no había hecho lo correcto, pero, demonios, era ella y tenía que verla, y Jason debería de entenderlo.

Luke se colocó entre ambos para separarlos.

—¡Parad de una vez! —gritó, y después se giró hacia Mike—. A ver, ¿dónde está el gato?

Señaló con el dedo índice el piso de arriba.

—En mi habitación, limpiándose. Y se llama *Elvis* —aclaró.

Los tres se pusieron en marcha a un mismo tiempo, directos hacia las escaleras que conducían a la segunda planta. El animal seguía en el dormitorio de Mike, hecho un ovillo sobre la cama. En cuanto los escuchó, movió las orejas y levantó la cabeza para mirarlos.

Jason frunció el ceño extrañado y se cruzó de brazos.

—¿*Elvis*? ¿Rachel ha llamado *Elvis* a su gato?

—Es un nombre guay, ¿eh?

Jason observó cómo Luke y Mike acariciaban al felino que, ajeno a todo, ronroneaba encantado. Aguantando las ganas que tenía de matar a uno de sus mejores amigos, se mantuvo al margen, apoyando la cadera sobre el escritorio del dormitorio, donde Mike acumulaba trastos inútiles. Suspiró impaciente.

—Ahora, por favor, cuéntanos qué ha ocurrido exactamente.

Mike, tumbado sobre la cama al lado del gato, dejó de mirar el teléfono móvil tras comprobar que Rachel no había contestado a su mensaje. Frustrado, centró su atención en Jason.

—Entré en su apartamento y entonces me di cuenta de que todo estaba lleno de cajas para la mudanza. —Clavó la mirada en el techo y contó en silencio durante unos segundos—. Vive... vive como en una especie de trastero o algo así. No, en serio, ese edificio podría derrumbarse en cualquier momento —dramatizó.

—¡Ve al grano! —se quejó Luke.

Mike puso los ojos en blanco.

—Le anuncié que se venía a vivir con nosotros. Me contestó que no. Le dije que me llevaba a su gato hasta que cambiase de opinión. Se enfadó. Y mucho. Fin de la historia.

Luke se cruzó de brazos y suspiró.

—Vale, sí, Jason tiene razón. Eres un idiota.

Había empezado a anochecer cuando Jason aparcó frente al portal de Rachel. Tan solo había que empujar la puerta principal para que se abriese de par en par, señal bastante clara de la poca seguridad que ofrecía el bloque de viviendas. Entró en el rellano y subió los estrechos escalones de dos en dos hasta el primer piso. Llamó a la puerta y ella abrió de inmediato como si llevase toda la tarde sentada en el recibidor, a la espera de su visita.

—¿Dónde está *Mantequilla*? —preguntó, ladeando la cabeza para mirar tras él.

—¿*Mantequilla*? —Jason emitió una carcajada—. Vale, así que lo de *Elvis*... Ya entiendo...

—¿*Elvis*?

—Así nos ha dicho Mike que se llamaba el gato. Debí imaginar que era bastante improbable que tú le hubieras puesto ese nombre porque, bueno, nunca fue exactamente tu tipo de música y...

—Mira, siento interrumpirte. —Rachel suspiró hondo, entrelazando las manos con nerviosismo—. Pero quiero recuperar a *Mantequilla*. ¿Está bien? ¿Adónde lo habéis llevado?

Jason apoyó ambas manos sobre los hombros de la chica, con la intención de tranquilizarla, ya que no dejaba de balancearse sobre sus talones. Todo el cuerpo de Rachel se estremeció al instante. Ya no estaba acostumbrada a que nadie la tocase con aquella confianza, con esa seguridad y familiaridad.

—Cálmate, Rachel. *Mantequilla* está perfectamente. Se encuentra en casa, durmiendo y, bueno, haciendo cosas de gatos, ya sabes. Mike está con él.

—¡Eso es lo que me preocupa! —insistió.

—No tienes por qué. Parece que se han hecho buenos amigos. Solo quiero hablar contigo y, después, si te parece bien, podemos ir a recoger a *Mantequilla*, ¿trato hecho?

Rachel asintió lentamente con la cabeza, sin querer mirarlo, y se apartó para dejar que Jason entrase en su apartamento. Cerró la puerta y agradeció el golpe seco que interrumpió el incómodo silencio.

—Lamento como está todo —dijo—. Ya sabes, las mudanzas son un engorro. Pasa, pasa por aquí —le indicó señalándole la cocina que, horas antes, Mike había invadido rápidamente. Todo lo contrario a su actual invitado. ¡Invitado! Rachel ni siquiera recordaba la última vez que había tenido que ejercer de anfitriona dos veces en un solo día (sin contar aquella ocasión en la que el fontanero había traído a su aprendiz para que este pudiese ser testigo de la reparación). Vale, sí, puede que en los últimos años se hubiese encerrado demasiado en sí misma, pero era la opción más lógica si quería sobrevivir en aquel mundo injusto. Miró a Jason de reojo—. ¿Quieres tomar algo? Bueno, en realidad solo tengo té. —Cogió la cajita de cartón que reposaba sobre la encimera—. Té de chocolate con menta.

—Suena bien. —Él le dedicó una sonrisa cálida.

Comenzó a preparar el té, poniendo un poco de agua a hervir, mientras de vez en cuando observaba por encima del hombro a Jason que, tras echarle un vistazo a la estancia sin mucho interés, se había despojado de la fina chaqueta que llevaba y acababa de sentarse en una de las dos sillas que había frente a la mesa de la cocina.

—Así que... ¿adónde piensas ir?

—De momento, a un hostal.

Se puso de puntillas para abrir el armario, que estaba vacío a excepción del tarro donde guardaba el azúcar, algunos botes de especias y los utensilios de cocina que pertenecían a Rita Edwards.

Cuando se dio la vuelta, advirtió que Jason la miraba muy serio. Casi enfadado. Hum, puede que más enfadado que serio, en realidad. Era el tipo de persona diplomática y educada que sabe reaccionar ante los imprevistos con aparente tranquilidad, pero también tenía una personalidad fuerte y unas ideas claras y firmes que solía defender con uñas y dientes.

—¿Te estás oyendo? ¡Es una locura, Rachel!

Jason repiqueteó con los dedos sobre la superficie de la mesa. «Siempre hace eso cuando se pone nervioso», recordó ella de inmediato, como un fogonazo, y fue incapaz de apartar los ojos de esos dedos largos y de aspecto cuidado, nada que ver con las manos grandes y ásperas de Mike. Sacudió la cabeza expulsando lejos aquellos detalles que parecían haberse quedado anclados en su memoria, se dio la vuelta, apagó el fuego y comenzó a verter el líquido caliente sobre sendas tazas.

—¿Me estás escuchando siquiera? —se quejó Jason ante el preocupante silencio—. Mira, sé que no tengo derecho a aparecer en tu vida de repente y pedirte que vengas conmigo. —Ella dejó el té sobre la mesa y se acomodó en la silla que había enfrente—. Pero es lo más lógico —añadió finalmente, dando el último golpe de efecto—. No vas a quedarte en la calle, no voy a permitir que te ocurra nada. Eres mi amiga, Rachel —le recordó, inclinándose hacia ella.

—*Era* tu amiga —matizó. Abrió el tarro de azúcar y echó una cucharada a su bebida—. Ya no me conoces. No soy la misma persona. He cambiado. Todos lo hemos hecho.

Jason frunció el ceño y algunas arrugas aparecieron en su frente. Tenía ojeras y estaba cansado y frustrado. ¿Cómo podía hacerle entender a Rachel que todos, todos ellos, merecían una segunda oportunidad?

—Así que ahora me vienes con esas... —Sacudió la cabeza y chasqueó la lengua antes de emitir una risita pretenciosa.

—¿Qué te hace tanta gracia?

—Tu actitud. —Tomó un trago—. ¿De verdad crees que cinco años son suficientes para romper con todo? Sigo conociéndote, Rachel.

—No es verdad.

—Lo conozco todo de ti. Todo. Te apasiona el cine, especialmente esas películas que duran más de dos horas y de las que el resto de la humanidad, excepto yo, suele pensar que son aburridas y que no ocurre nada. No me digas que has dejado de verlas, porque estarías mintiéndome. Te encantan las tortitas muy hechas y eres incapaz de usar brillo de labios con ningún sabor porque siempre terminas comiéndotelo. ¿Y esa cicatriz que tienes en el dorso de la mano? Te la hiciste escalando un árbol para intentar salvar a un pájaro medio muerto. Casi todo el mundo cree que te asustan las arañas, pero en realidad te parecen graciosas y por eso Mike nos obligó a buscar una durante semanas para regalártela por tu décimo cumpleaños. —Tomó aire—. El único animal que no puedes soportar es la mantis religiosa... y podría seguir así durante horas. —Le sostuvo la mirada—. Pero es una tontería porque creo que ambos sabemos que, si Mike no formase parte de la ecuación, te vendrías a vivir con nosotros de inmediato y sin cuestionar nuestra amistad.

—Vaya, veo que has tirado de archivo... —Cogió su taza con ambas manos para disimular que estaba tiritando—. No estés tan seguro. Las cosas cambian, la vida sigue y todo eso... —alegó incómoda y nerviosa—. Cuéntame algo de Luke, ¿cómo le va?

Los ojos de Jason brillaron.

—Bueno, eso es algo que sabrías si te vinieses a vivir con nosotros. No estoy en posición de dar información confidencial. Es una pena, porque Luke esconde muchos cotilleos jugosos. Ya sabes que es especialista en meterse en líos.

Rachel se esforzó por esconder la diminuta sonrisa que al final asomó en la comisura de sus labios; era agradable volver a charlar con él. Dejó la taza sobre la mesa y se recostó en la silla, con los brazos cruzados y las piernas estiradas.

—Vale, tú ganas. Pero imagino que, al menos, puedes contarme cómo te van las cosas a ti. La inmobiliaria tiene pinta de ser bastante rentable.

—Lo es.

—¿Y cómo surgió la idea?

—Casualidades de la vida, supongo.

—¿Te gusta el trabajo?

—No sé, depende del día.

—Veo que tengo que sacarte las palabras a la fuerza.

—Solo te sigo el juego —replicó—. Tú tampoco pareces demasiado interesada en hablar de ti.

Rachel clavó la mirada en el borde de la taza y se concentró en la pequeña grieta que recorría la parte interna; parecía una diminuta enredadera que se dividía en numerosas ramitas más. Era tan pequeña... tan frágil...

Estaba temblando. A pesar de que solo tenía ojos para esa insignificante grieta, estaba temblando. No era fácil tener a Jason enfrente y negarse a lo que le ofrecía. Había pensado mucho en él durante los últimos años, especialmente desde su regreso a San Francisco, y cuando lo hacía siempre tenía la sensación de que había olvidado el timbre exacto de su voz y que las facciones de su rostro eran tan solo recuerdos borrosos que no hacían justicia a la realidad.

Se aclaró la voz antes de hablar.

—Soy escritora.

—¿Escritora? —Jason se inclinó hacia delante—. ¿En serio? ¡Eso es fantástico! ¡No! Espera... ¡Eso es imposible! Llevamos años buscándote y no hemos encontrado ni rastro de ti, ¿escritora?

—Es que escribo utilizando el apellido de mi madre.

Jason ladeó la cabeza y le dedicó una enorme sonrisa.

—Escritora... suena muy bien...

—No está mal. Trabajo en casa, podría decirse que es bastante cómodo, y me gusta. —Se frotó el brazo derecho con la mano de forma inconsciente—. Así que, bueno, ya sabes a qué me dedico. Supongo que ahora te toca a ti contarme por qué tienes una inmobiliaria para pijos.

Jason rio entre dientes.

—En mi defensa, diré que no es solo mía, sino que tengo dos socios.

—Vale. Desembucha.

Él comenzó a relatarle anécdotas de los últimos años, momentos inolvidables que había pasado con Luke, cómo había conocido a sus dos futuros socios en la universidad (que eran dos años más mayores que él), detalles sobre la chica con la que salía desde hacía cuatro meses y la locura que había sido organizarlo todo y montar aquel negocio antes de finalizar los estudios.

Cuando Rachel quiso darse cuenta ya llevaban varias horas hablando sin cesar. No sabía en qué momento exacto la tensión la había abandonado para dar paso a una sensación de confort, pero había ocurrido. Y aunque no había ahondado demasiado en los años que había pasado en Seattle y en lo que la muerte de su padre había supuesto para ella, sí le había dejado vislumbrar cómo era ahora su vida.

—Así que novela romántica...

—Sí, más o menos. —Arrugó la nariz—. Tengo intención de cerrar la trilogía con un final trágico que ponga punto final a la empalagosa historia de los protagonistas. Y después quizá me meta en la novela negra, que creo que me va más.

—Veo que coges cariño a tus personajes. —Emitió una carcajada.

En el fondo, quería a sus protagonistas. Agatha y Fred (así se llamaban) eran muy humanos y, después de tantas idas y venidas, pensaba darle un final feliz a su tormentosa historia de amor, incluso aunque no creyese en ello. Porque era ficción, solo eso. En la vida real seguro que tomarían caminos diferentes.

Permanecieron unos instantes en silencio. No fue un silencio incómodo. Ambos se sentían relajados. Era fascinante lo poco que les había costado ponerse al corriente y sortear el obstáculo de cinco años de ausencia.

Jason sonrió satisfecho y se frotó las manos al tiempo que alzaba el mentón y descubría que la ventana de la cocina estaba abierta. Sin pedir permiso a Rachel, se levantó y la cerró con suavidad. Aunque estaban a finales de verano y la temperatura solía ser agradablemente cálida durante el día, por la noche refrescaba.

—Mira qué hora es. Ya entiendo por qué estoy muerto de hambre.

—Sí, se ha hecho tarde.

Él se puso la chaqueta.

—Rachel, tengo otra propuesta que hacerte —anunció, antes de que ambos saliesen de la cocina. Ella permaneció en silencio invitándolo a proseguir—: ¿Qué te parecería venirte con nosotros solo hasta que encuentres otro lugar mejor? A cambio, prometo ayudarte a buscar un apartamento, pero mientras tanto... no hagas que me preocupe por ti. En serio. No lo hagas.

—¡Es que no puedo! —exclamó con impotencia.

—¿Tanto te sigue importando Mike?

He ahí su última baza: empujarla hasta el borde, atacar su orgullo. No quería recurrir a ello, pero...

—¡Para nada! —Arrugó la nariz con asco—. Me es indiferente.

—Pues si te es indiferente podrías ignorar que está ahí y punto —insistió—. ¿No tienes ganas de ver a Luke? Dime la verdad.

—Claro que sí, pero sabes que esa no es la cuestión...

—Por supuesto. La cuestión sigue siendo Mike.

—No es cierto, no.

—Vente con nosotros.

Los siguientes segundos fueron eternos para ambos. Jason la miró impaciente. Despacio, casi a cámara lenta, los labios de Rachel se curvaron y se movieron al hablar.

—Supongo que podría ser una opción —susurró—. Pero solo durante unos días, hasta que encuentre un lugar mejor donde...

—¡Sí! —Jason la interrumpió al abrazarla con fuerza—. ¡Será genial! Ya lo verás, ¡confía en mí! Porque lo haces, ¿verdad? ¿Sigues confiando en mí? —preguntó serio.

Rachel respondió antes de darse cuenta de que lo estaba haciendo.

—Confío.

—Pues no se hable más.

6

Rachel se acurrucó entre las sábanas y dio unas cuantas vueltas en la cama antes de decidirse a abrir los ojos. Contempló el techo de su nueva (y temporal) habitación; podía distinguir la sombra recortada de los árboles que se extendían más allá de la ventana como si fuesen un óleo pintado sobre la pared.

Buscó a *Mantequilla* esperando verlo donde lo había dejado la noche anterior, pero no consiguió encontrarlo en el enorme dormitorio. Volvió a dejarse caer sobre la cama. Aquel debía de ser el colchón más cómodo del universo.

La noche anterior, Jason la había convencido para que se fuese a su casa. Se había quedado sin respiración al cruzar el umbral de la puerta. Una escalera de caracol, que ella solo había visto en las películas, conducía al segundo piso. Las vigas de madera brillante cruzaban el techo y contrastaban con la decoración minimalista. Luke había tenido que darle un pequeño empujoncito en la espalda para animarla a seguir caminando; era una suerte que Jason lo hubiese avisado para que los ayudase a cargar las cajas de la mudanza y a llevarlas hasta allí. Y también fue toda una suerte que Mike se hubiese tenido que marchar a toda prisa a Los Ángeles apenas veinte minutos antes de que ella llegase. Según le había contado Luke, en eso consistía exactamente su trabajo, en reunirse con sus socios cuando ocurría una emergencia. Al parecer, durante el resto del tiempo no hacía absolutamente nada.

Rachel agradeció su ausencia para poder acomodarse sin vivir en una tensión constante. Aquel primer día, al bajar a la cocina, descubrió que Jason ya se había marchado. Luke le sonrió mientras sostenía con una mano la puerta de la nevera abierta.

—¿Has dormido bien?

—Sí. Esa cama... esa cama es increíble. —Sonrió e intentó arreglarse un poco el pelo con la punta de los dedos—. Por cierto, ¿has visto a *Mantequilla*?

—Está tomando el sol en el jardín. ¿Quieres café? —Ella asintió con la cabeza—. Anoche se lo pasó en grande. Jason se ha encontrado un par de grillos muertos en la puerta cuando se ha ido a trabajar.

—Eso no me lo esperaba —apuntó orgullosa.

Luke dejó los cafés sobre la mesa.

—¿Lo sigues tomando con tres cucharadas de azúcar? —preguntó inseguro.

Rachel asintió con la cabeza y sonrió tímidamente.

—Ya lo busco yo. —Se apresuró a levantarse e intentar descubrir en qué armario de la cocina guardaban el azúcar. Se apoyó en la encimera de rojizo granito para ponerse de puntillas.

—A la derecha. Sí, el siguiente —le indicó Luke con amabilidad.

—Vale. Ya lo tengo.

Volvió a su sitio, abrió el tarro y se echó tres cucharadas. Después, mientras removía el café, contempló a Luke en silencio. También lo había echado muchísimo de menos, a él, sus bromas, su constante buen humor y su forma de encarar las adversidades.

Luke aparentaba un par de años más de los que realmente tenía. No poseía una belleza clásica, aunque era muy atractivo. El tipo de chico que puede pasar desapercibido durante un primer escrutinio, pero no en un segundo; porque su sonrisa dejaba sin aliento y sus ojos eran de un verde impactante, muy vivos, muy brillantes. No era tan alto como Jason y Mike, pero, después de años practicando deporte, tenía un cuerpo musculoso y una espalda ancha. Rachel se había dado cuenta de ello cuando, al reencontrarse con él la noche anterior e intentar abrazarlo, no había logrado abarcar el contorno de su torso con sus brazos.

—No sé si voy a saber dónde está cada cosa, ¡esta casa es enorme!

—Te acostumbrarás.

Le guiñó un ojo y ella se mordió la lengua y se abstuvo de añadir que no se quedaría allí el tiempo suficiente como para llegar a acostumbrarse.

—Entonces, te dedicas a entrenar. —Rachel lamió la cucharilla del café y la dejó a un lado—. Y también das clases de educación física en un instituto —añadió, retomando la conversación que habían mantenido tras su ajetreada llegada.

—Sí, eso hago.

Luke frunció el ceño y pareció pensativo, como si desease decir algo más al respecto pero no estuviese realmente preparado para hacerlo.

—Parece una tarea agradable.

—¿Te gustaría venir a algún entrenamiento? Es divertido. Aunque la temporada de los pequeños ha terminado y ahora me encargo solo del grupo de los de quince años y, en serio, ni te imaginas la cantidad de estupideces que esos chicos piensan por minuto.

Ambos rieron.

—¡Claro! Me encantará ir, Luke.

—Será genial. Y, a propósito, como no me dé prisa voy a llegar tarde.

—Se bebió de un trago el café y, mientras se levantaba, le dio dos bocados rápidos a la ciruela morada que llevaba en la mano.

—¿Ya te marchas?

Luke asintió con la cabeza.

—Volveré en unas horas. Jason no llega hasta la noche.

—Pero... pero... ¡Luke! ¡No sé dónde está nada! Y me siento un poco rara e incómoda quedándome aquí a solas... —balbuceó nerviosa—. ¿Y si aparece alguien? Luke la miró de reojo al tiempo que intentaba, sin mucho éxito, meterse la arrugada camisa por dentro del pantalón vaquero.

—Nadie viene sin avisar —la tranquilizó—. Renata tiene llaves.

—¿Quién es Renata? —Lo siguió hasta la puerta de salida.

—La mujer que se encarga de la limpieza y de que no nos muramos de hambre —aclaró. Abrió la puerta de la calle, pero, antes de irse, volvió a girarse hacia ella—. Ahora que lo pienso, es posible que se pase por aquí Natalie, la amiga de Mike. Es muy insistente, así que, si se niega a dejar de tocar el timbre, simplemente dile que ha tenido que irse unos días. —Le dio un beso rápido en la mejilla antes de añadir—: Me alegra que hayas vuelto, Rachel. Te echaba de menos. Todos lo hemos hecho.

Rachel se quedó mirando la puerta por la que Luke acababa de irse. Se le habían disparado las pulsaciones. No estaba celosa. Ya no sentía nada por Mike, pero, aun así, le había impactado aquella revelación.

La mente de Rachel no tardó más de unos segundos en comenzar a imaginar cómo sería «la amiga de Mike». Ahí estaba de nuevo, comparándose con las otras mujeres que pasaban por su vida. No podía evitar que le intrigase saber qué tenían que ella no había podido ofrecerle; era algo sobre lo que había reflexionado durante todos aquellos años. ¡Menuda estupidez perder el tiempo así! ¿Qué más daba ya...?

Emitió un largo suspiro, ignorando las dudas que en ocasiones hacían acto de presencia y contempló la entrada de la casa; había una pequeña cúpula en el techo del recibidor y las cristaleras laterales permitían que la luz entrase a raudales.

Regresó a la cocina, terminó de beberse el café y después comenzó a inspeccionar la propiedad, intentando retener en su memoria cada rincón.

El jardín delantero era irrisorio al lado de la extensión de césped que se abría en la parte de atrás, lejos de los ojos curiosos de los vecinos. La piscina, cuya forma le recordaba a un riñón, tenía las paredes chapadas de diminutos azulejos de un tono azul cobalto. Rodeando la puerta trasera de la casa, estaba el porche de tablas de madera oscura, que precedía al césped y la vegetación, que se abría paso por todas partes.

Había varios abetos grandes que con su frondoso follaje impedían que se pudiese ver el jardín desde las casas contiguas. Los jazmines, que en aquella época del año todavía estaban repletos de delicadas florecillas blancas, emanaban un aroma embriagador. Se quitó las zapatillas de deporte y los calcetines y hundió los pies descalzos en la hierba fresca y húmeda. Arrancó una de las pequeñas flores del jazmín y se la llevó a la nariz, mientras contemplaba las sinuosas enredaderas que trepaban aquí y allá, las buganvillas rojizas y púrpuras, y los recortados setos que recorrían la valla que delimitaba la propiedad.

Mantequilla también parecía haber decidido que el jardín era su zona preferida, porque no se separó de su lado hasta que ella decidió volver al interior y él se hizo el remolón y permaneció tumbado plácidamente sobre el césped.

Recorrió las diferentes estancias, desde la lavandería, pasando de nuevo por la cocina y la despensa, hasta la habitación de juegos, un lugar donde había una mesa de billar en el centro, al lado de la televisión y los mandos de la videoconsola. Típico de ellos, pensó.

Cuando subió al segundo piso, pasó de largo de su habitación (que estaba repleta de cajas de cartón sin abrir y necesitaba ser atendida con urgencia), y abrió la puerta contigua.

Apenas le hizo falta una rápida mirada para deducir que era la habitación de Mike.

Emitió un suspiro. Negó con la cabeza repetidamente, cerró la puerta y dio media vuelta dispuesta a entrar en su propio dormitorio y hacer algo útil, como organizarse los capítulos que debía escribir esa semana o mandarle algún *email* a su editora para dar señales de vida... Cualquier cosa resultaría más práctica que cotillear la habitación de Mike Garben. O Cranston. Como fuese.

Sin embargo, apenas había dado tres pasos al frente cuando volvió a girarse en dirección contraria y, de nuevo, abrió aquella maldita puerta, presa de la curiosidad. Era capaz de percibir allí el aroma de Mike.

En el centro había una cama gigante cubierta por una colcha de color gris oscuro, casi negra, hecha de algún material brillante y suave. Las paredes estaban pintadas de un blanco impoluto que contrastaba con los oscuros muebles de caoba. Una alfombra de pelo largo en tonos azules y grises dividía la estancia en dos, dejando a un lado la cama y en el otro un sofá, frente a un escritorio repleto de cosas diversas, desde un guante de béisbol hasta un paquete de caramelos de menta.

Pero no fue hasta que alzó la mirada al techo de la habitación, cuando se quedó sin respiración. La superficie blanca estaba repleta de pequeños puntitos de los que brillan en la oscuridad. ¡Había miles! ¡Cientos de estrellas! Era como si hubiese querido recrear un cielo allí dentro.

—Estás aquí.

Se le dispararon las pulsaciones al escuchar la voz profunda y rasgada de Mike. Se giró para enfrentarse a él.

—Yo... lo siento —balbuceó—. No pretendía entrar. Solo estaba inspeccionando la casa y entonces...

Sin apartar los ojos de Mike, que había avanzado hacia ella con paso seguro, se movió y tropezó con el borde de la gruesa alfombra.

Antes de que pudiese caer, los brazos de él la sujetaron con firmeza y la retuvo en pie.

—¿Estás bien? —preguntó en un susurro.

—Sí.

Se apartó de él rápidamente, como si quemase. Y en parte, así era. Seguía teniendo el poder de provocar que la temperatura de la habitación aumentase en cuanto ponía un pie en ella. Era demencial. E injusto. Muy, muy injusto.

—Bueno, ¿qué te parece? —Con fingida despreocupación, Mike señaló el techo moviendo la cabeza—. No está mal, ¿eh?

Rachel volvió a clavar la mirada en aquel falso cielo repleto de estrellas y después la bajó hasta Mike. Tragó saliva al distinguir la barba incipiente de un par de días que ensombrecía su mandíbula.

—¿La verdad? —Se cruzó de brazos—. Me parece una tontería.

Un destello de tristeza asomó en los ojos claros de Mike, pero apenas tardó unos instantes en reponerse y lograr esbozar una sonrisa engreída.

—Veo que todavía te vuelve loca discutir conmigo.

—Claro. Siempre fue mi pasatiempo número uno, entre leer y dejar que me tratasen como a una tonta ingenua, de vez en cuando me daba por discutir —replicó con ironía. No estaba muy segura de cómo manejar la situación y apartar a un lado el rencor, porque estaba ahí, latente, entre ellos, como hebras que los ataban y alejaban a un mismo tiempo.

Mike alzó de nuevo la mirada al techo y contó un par de estrellas, las suficientes para calmarse. Él nunca la había considerado una «tonta ingenua», nunca. Y saber que llevaba años sintiéndose así...

—Rachel, quiero que sepas que...

—Tenía entendido que pensabas quedarte unos días en Los Ángeles. Es una pena que hayas decidido volver antes —lo cortó. Mike apretó los dientes y se olvidó de qué era aquello que deseaba decirle. Porque no era fácil, no era nada fácil, y ella lo estaba complicando todo más y más...

—Sí que es una pena. Te he jodido el plan de seguir cotilleando habitaciones ajenas.

—Ya te he dicho... —emitió un bufido de exasperación—, ya te he dicho que solo estaba intentando conocer un poco la casa.

Ante los atónitos ojos de la joven, sin mediar palabra, Mike se quitó la sudadera azul que llevaba y paseó su perfecto torso por la habitación mientras caminaba descalzo hacia el armario. Rachel abrió la boca para protestar, pero finalmente volvió a cerrarla; al fin y al cabo, era cierto que estaba en una habitación ajena. Desvió la mirada por su espalda desnuda. Tenía algunas marcas y cicatrices blanquecinas en la parte inferior del hombro derecho, justo bajo un extraño tatuaje donde se entreveía un símbolo de líneas retorcidas que fue incapaz de descifrar. Dejó de intentar hacerlo cuando se vistió con una camiseta negra de manga larga y se giró hacia ella.

—Tranquila, pecosa. —Su voz la sacó de aquel trance—. Puedes entrar aquí cuando quieras. Lo mío es tuyo —le aseguró con un deje de diversión. Pero lo decía completamente en serio.

7

Rachel dio media vuelta y salió de la habitación de Mike a toda prisa.

Ahí estaba, ahí tenía la prueba irrefutable de que quedarse unos días en aquella casa había sido una pésima idea. Porque daba igual cuánto tiempo hubiese pasado o el hecho de que encabezase su lista de «personas a las que odiar hasta la eternidad», seguía sintiendo un estúpido e incómodo cosquilleo cuando él estaba cerca. De hecho, estaba segura de que si la encerraban en una habitación con una venda en los ojos y le pedían que avisase cuando Mike entrase en esa misma estancia, ella hubiese podido pasar la prueba sin problemas, porque cuando tenía a ese hombre a unos metros de distancia notaba una especie de electricidad en el aire y las pulsaciones se le disparaban como si acabase de correr una maratón.

No sabía por qué le ocurría aquello. Simplemente pasaba. Sin más. Y así había sido desde el primer día que sus ojos se habían encontrado, como si fuese una broma del destino que la hubiese tomado con ella: «Eh, pequeña Rachel, voy a joderte hasta el fin de tus días». Odiaba no poder desprenderse de esas sensaciones. Tirarlas a la basura. Dejarlo todo atrás.

En cuanto entró en su propio dormitorio, emitió un suspiro de resignación al advertir que Mike la había seguido. Ignorándolo, cogió un cúter del escritorio, se sentó en el suelo y comenzó a abrir la primera caja que estuvo a su alcance. Levantó las solapas de cartón e inclinó la cabeza para descubrir que estaba repleta de libros. Siguiente caja. Repitió el proceso, esta vez al tiempo que Mike, sin mediar palabra, se sentaba a su lado. Rachel dio un respingo cuando la rodilla de él rozó la suya y le faltó poco para cortarse con el cúter. Rajó el cartón con rabia. Esa estaba repleta de ropa. Alzó la mirada hacia Mike.

—¿Vas a quedarte ahí parado, mirando lo que hago?

—Ese era el plan, sí.

Mirarla. Mirarla durante una eternidad. Podía hacerlo. Quería hacerlo.

—Pues será mejor que empieces a pensar en posibles planes alternativos.

—Si quieres, puedo ayudarte. —Se inclinó hacia la caja que la joven acababa de abrir y sacó la primera prenda de ropa que encontró. Unas bragas—. ¿Dónde debería colocar esto? ¿Primer o segundo cajón?

Rachel le arrebató de las manos la braguita rosa de encaje y él se limitó a continuar sonriendo como un idiota.

—Con plan alternativo me refería a que te vayas, Mike —puntualizó—. Tengo mucho lío por aquí, como puedes ver. —Señaló con una mano el perímetro de la abarrotada y desastrosa habitación.

Él se levantó, aunque no estaba dispuesto a irse todavía. Llevaba demasiado tiempo esperando la oportunidad de estar cerca de Rachel como para desperdiciar ni un solo minuto. Es más, todavía no había dormido. En cuanto esa dichosa reunión había terminado, se había puesto frente al volante para regresar a San Francisco lo antes posible; no podía creer que finalmente hubiese aceptado irse con ellos.

La observó ensimismado mientras sacaba la ropa de la caja y la metía en el armario, doblándola sin mucho cuidado.

—Así que... me han dicho que eres escritora —dijo y apartó la mirada de ella para posarla en las cajas que contenían libros.

—¿Te ha dado tiempo para llamar a Jason y sonsacarle información?

—Sí. Mientras tú cotilleabas mi habitación he encontrado un par de minutos libres. —Rachel abrió la boca dispuesta a replicar, pero volvió a cerrarla—. ¿Puedo ver alguno de tus libros? —preguntó Mike—. ¿Dónde están?

—¡No, no puedes ver nada! ¡Tengo mucho trabajo que hacer! Necesito mi espacio. Mi espacio —recalcó—. Preferiría estar sola mientras desembalo todas estas cajas.

Con absoluta despreocupación, él se apoyó contra la mesa del escritorio, donde Rachel había dejado su ordenador. En cuanto descubrió lo que la joven estaba mirando, se giró y fijó sus ojos en el portátil plateado. Extendió las manos, pero antes de que pudiese abrir la tapa, ella lo apartó y presionó la superficie del ordenador con ambas manos.

—¡Ni se te ocurra, Mike! —siseó.

—Tranquila... —Alzó las manos en son de paz y sonrió travieso—. Bueno, ¿al menos vas a decirme qué tipo de libros escribes, o tendré que averiguarlo por mi cuenta? Jason no ha querido darme más detalles.

—¿Te marcharás si te lo digo?

—Probablemente.

Él se dejó caer en la cama y cruzó las manos tras la nuca sin apartar los ojos de ella. Estaba preciosa; su rostro era luminoso, bonito, desprendía ternura. Siempre había tenido esa sensación al mirarla. Al fin y al cabo, casi todo lo bueno que había existido en su vida tenía mucho que ver con esa pelirroja testaruda.

—No, Mike, *probablemente* no me vale.

—Está bien —accedió—. Te prometo que me iré.

—Como si tus promesas valiesen una mierda... —masculló ella por lo bajo.

Mike la miró con resignación, pero no dijo nada mientras Rachel se giraba para coger un vestido y lo colgaba después en una de las perchas con manos temblorosas.

—Escribo novela romántica —respondió en un susurro.

—Entiendo... —Mike había tardado más de lo esperado en contestar.

Ella metió en el armario un suéter de mala manera, arrugándolo por los extremos para que cupiese en el cajón. Exhaló malhumorada.

—¿Qué pasa? Tampoco es tan raro.

—Nadie ha dicho que sea raro, pecosa.

—Deja de llamarme así. Y vete ya.

Se levantó y dio un par de zancadas, pero antes de salir volvió a girarse hacia ella.

—Entonces, para que lo entienda completamente, escribes novelas de amor. Y ya está. No hay acción, ni explosiones, ni bombas... Solo amor.

—Sí, fíjate, soy tan simple e insustancial que me conformo solo con un poco de amor. Qué cosa más rara, ¿verdad? Aunque, bueno, a veces meto alguna escena en la que los protagonistas follan y demás, imagino que esa parte puede ser más de tu interés.

Mike apoyó el cuerpo en el marco de la puerta de la habitación y dio unos golpecitos en la madera con la punta de los dedos. Ya no parecía tener ganas de seguir bromeando. Emitió un largo suspiro.

—Has cambiado.

—¿Sabes? Jason dijo exactamente lo mismo, pero a diferencia de ti él sí tenía derecho a sorprenderse. Dime, ¿de verdad esperabas que siguiese siendo tan idiota?

—Nunca pensé que fueses idiota.

—Pues conociendo tus antecedentes, nadie lo diría.

Él expulsó entre dientes el aire que estaba conteniendo.

—Noto cierta tensión entre nosotros, pecosa. ¿Hay algo que quieras decirme? Porque si es así, creo que este sería un buen momento para que hablásemos.

Lo miró consternada. ¿Cómo demonios se atrevía siquiera a mostrarse indignado por su actitud? ¿Qué esperaba? ¿Una bienvenida cálida y fuegos artificiales? Suficiente que le dirigía la palabra. Y gracias. De nada.

Le tembló el labio inferior durante unos instantes, mientras se debatía entre si debía tragarse todo aquel dolor que seguía sintiendo o si lo mejor sería gritarle como una loca y desquitarse al fin por todo, por todo lo que le había provocado. Estaba a punto de abrir la boca, notaba la furia serpenteando lentamente por su garganta, deseando salir... cuando una mujer mulata de unos cincuenta años apareció detrás de él.

—¿Quién es esta joven tan *bonita*? —preguntó, apartando sin reparos a Mike para poder entrar en la habitación.

Hablaba con un marcado acento cubano y su rostro estaba surcado de arrugas, a pesar de que el redondo moño que coronaba su cabeza era tan apretado que parecía estirarle la piel.

Rachel parpadeó confundida, intentando recobrar la compostura y volver a sepultar la rabia que había estado a punto de dejar salir.

—Te presento a Renata —dijo Mike—. La verás aquí a menudo. Se encarga de la limpieza y bueno... de todo.

—Encantada. —Ella extendió la mano, pero Renata se apresuró a darle dos sonoros besos en las mejillas. Oh, Dios, no estaba acostumbrada a que nadie se tomase tal confianza con ella—. Me llamo Rachel —logró decir aún algo descolocada.

—¡Por fin una *mujercita* en la casa! —Renata se giró hacia Mike—. Es muy linda —insistió sin despegar los ojos de él, como si estuviese dándole su aprobación o algo semejante—. Pero muy delgada. —Cogió uno de los brazos de Rachel y presionó la piel con sus gruesos dedos—. Cocinaré caldo de pollo. Pobre niña, está en los huesos —declaró con pesar.

Se encaminó hacia la puerta y, tras pellizcar a Mike la mejilla derecha con cariño, como si tuviese diez años, salió de allí dejándolos otra vez a solas. A Rachel todavía le costaba procesar aquel despliegue de confianza y familiaridad teniendo en cuenta que no conocía de nada a esa señora.

Como si estuviese aprovechando el momento de confusión, Mike avanzó hasta quedarse parado frente a ella. Inclinó la cabeza y buceó en sus ojos, que parecían estar hechos de miel. Aguantó la respiración, evitando que su aroma a frambuesa lo volviese loco; olía increíblemente bien.

—Rachel, ¿quieres que hablemos? —Para él, el mundo se congeló durante unos instantes, mientras la pregunta flotaba en el aire—. Puedes decirme cualquier cosa. Lo que sea.

Ambos sabían a qué se refería. A la noche en la que todo cambió entre ellos. Entre ellos y en el resto de sus vidas.

—No. No tenemos nada de qué hablar.

Rachel se dio la vuelta y su cabello pelirrojo se balanceó por su espalda cuando rajó con el cúter la última caja que estaba cerrada. Aguantó la tentación de apuñalar el cartón un par de veces como desahogo.

Mike salió de la habitación sin hacer ruido, aunque estaba seguro de que cualquiera que estuviese cerca podría oír el latir de su corazón. Había pasado cinco años esperando y temiendo ese momento y ahora, finalmente, no ocurría... nada. Tampoco estaba preparado para ello. No quería contárselo. No podía.

Pero hubiese preferido que ella gritase, que dijese mil improperios, que lo atacase; quizá así lograse sentirse menos culpable. La indiferencia era peor.

Llevaba demasiado tiempo preguntándose si, de no ser por sus actos, los acontecimientos de aquella noche habrían sido diferentes. Quizá el señor Robin seguiría vivo. Quizá. Y aunque solo era una remota posibilidad, le atormentaba pensar que si no hubiese sido un imbécil, Rachel jamás habría salido en su busca. Y si Rachel no hubiese abandonado la casa que ambos compartían... puede que...

Mike respiró profundamente y se concentró en las juntas del suelo de madera. «Una, dos, tres, cuatro, cinco, seis, siete, ocho, nueve, diez, once...»

Cuando volvió a levantar la vista, *Mantequilla* estaba frente a él, en mitad del pasillo, mirándolo fijamente. Mike ladeó la cabeza sin dejar de observar el felino. Había algo en ese gato que le recordaba a su dueña. Ambos tenían el pelo rojizo y unos ojos expresivos que desprendían dulzura y el gato parecía confiado y cariñoso, pero aun así decidido a huir y esconderse si le hacían daño. No tenía pinta de estar dispuesto a dar segundas oportunidades. Como Rachel.

Sin pensar en lo que estaba haciendo, Mike lo cogió en brazos y lo abrazó con cuidado contra su pecho.

—¿Qué te parece si adelantamos un poco la hora de la siesta, *Elvis*? —Abandonó el pasillo y entró en la habitación—. Supongo que no te importa, te pasas el día durmiendo y no tienes nada mejor que hacer. No te ofendas, colega. Eso es bueno. —Lo dejó a los pies de la cama y ahuecó la almohada golpeándola suavemente con la palma de la mano.

Se tumbó y observó el techo. Mientras el rítmico ronroneo del gato lo calmaba, comenzó a contar las estrellas que lo cubrían, aunque lo que verdaderamente le apetecía en aquel momento era contar sus pecas. Todas y cada una de ellas.

8

Aquella noche los cuatro cenaron juntos. Rachel se acomodó junto a Luke, frente a los otros dos, y contempló embelesada la mesa repleta de comida. Antes de marcharse, Renata había preparado salmón marinado y un delicioso aroma a eneldo flotaba en el aire. También había patatas asadas, jamón al horno con miel y ensalada de rúcula, lechuga y diminutos tomates *cherry*.

—¡Por fin estamos los cuatro juntos! —exclamó Jason sonriente—. ¡Ya era hora! Solo han tenido que pasar... eh, unos...

—Cinco años —aclaró Mike. La sombra de sus ojeras se había atenuado después de dormir unas cuantas horas. Apartó el salmón a un lado y cogió un trozo de jamón asado con el tenedor.

—¿Qué más da el tiempo que haga? Lo importante es que volvemos a estar todos —concluyó Luke, que estaba hambriento—. ¿Queréis que os cuente un chiste?

—¡No! —gritaron Jason y Mike a la vez.

—¡Prometo que este es muy bueno! Me lo ha contado un chaval durante el entrenamiento y me moría de la risa...

—No, Luke —insistió Jason tras hacer una bola con una servilleta y lanzársela.

—Deberíamos ponernos al día, ¿quieres saber algo realmente bueno de verdad, Rachel? —preguntó Mike mirándola fijamente—. Es sobre Luke. Un cotilleo muy, muy interesante.

Ella tuvo que hacer un gran esfuerzo para apartar la vista de su plato y elevarla hasta él. No habían vuelto a verse después de la torpe presentación de aquella mañana, pero todavía notaba el cosquilleo que le producía su presencia. Esperaba acostumbrarse y calmarse con el paso de los días.

—¡Oye, eso no es justo! —se quejó Luke, y Jason emitió una vibrante carcajada.

—Vale. Veamos, a ver cómo explico esto... —Mike fingió mostrarse pensativo de un modo cómico y dejó los cubiertos apoyados sobre el plato—. ¡Luke está felizmente casado! —anunció de golpe—. ¿No es genial?

Sorprendida, Rachel se giró hacia su amigo.

—¿Es eso cierto?

—Bueno, legalmente...

—¡Y tanto que sí! —repuso Jason, hablando con la boca llena—. Se casó en Las Vegas. Estaba borracho. Yo lo sujeté mientras intentaba ponerle ese anillo de plástico a la chica.

—¡Fue un fin de semana increíble! —exclamó Mike.

Rachel pestañeó confundida.

—Bueno, ¿y quién es ella? Me gustaría conocerla.

—A nosotros también nos gustaría conocerla, sobre todo a Luke —aclaró Mike entre risas—. Su querida esposa es todo un misterio.

—¿Cómo? Creo que no estoy entendiendo...

Luke se limpió la boca con una servilleta y se giró hacia ella. Apoyó una mano en su hombro con cariño.

—No sé quién es la chica. Bueno, sé que se llama Harriet Gibson. Como te ha dicho Jason, estábamos borrachos cuando me casé —apuntó fulminando con la mirada a sus dos amigos—. ¿Has estado alguna vez en Las Vegas? —Rachel negó con la cabeza—. Pues, créeme, se pueden hacer muchas cosas estúpidas en ese lugar. Y ya sabes que soy un poco propenso a meterme en líos...

Los otros dos emitieron otra risotada y ella bufó exasperada antes de volver a centrarse en Luke. ¿Cómo podían tomárselo a broma? ¡Aquello era serio, demonios! Se dio cuenta de que a pesar del tiempo que había transcurrido (y de que en ocasiones Jason fuese algo lúcido), seguía siendo la más madura de los cuatro. Solo eran niños grandes.

—¡Madre mía! ¡Menuda locura, Luke! ¿Y se puede saber por qué no te divorcias?

—Eso pretendo, pero no es tan fácil. Mi abogado es de Nevada y, aunque parezca increíble, está especializado en estos temas porque, al parecer, a mucha gente le da por hacer la misma tontería. No encontramos a la chica. Y tan solo puede solicitarse el divorcio sin consentimiento tras demostrar que los cónyuges llevan más de un año sin vida en común. Un lío. Si tengo su firma y es de mutuo acuerdo, todo es más fácil, así que está intentando localizarla. Lo único que sé es su nombre, que era rubia y que nos hicimos juntos este tatuaje. —Dejó de remover la comida de su plato y se levantó la manga de la camiseta para dejar a la vista tres pequeños pájaros negros en la cara interna del brazo—. La chica debe de ser rara de cojones porque no aparece por ningún lado, no tiene perfil en Facebook ni en Twitter...

—¡Eso no es tan raro! —discutió Rachel, que no entendía la gracia de perder el tiempo frente a un teléfono u ordenador si no era para escribir o hacer algo útil.

—Pecosa, es lo más raro del mundo. —Mike la señaló con el tenedor—. No te ofendas, sabemos que a ti tampoco te van las redes sociales. Si quieres, mañana te creo una cuenta en Twitter.

—¿Y para qué querría algo así?

—No sé, puedes meterte conmigo en ciento cuarenta caracteres. Sería divertido. A ver, por ejemplo: «Estoy cenando salmón y no dejó de mirar a Mike como si quisiese asesinarlo. RT si tú también deseas que muera de un modo lento y cruel».

—Pues mira, sí que suena bien —ironizó Rachel contemplándolo con los ojos encerrados. Él esbozó una sonrisa burlona.

—O también puedes twittear algo que despierte el lado participativo de tus seguidores, en plan: «RT si piensas que Mike no es tan malo. Fav si estás de parte del gato gordo y la pecosa. #Rencor #MiradasQueMatan». Seguro que votarían encantados.

Jason carraspeó e interrumpió la tensa conversación al inmiscuirse.

—Nos hubiese sido mucho más fácil encontrarte —admitió—. ¿A tu editora no le importa que no seas activa en redes sociales?

Rachel se encogió de hombros.

—No. Emma es bastante flexible con esos temas. Está un poco loca, en realidad, pero me cae bien.

De reojo, Rachel observó cómo Mike pinchaba un tomate *cherry* y se lo metía de golpe en la boca. Centró la vista en Luke, molesta porque sus ojos se desviasen siempre hacia donde no debía ni quería mirar.

—Todavía no puedo creer que estés casado.

Quería preguntarle algunas cosas más como, por ejemplo, por qué se dedicaba solo a entrenar y dar clases en el colegio cuando, años atrás, Luke Evans era un nombre destinado a tener por delante un brillante y prometedor futuro en el fútbol americano, pero aquella mañana, mientras desayunaban, le había parecido que él no quería hurgar en el pasado; así que se mordió la lengua y se quedó con las ganas de averiguar en qué momento se había desviado del camino esperado.

—A mí también me cuesta creerlo. —Luke rio antes de señalar con la cabeza a Jason—. Aunque ese de ahí, como siga así, pronto se unirá al club.

—¡No digas chorradas! —Jason negó con la cabeza y frunció el ceño.

—Eso, Luke. No digas chorradas —repitió Mike—. Imagina cómo sería la boda, ¡un horror! Clarissa no soporta comer más de quinientas calorías al día. Y no te ofendas, colega, pero yo paso de ir a bodas en las que no me den comida. Conociéndola, seguro que no saldríamos ni a un canapé por persona.

Jason le dio una patada por debajo de la mesa y Mike rio como un crío.

—Sin que sirva de precedente, Mike tiene razón —apoyó Luke.

—No entiendo nada... —Rachel sacudió la cabeza, confundida. Estaba tan centrada en intentar enterarse de todas las novedades que apenas había probado bocado. Media década era una gran laguna en comparación a lo estrecha que había sido su relación años atrás. Tan estrecha que hasta habían estado al tanto de en qué fecha del mes tenía la regla. Una locura, sí. Y ahora se sentía algo excluida del círculo.

—No les hagas caso. —Jason la miró con ternura—. Esta semana te presentaré a Clarissa. Te encantará.

Rachel se mostró entusiasmada ante la idea de conocer a Clarissa. Teniendo en cuenta que era la novia de Jason, seguro que sería estupenda. Hasta la fecha, no recordaba haber tenido amigas y era una de esas cosas que había anhelado a pesar de no haber hecho nada por remediarlo. Ellos tres habían sido más que suficientes en su vida, pero suponía que había «cosas de chicas» que se había perdido. Durante la adolescencia había compartido alguna que otra confidencia con Babia Díaz y Alice Kellen, que eran sus compañeras de laboratorio en la clase de biología, pero su amistad no llegó a cuajar del todo y, cuando al año siguiente les tocó estar en aulas separadas, todo se limitó a relacionarse con escuetos saludos cuando se cruzaban por el pasillo del instituto.

Después trabajó en la gasolinera de Seattle durante el turno de noche, rodeada de libros; la tía Glenda no contaba como amiga íntima y su siguiente empleo, escribir, era una tarea profundamente solitaria. Nunca había tenido compañeros de trabajo ni tampoco se esforzó por hacer nuevos amigos. Ya sabía lo duro que era perderlos después. Y al final todo en la vida era un poco así, efímero, temporal, con fecha de caducidad. Era mejor bastarse consigo misma.

Rachel alzó la cabeza de su plato y los miró a los tres. Incluso a pesar de la presencia de Mike, se sentía extrañamente agradecida por estar allí en aquellos momentos. Era raro no cenar sola y hacerlo acompañada de conversación y risas. Tragó saliva y, cuando fue a coger un trozo de patata con el tenedor, advirtió que le temblaba la mano. Se serenó antes de hablar.

—Me alegra ver que ninguno de vosotros ha perdido el tiempo durante estos años; negocios, una casa enorme, bodas... —bromeó.

—Tú tampoco te quedas atrás, pecosa. No seas modesta.

—Bueno, supongo que no puedo quejarme.

—Pues no. —Mike la miró intensamente—. Ya me gustaría a mí vivir de escribir novelas eróticas. Seguro que te lo pasas en grande.

Rachel arrugó la nariz y se propuso armarse de paciencia, de paz interior, de... ¿qué coño? ¿Por qué siempre tenía que decir exactamente lo que no debía? ¿Era una especie de reto que se había propuesto...?

—¿De dónde... de dónde has sacado una idea semejante? —preguntó.

Mike esbozó esa sonrisilla de sabelotodo que la sacaba de quicio. Rachel advirtió que no había cambiado demasiado. Sus gestos, sus movimientos felinos, ese tonito cautivador y ronco que usaba al hablar...

—Novela romántica y novela erótica vienen a ser lo mismo, ¿no?

—Es evidente que no, de ahí que tengan dos nombres distintos.

—¿Qué más da? No tienes de qué avergonzarte, pecosa.

—No da igual. Y no me avergonzaría, de todos modos —aclaró—. Pero quiero que entiendas que no es lo mismo, no exactamente —insistió, al tiempo que presionaba el mango del tenedor con más fuerza de lo estrictamente necesario. Ahora en serio, ¿qué esperaba de una persona que se dedicaba a pisotear los sentimientos de lo demás...? Se calmó un poco al tomar una bocanada de aire. No quería arruinar la cena a Jason y a Luke. Y por experiencia sabía que ella y Mike tendían a alargar el debate cuando no estaban de acuerdo en algo.

—Ya, vale, lo que tú digas.

Él se metió otro diminuto tomate en la boca y masticó con indiferencia, como si le importase bien poco la conversación que acababan de mantener.

Jason la miró un poco preocupado, consciente de la guerra interior que se desataba en ella cada vez que Mike abría la boca. Le rellenó el vaso de agua antes de hablar.

—¿Sabes? Me encantaría poder leer algo tuyo.

—Claro, te daré una copia. —Más tranquila, Rachel le sonrió.

Mike frunció el ceño, consciente de que Jason y ella seguían teniendo una relación especial. Sabía que, en su caso, Rachel no estaría dispuesta a dejarle leer su novela tan fácilmente. Detestaba esa sensación incómoda en el pecho, no estaba seguro de si eran celos o tan solo el sentimiento de culpa que le perseguía día y noche. Dejó el tenedor en el plato con brusquedad y bebió un trago de agua mientras los demás continuaban hablando; se concentró en los hilitos que sobresalían por un extremo del mantel: «tres, cuatro, cinco, seis...»

El resto de la cena prosiguió sin más contratiempos. Rachel devoró el salmón, que tenía una textura suave y perfecta, mientras escuchaba las conversaciones de los chicos. Sonrió cuando ellos empezaron a discutir sobre la liga nacional de fútbol, como en los viejos tiempos. Y se abstuvo de indagar más cuando le preguntaron a Mike qué tal había ido su reunión del día anterior y comentaron cosas sobre el mundo de las apuestas y los últimos movimientos del negocio.

—Debería irme a dormir. —Jason estiró la espalda, apoyándose con una mano en la repisa de la cocina donde acababan de dejar los platos sucios tras la cena—. Mañana tengo que enseñar una casa temprano.

—¿Por qué tienes que ir tú? —preguntó Mike mientras se agachaba en el suelo para dar a *Mantequilla* unos trozos de salmón que habían sobrado. El gato ronroneó en respuesta.

—Es un cliente importante.

—Descansa. —Rachel le palmeó la espalda con cariño.

—Oye, mañana por la noche podríamos hacer uno de esos maratones de películas, como hacíamos antes, ¿recuerdas? —La miró esperanzado y ella asintió con la cabeza—. Yo compararé las palomitas.

—Perfecto. Me apunto. —Mike sonrió—. Y no escatimes en palomitas. Compra, no sé, tres o cuatro paquetes.

Jason se quedó en silencio mientras lo veía coger una manzana verde de la nevera.

—Mike, colega, no vamos a ver el tipo de películas que a ti te gustan. —Se esforzó por sonar delicado—. Ya sabes que nos va el cine independiente. No creo que tú... —Calló, sin saber cómo continuar. Era consciente de que para Mike también estaban siendo duros los cambios de los últimos días.

—Puedo alquilar *Los Mercenarios III*. —Le dio un bocado a la manzana produciendo un sonido roto—. O la última de *Fast & Furious*.

Rachel se hizo un hueco entre ambos chicos y se inclinó para coger a *Mantequilla* del suelo. Después, miró a Jason.

—No importa. Podemos hacer el maratón de películas otro día —dijo. Sentía los ojos de Mike clavados en su espalda como dos dagas afiladas—. Y recuerda que prometiste enseñarme algunos apartamentos. Tengo ganas de ver qué tal te desenvuelves como agente inmobiliario. —Se obligó a sonreír—. Nos vemos mañana. Buenas noches.

Evitando a toda costa que su mirada tropezase con la de Mike, salió de la cocina y subió a su habitación.

Tumbada en la cama con el portátil sobre las piernas, comenzó a corregir lo poco que había conseguido escribir durante la tarde. Le costaba concentrarse y no ayudaba el hecho de que *Mantequilla* estuviese saltando de un lado para otro intentando cazar una pequeña polilla que se había colado en la estancia.

No entendía a Mike. Nunca lo había entendido. Cuando años atrás se había mostrado frío, duro e insensible, Rachel había dado por hecho que era la forma en la que se protegía del mundo, escondiéndose en su caparazón. Ahora ya no estaba tan segura de conocer su verdad. Si Mike jamás había logrado entenderse a sí mismo, ¿cómo podría hacerlo otra persona? Mientras Jason o Luke era transparentes a los ojos de cualquiera, él era totalmente turbio y hermético.

Media hora después alguien llamó suavemente a la puerta y la abrió antes de que le diese permiso para hacerlo.

Era Mike.

Con movimientos lentos y torpes, cerró el portátil y lo dejó a un lado de la cama. Él se quedó junto al marco de la puerta, sin llegar a entrar en la habitación.

—No hace falta que te levantes. —Se apresuró a decir cuando vio que Rachel se incorporaba en la cama—. Solo quería decirte que al final tengo planes para mañana por la noche. Lo había olvidado —musitó con voz monótona—. Así que... podréis ver vuestras películas profundas y todo eso.

—Vale.

Mantequilla rompió el silencio al comenzar a remover con una pata los papeles que había sobre el escritorio.

—¡Deja de hacer eso! —protestó ella.

—¿Quieres que me lo lleve para que puedas escribir tranquila? —Mike señaló el portátil con la cabeza—. No me importa que duerma conmigo.

—Gracias, pero no es necesario.

Aunque intentó evitarlo se le escapó una sonrisa sincera que pronto se esforzó por borrar, convirtiéndola en una extraña mueca.

—Buenas noches, pecosa.

—Buenas noches, Mike.

9

Ya antes de llegar a la cocina, Rachel percibió el apetecible aroma a huevos y beicon que flotaba en el aire. Al entrar, vio que Mike estaba terminando de preparar el desayuno. Llevaba puesto un pantalón de chándal gris y una camiseta blanca que resaltaba las virtudes del ejercicio y la constancia. Se amonestó mentalmente por mirarlo y desvió la atención a la sartén donde intentaba hacer unas tortitas.

—Buenos días. —Mike le sonrió.

—Buenos días. ¿Dónde están Jason y Luke?

—Ya se han marchado al trabajo. —La miró por encima del hombro—. ¿Todavía te gustan las tortitas?

—Claro. Me encantan.

Mike chasqueó la lengua con fastidio.

—Pues esperaba que dijeses que no, porque no consigo que esta mierda... esta masa... ¡joder! —Rascó la superficie de la sartén con la espátula.

—¡No hagas eso!

Rachel dejó en la encimera el tetrabrik de zumo de naranja que acababa de sacar de la nevera y le quitó la sartén de las manos. Esperó a que él se apartase, pero no lo hizo. Se quedó a su lado, hombro con hombro, rozándole el brazo con el torso. Ella se obligó a concentrarse en la destrozada tortita.

—Si la rascas es peor; conseguirás que la sartén no sirva para nada. —Quitó los restos y volvió a poner líquido de tortitas—. Mira, solo tienes que ir despegándola por los bordes con cuidado... así, ¿ves?

—Es la perfección hecha tortita —alabó—. ¡Me la pido!

Antes de que Rachel pudiese reaccionar, apresó los bordes de la tortita con los dedos, aún a riesgo de quemarse, la sacó de la sartén y la colocó en su plato, al lado del beicon, los huevos y una manzana.

—¡Ni lo sueñes! ¡Ya te he enseñado cómo hacerlas! No seas egoísta y dámela.

—Intenta cogerla...

Alzó sobre su cabeza el plato del desayuno, sosteniéndolo con una mano.

—¿Cuándo piensas madurar, Mike?

—¿Me lo pregunta una chica que está dispuesta a luchar por una tortita?

Rachel se dio la vuelta y se obligó a mantener la boca cerrada. Él tenía razón, toda la razón. Y ella rectificó a tiempo. No estaba dispuesta a rememorar el pasado ni a seguirle el juego. Desayunaría, se ocuparía de las cosas que todavía estaban fuera de lugar en la habitación, contestaría unos cuantos correos y saldría a correr por aquel nuevo vecindario. En resumen, se comportaría como la persona de veintitrés años que era y no como la adolescente estúpida que siempre caía ante sus provocaciones.

—De acuerdo. Quédatela.

Volcó en la sartén la masa líquida que quedaba.

—Eh, pecosa, era broma.

Rachel ignoró el plato repleto de comida que él le ofreció y cogió uno limpio del armario. Sacó la nueva tortita de la sartén.

—¿De verdad te has enfadado? Ya te he dicho que solo era una broma. Vamos, Rachel, te he preparado medio desayuno, eso debería contar.

—¿Contar para qué, exactamente?

—No lo sé... —Hizo una pausa y expulsó entre dientes el aire que estaba conteniendo antes de volver a mirarla—. ¿Piensas estar cabreada conmigo eternamente?

—Debería.

Él emitió un largo y sonoro suspiro, y ella lo esquivó y se acomodó frente a la mesa redonda. Cogió los cubiertos y comenzó a cortar la tortita. Mike dejó sobre la superficie blanca su plato repleto de comida hasta los bordes y se sentó a su lado.

—Ten un poco de revuelto de huevos.

Ella apartó el plato antes de que pudiese darle una porción.

—Mike, tengo muchas cosas que hacer hoy —masculló sin dejar de masticar—. Solo quiero terminar de desayunar cuanto antes y ponerme a ello.

—Por eso mismo. Come algo más.

Rachel se sobresaltó cuando le dio un codazo. Odiaba que la tocase. Odiaba esa especie de estremecimiento que la sacudía. Y, sobre todo, odiaba no poder hacer nada por remediarlo.

—No me apetece —mintió.

—¡Vamos, pecosa! Sé que matarías por una loncha de beicon. Te conozco.

«No me conoces una mierda», pensó. Pero no pudo evitar echar un rápido vistazo a la comida y, finalmente, ignorando la satisfacción que se dibujó en el rostro de Mike, cogió el plato y dividió en dos el ingente desayuno. Se puso un trozo más de beicon. Por las molestias. Y por fastidiarle un poco, porque sabía que era lo que más le gustaba a él.

Comieron en silencio durante unos minutos.

—¿Qué tienes pensado hacer hoy?

—Cosas.

—¿Qué cosas?

Tragó con dificultad.

—Cosas que se hacen en soledad. Como leer *emails* o salir a correr.

—Te acompañaré.

—Prefiero ir sola. Gracias.

—¿Y si te pierdes?

—¿Cómo voy a perderme, Mike? —Apoyó un codo sobre la mesa—. ¿Crees que soy medio lela o algo así? Cuando pienso que ya no puedes sorprenderme más...

—Lo único que creo es que no conoces bien la zona. Eso es todo. —La miró con curiosidad—. ¿Cuántos kilómetros corres?, ¿dos?, ¿tres? ¿Y si te alejas demasiado y luego no sabes volver?

—Diez. Mínimo diez.

—¿Diez?

—Eso he dicho.

—Hum... —Mike la miró de arriba abajo, repasando las curvas de su cuerpo y consiguiendo que se encogiese un poco sobre sí misma—. Suena interesante. Eso explica muchas cosas... —aprobó tras el escrutinio.

Rachel dejó escapar un bufido. No entendía que después de todo siguiese comportándose de un modo tan atrevido, como si todavía tuviese derecho a mirarla de ese modo, de ese modo tan intenso y tan... tan desconcertante. Ya no eran ni siquiera amigos. Ahora no eran nada.

Por su culpa. Él lo había roto todo.

Se levantó de la silla y dejó el plato dentro de la pila. Se agachó para buscar el jabón y, de paso, intentó recobrar la calma. Para más inri, en ese momento *Mantequilla* entró en la cocina con una tranquilidad pasmosa, como si se hubiese criado en aquella enorme casa, y fue directo hacia Mike. Alzó sus patitas y las colocó en el borde de su silla antes de emitir un agudo maullido.

—Eh, ¡buenos días, colega!

Mike le dio un trozo de comida y Rachel se giró cabreada, con las manos enjabonadas.

—¡No le des nada!

—¿Por qué no?

—¿Es que no lo ves? ¡Está gordo!

Enjuagó el plato con agua y lo dejó escurriéndose. Se secó las manos con un trapo.

—¿Y eso te sorprende? —Mike se levantó—. Se llama *Mantequilla*, ¿qué esperabas? No sé cómo se te ocurrió ponerle ese nombre. Pobre animal.

—Es mi gato. Mío. Llevo tiempo intentando que coma solo pienso *light* y quiero que siga siendo así. Y ahora, como te he dicho, tengo muchas cosas que...

—¿Tu gato? —interrumpió—. Pues deberías vigilarlo más. Que sepas que hoy se ha escapado para dormir conmigo.

Rachel fingió no inmutarse, aunque le dirigió al felino una mirada dolida. Tres años cuidándolo, cambiando su caja de arena y dejándose el sueldo en golosinas de marca para acabar recompensada con un par de arañazos cada vez que pisaban el veterinario y prefiriendo dormir con su archienemigo antes que con ella. Bien. Su próxima mascota sería un perro. Un perro fiel y obediente.

—Lo que tú digas —gruñó.

Salió de la cocina cabreada con ambos y se encerró en su habitación. Mientras el ordenador se encendía, sacó la ropa que solía utilizar para hacer deporte y la dejó sobre la cama; unas mallas negras y una camiseta de un color naranja fluorescente, a juego con las zapatillas.

En una de las múltiples libretitas que solía coleccionar escribió las tareas pendientes que debía realizar con el ordenador. Se centró en ello e intentó así olvidar que, apenas a unos metros de distancia, se encontraba la persona que más lograba desconcertarla y tirar por tierra todas sus defensas. Tenía que salir pronto de aquella casa si pretendía conservar intacto su corazón (y la cordura). Porque pese a todo, pese a que pudiese llegar a mostrarse amable o respetuosa con él, tenía claro que no permitiría que volviese a hacerle daño.

Dudó, pensando en que quizá lo más lógico sería hacer una llamada, pero como no quería molestarlo en caso de que estuviese enseñando una casa, finalmente se puso a teclear.

Para Jason Brown, de Rachel Makencie, a las 10:03 a.m.

Siento añadir más tareas a tu lista de trabajo, pero quería recordarte que prometiste ayudarme a encontrar apartamento. Quizá podrías enseñarme algo la próxima semana.
Y, a propósito, hablando de encontrar cosas, anoche estuve buscando qué películas podríamos ver y me pareció interesante la última de Hirokazu Koreeda, pero entonces caí en la cuenta de que no sabía si la habrías visto, ¡ya no llevamos el mismo recuento!
Hasta esta noche.
Besos, Rachel.

Envió el mensaje, apiló los papeles que había dejado desperdigados sobre la mesa la noche anterior, se vistió y bajó nuevamente a la cocina.

Renata estaba cortando verduras en una tabla de madera y Mike, cruzado de brazos a su lado, miraba con atención cómo lo hacía, como si fuese algo increíblemente interesante. Alzó la mirada hacia ella al escuchar sus pasos y le dedicó una sonrisa cautivadora.

—¿Ya estás lista?

—¿Lista para qué?

—Para que nos vayamos a correr.

—Mike, ya te he dicho que quiero ir sola. —Se acercó a la mujer, que seguía cortando con una maestría digna de asombrar al mismísimo chef Ramsay—. Buenos días, Renata. Me alegra volver a verla.

—Buenos días, niña. —Terminó de cortar la cebolla, con un dedo quitó los restos del afilado cuchillo y torció el gesto cuando la miró—. Muy delgada —sentenció, como si existiese la posibilidad de que Rachel hubiese podido engordar diez kilos de un día para otro—. Usted es nueva aquí, no conoce la zona. El señor Mike se la puede enseñar.

—Gracias, pero no será necesario. —Logró sonreír, aunque notaba los labios tirantes—. ¿Le importa que coja un vaso de agua?

Renata se hizo a un lado y ella aprovechó para abrir el armario superior.

—¡Vamos, pecosa, cede un poco!

—Mike...

—No tengo nada mejor que hacer. Me aburro. Y quiero ir contigo.

—¿Qué culpa tengo yo?

—¡Deje que la acompañe! —insistió Renata, al tiempo que se llevaba una mano al corazón como si estuviese protagonizando la escena de una telenovela—. ¡No sea usted insensible!

Rachel intentó disimular que mantenía los puños apretados.

«¡¿Insensible ella?!» Tuvo que hacer un gran esfuerzo para no empezar a relatarle su historia personal. Seguro que él se había ahorrado contarle los detalles más interesantes y jugosos.

Bebió un trago de agua e intentó tranquilizarse. Mike aprovechó ese momento para dar un paso hacia ella y colocar tras su oreja un mechón de cabello naranja que había escapado de su coleta. Cuando le rozó el lóbulo de la oreja con los dedos, sintió un escalofrío y se apartó bruscamente.

Estuvo a punto de gritarle que no se atreviese a volver a tocarla con esa confianza, pero la molesta presencia de Renata la silenció. Con un golpe seco, dejó el vaso ya vacío sobre la pila.

—Vamos, te enseñaré dónde está la zona comercial y las mejores rutas. —Mike sonrió, ignorando su enfado. Avanzó hasta la puerta de la cocina—. ¡Venga! ¿Qué haces ahí parada todavía?

En una cosa él tenía razón: como Rachel no comenzase a correr de inmediato terminaría estallando porque era una bomba de relojería con patas. Llevaba demasiado tiempo acumulando una mezcla de rabia y rencor que parecía enredarse en la parte baja de su estómago. Se había acostumbrado a interiorizarlos y a tragarse su mal humor. Era insano. Y también peligroso. Pero hasta que no había vuelto a encontrarse cara a cara con la persona causante de todo, no había sido consciente de la magnitud de sus propios sentimientos.

No era nada fácil estar cerca de él, porque los recuerdos permanecían intactos, tanto los buenos como los malos, todos juntos dando paso a intrincadas emociones agridulces.

Rachel maldijo por lo bajo por no haber cogido los cascos y el móvil; hubiese sido más fácil ignorar la presencia de Mike de haber podido entretenerse escuchando música, pero no le quedó más remedio que trotar a su lado en silencio.

Mike se esforzó por correr a un ritmo más lento y acoplarse a ella. Respiró hondo. A veces sentía que por muy fuerte que lo hiciese, el aire no le llegaba a los pulmones, no llenaba la ansiedad y ese vacío que sentía en el pecho y lo ahogaba.

Miró de reojo a Rachel. A pesar de que hacía un par de días que estaba en casa, él seguía sintiéndose intranquilo. Temía que fuese un espejismo. Temía despertar una mañana y descubrir que ella había vuelto a marcharse...

Pero, sobre todo, temía no ser capaz de explicarle lo que sentía.

Porque no podía. Nunca se le había dado bien desenredar y exteriorizar sus emociones, pero con Rachel el problema iba más allá. Ponerla al corriente de todo. Contarle la verdad. Abrirse. Dejar que viese todo lo malo. Esperar que lo perdonase...

No, no parecía algo probable. Más bien todo lo contrario.

Le odiaría aún más en cuanto descubriese la verdad.

—¿No hay ningún... parque por aquí?

Mike se giró sorprendido al escuchar su voz agitada y dulce.

—Sí. Hay un pinar con varios caminos diferentes. Uno de ellos sube hasta la colina de allá. —Señaló un punto aproximado hacia la derecha—. ¿Quieres que vayamos?

Rachel dudó unos segundos y aprovechó el momento de incertidumbre para tomar una gran bocanada de aire. Estaba corriendo más rápido de lo normal, pero aguantaría; por infantil que pudiese parecer, no le daría la satisfacción de pedirle que fuesen más despacio. Era una cuestión de orgullo.

—Me gustaría... subir... a la colina —logró decir entre jadeos—, pero quizá otro día. Hoy querría saber... dónde está la zona... más comercial de la urbanización.

Mike aguantó las ganas de reír.

—Casi hemos llegado. ¿Necesitas que paremos?

—¡No! ¡Para nada! —exclamó airada—. ¿Por quién me tomas?

—Solo era una sugerencia, pecosa.

—Deja... de... llamarme... así —siseó entre dientes—. A lo mejor eres tú quien quiere... parar —lo acusó.

—Bueno, sí. Me duele un poco el tobillo —mintió Mike.

Rachel dejó de correr de golpe; sentía las piernas doloridas y temblorosas. Apoyó la mano en una farola al tiempo que movía el cuello de un lado a otro, intentando calmar la rigidez de los músculos. Cuando advirtió que él la miraba fijamente, se estiró, se puso recta y procuró que su agitada respiración fuese menos audible.

—Haberlo dicho antes —farfulló, notando que sus pulsaciones volvían a su ritmo habitual—. ¿Ves por qué no quería que me acompañases?

Había una chispa de diversión en los ojos de Mike.

—Claro, debe de ser un fastidio llevarme a rastras. Tú, que si no fuese por mi culpa ya habrías subido y bajado la colina dos veces. O tres. Puede que tres, sí.

—¿Qué insinúas? —Se deshizo la maltrecha coleta y retorció hábilmente su cabello pelirrojo hasta lograr enroscarlo en una especie de moño que luego fijó con la goma elástica. Después se secó el sudor de la frente con la manga de la camiseta.

—Nada, pecosa. —Sonrió y la miró con ternura—. Mira, estoy tan mal que creo que tendremos que ir andando hasta la zona comercial.

Rachel ignoró el amable gesto de Mike; era evidente que no le dolía nada y estaba fresco como una rosa. Evitó fijarse en los músculos que se marcaban bajo la fina tela de la camiseta, en el estómago plano y duro y en la piel morena de sus brazos...

Cerró los ojos y, cuando volvió a abrirlos, anduvo a su lado y contempló el tranquilo vecindario. A un lado y otro había hileras de casas. En la calle de enfrente una pareja montaba en bicicleta; la chica llevaba una infantil cestita rosa en la suya y pedaleaba distraída, mirando a su alrededor con asombro como si no fuese de la zona.

Rachel estaba convencida de que vivir allí debía costar una fortuna. Apenas había ruido, los coches que circulaban por la calzada lo hacían despacio, como si sus ocupantes no tuviesen prisa por llegar a su destino y, debido a la cantidad de plantas que trepaban por los muros de las casas, podía percibir un aroma floral diferente a cada paso que daba. Jazmín. Rosas. Gardenias.

—Mira, es allí. —Mike señaló el final de la calle, donde se abría una intersección.

En efecto, las casas daban paso a varias tiendas bajas y en la amplia acera se distinguían las mesas y sillas de las terrazas de algunas cafeterías. Continuó avanzando a su lado procurando no acercarse a su cuerpo, como si una invisible barrera de electricidad los mantuviese separados. Pronto descubrió una tienda de deportes a lo lejos, la típica papelería con infinidad de artículos diversos en la que ella solía malgastar gran parte de su sueldo y algunos pequeños comercios más.

—Es todo bastante sencillo. Me gusta.

—¿Qué esperabas?

—No sé, algo más grande, estilo centro comercial.

—A la gente de aquí le gusta la tranquilidad. —Señaló una cafetería—. ¿Quieres que nos tomemos algo? ¿Compro agua?

Rachel negó rápidamente con la cabeza, a pesar de que mantuvo la vista fija en el local. Un enorme toldo blanco conseguía dar sombra a la terraza donde, con soltura y energía, una chica joven de aspecto hispano atendía las mesas.

—¿Estás segura, pecosa?

—Sí. Será mejor que volvamos cuanto antes.

Mike se mordió el labio inferior, sin ser consciente de lo seductor que podría resultar ese simple gesto viniendo de él, y la miró dubitativo.

—Podemos volver caminando a un ritmo que mi tobillo pueda soportar.

Rachel chocó con su mirada plateada y vio algo, algo parecido a dulzura o compasión, que le produjo un nudo en la garganta. Se esforzó en vano por hacerlo desaparecer.

No dijo ni una palabra más antes de empezar a correr. Ignoró el cansancio, los leves pinchazos que sentía en el gemelo derecho, y el hecho de que tenía la boca seca y se le habían disparado las pulsaciones; no dejó de correr hasta que llegaron a casa. Mirando el lado positivo, era una suerte que una simple y estúpida mirada de Mike lograse provocar tal incendio en su interior. Y, por supuesto, el hecho de que la vuelta fuese cuesta abajo, claro.

Él tuvo la sensatez de mantenerse en silencio. Renata los recibió con una alegría desmedida como si llevase toda la mañana esperando que ambos regresasen de la guerra.

—¿Cómo ha ido el paseo? —preguntó y, sin esperar respuesta, se dirigió a Rachel—. He preparado caldo para comer, es bueno para usted. Se dejan los huesos, la grasa, y sale la sustancia —añadió.

—Suena muy apetecible —mintió, escondiendo una mueca—. Ahora debería ir a cambiarme. Gracias por... por la comida.

Antes de que pudiese escabullirse hacia el piso superior, sonó el timbre de la puerta.

—Iré a abrir. — Mike se adelantó—. Será Natalie.

Rachel sintió un pequeño tirón en el estómago y dirigió la mirada hacia la escalera de caracol, deseando escapar de allí y calculando cuánto tiempo tenía para darle un (necesario) empujón a Renata y salir disparada escaleras arriba haciendo uso de las pocas energías que le quedaban tras la carrera. No sabía exactamente por qué, pero a pesar de lo mucho que le apetecía que Jason le presentase a Clarissa, no tenía ningunas ganas de conocer a Natalie. Ningunas.

Sin embargo, como si su lado más masoquista acabase de entrar en escena, sus ojos dejaron a un lado la escalera de caracol y se desviaron hasta la puerta que Mike estaba abriendo. ¿Sería morena, rubia...? ¿Tendría la tez lisa e impoluta? Seguro que no había el menor rastro de pecas. ¿Y la talla de sujetador? Apostaba por una cien o algo así. Ella siempre había sido un poco... plana, aunque no le disgustaba.

Rachel tuvo que bajar la vista para poder vislumbrar a Natalie. Y después, cuando esta se lanzó como una loca sobre Mike y le rodeó la cintura con sus piernas, se obligó a volver a alzarla.

Natalie tenía el cabello rubio y ondulado y unos ojos ligeramente más separados de lo normal y de un color verdoso. Probablemente debido al sol, sus mejillas habían adquirido un agradable tono rosado.

No tendría más de siete años.

Rachel se mordió el interior de la mejilla, nerviosa por el alivio que sentía al descubrir que Natalie tan solo era una niña. ¿Por qué? ¿Por qué le importaba lo que Mike hacía o dejaba de hacer? Era su vida. ¿Por qué no podía elegir razonablemente qué sentir y qué no? Necesitaba filtrar sus emociones de algún modo.

—¿Quién es ella? —preguntó la cría con voz aguda sin dejar de señalarla.

Seguía agarrada a Mike como si fuese un mono salvaje mientras la miraba con una traviesa sonrisa. Él rio cuando la cogió y le dio una voltereta en el aire antes de volver a dejarla en el suelo, frente a ella.

—Una buena amiga. Se llama Rachel y ahora vive aquí —le explicó y su voz sonó más suave y menos ronca al dirigirse a la niña. Le dio un empujoncito en el hombro—. ¡Vamos, ve a saludar!

Natalie le mostró una sonrisa dentuda, acortó la distancia que las separaba y Rachel aceptó la mano que le tendió. La cría aguantó estoicamente que Renata insistiese en peinarle el pelo revuelto.

—Subo a limpiar las habitaciones —anunció—. Ustedes tres pórtense bien.

Natalie no se quejó cuando Renata le dio un beso sonoro en la mejilla y le dejó una marca color coral del pintalabios que gastaba. En cuanto la afectuosa mujer se marchó escaleras arriba, volvió a centrar su atención en su nueva amiga.

—¿Cuánto tiempo vas a estar aquí? —preguntó.

—Poco —admitió Rachel.

—Para siempre.

Rachel, que se había arrodillado frente a la niña, alzó la cabeza y sostuvo la mirada a Mike durante unos instantes eternos. ¿A qué venía aquello? Y encima delante de Natalie, justo cuando no podía gritarle lo poco que valían sus «para siempre». Había ofertas del dos por uno más fiables que su palabra.

—¿Sois novios?

Natalie emitió una risita cálida y risueña, como si le avergonzase el mero hecho de haber formulado esa pregunta y los miró a ambos alternativamente. Mike esbozó una sonrisa lenta y perezosa, pero permaneció en silencio. A propósito.

—No, no, no. Nosotros solo somos ami... Conocidos —puntualizó despacio.

—Pero Mike ha dicho que eras una amiga.

A Rachel nunca se le habían dado bien los niños. Por alguna misteriosa razón, se bloqueaba (mejor dicho, la bloqueaban con esas preguntas inocentes, retorcidas e ingeniosas) y, si se esmeraba por hablarles con entusiasmo y alegría, sonaba ridícula y forzada. Sus ojos se desviaron hacia la puerta al descubrir a *Mantequilla* caminando como un señorito de la corte real por el pasillo que conducía a la cocina.

—¿Te gustan los gatos? —Sin darle tiempo a contestar, la cogió de la mano y la guió hacia el punto donde había visto desaparecer al orgulloso felino. Mike siguió en silencio a las dos chicas—. Voy a presentarte al mío. Se llama *Mantequilla*.

—¿*Mantequi*...? —Estalló en otra gran carcajada, sin ser capaz de terminar de pronunciarlo—. Qué nombre más feo.

Rachel ignoró su aplastante y cruel sinceridad infantil.

—Llámalo *Elvis*. Es su segundo nombre —dijo Mike.

Entraron en la cocina.

—No, no es cierto. Se llama *Mantequilla* a secas. Mira, ahí está.

—¡Gatito!

Natalie se soltó de su mano y corrió a toda velocidad atravesando la estancia. Se arrodilló frente al animal, que levantó la cabeza de su cuenco de comida y la miró con curiosidad antes de ser apresado por sus brazos.

—¡Es tan suave!

—Deja que respire, Natalie. —Mike indicó a la niña cómo debía rascarle para que *Mantequilla* ronroronease agradecido.

Manteniéndose a cierta distancia, apoyada contra el marco de la puerta, Rachel contempló la escena y dejó escapar un suspiro cuando se encaminó hacia la puerta.

—Será mejor que suba arriba y empiece a hacer cosas.

—¿No te bañas con nosotros?

Natalie le mostró un ensayado y conmovedor puchero.

—Quizá otro día.

—Es una aburrida —le aclaró Mike con gesto muy serio.

—¿Eres una aburrida?

—¡No, claro que no! —Rachel se obligó a tranquilizarse. Natalie solo era una cría. Y Mike jugaba con ella. Con ambas. Como siempre hacía cuando quería llevar las cosas a su terreno. Era un estratega—. Es solo que tengo trabajo que hacer. Pasadlo bien.

Él dejó de acariciar al gato y se puso en pie.

—Rachel...

—¿Sí?

La tensión en su voz iba en aumento, pero Mike ignoró este hecho, sonrió travieso y se palmeó el estómago antes de levantarse el dobladillo de la camiseta y dejar al descubierto la piel suave de los abdominales inferiores.

—Vas a perderte un gran espectáculo. Piénsalo.

—Eres idiota —bufó—. Hay cosas que nunca cambian.

—¡Ha dicho una palabrota!

Natalie la señaló con el dedo índice manteniendo los ojos muy abiertos, como si acabase de ser testigo del mayor de los pecados.

—¡Punto negativo para Rachel! —canturreó Mike divertido—. Vamos a tener que lavarle la boca con jabón.

Incrédula por la situación, Rachel negó con la cabeza un par de veces y salió de la cocina indignada.

10

Mike observó distraído el líquido color ámbar que se balanceaba suavemente en el interior del vaso de cristal. Le dio otro trago y se sintió reconfortado por el calor abrasador que descendió por su garganta. Después, con el dorso de la mano, deslizó el vaso sobre la barra de madera del local donde se encontraba, en dirección hacia uno de los camareros.

—Ponme otro.

—Ahora mismo.

El joven retiró el vaso y se alejó para volver a rellenarlo.

—Se supone que tienes que conducir. —Luke apareció tras él, le palmeó la espalda y se acomodó en el taburete contiguo—. Has venido en coche, ¿no?

—Sí. ¿Y tú cómo has venido? ¿En algún tipo de transporte prehistórico? Llevo media hora esperando. Ya estoy aburrido de estar aquí —protestó.

—¿Aburrido? ¡Este sitio está lleno de tías increíbles! ¿De dónde han salido? —Luke miró a su alrededor tras pedir una copa—. Es como si estuviesen celebrando un *casting* de modelos en este local.

Mike le dio un codazo.

—¡Córtate un poco! Estás casado, colega —se burló.

—¿En serio crees que esta broma sigue resultando graciosa?

Luke rebufó y le dio un trago a la copa que acababan de servirle.

—¿Qué quieres que haga? Es divertido. No puedo evitar recordártelo constantemente. Es decir, ¡estás casado con una desconocida! Da igual el tiempo que pase, me sigue pareciendo increíble.

—¿Sabes qué es increíble? —Luke apoyó el antebrazo sobre la madera oscura de la barra—. Que tengamos que estar los dos aquí haciendo tiempo porque nadie quiere ver una película contigo.

Mike ladeó la cabeza. Era cierto. Había preferido hacerse a un lado antes de inmiscuirse en los «interesantes» planes de Jason y Rachel. No es que fuese agradable sentirse desplazado o advertir que ella lo evitaba, pero...

—Bueno, tampoco parece que tú hayas sido invitado —apuntó—. Y no es exactamente así. —Hizo girar el vaso de cristal entre sus dedos—. Simplemente odio esas películas moñas que tratan asuntos estúpidos. ¿Qué sentido tiene ver algo donde durante dos horas no ocurre nada? Ni explosiones. Ni disparos. Solo esa dramática música de piano de fondo. Luego enseñan algo pequeño, un detalle como... no sé, una chica tonta que se pinta las uñas según su estado de ánimo y ya todos tenemos que decir, «oh, ¡qué profundo!» No, tío, no. Eso es una mierda. Solo Jason y Rachel pueden soportar una tortura semejante.

—Sí, mejor hazte un favor y no intentes analizar nada que tenga un mínimo de profundidad. No es lo tuyo. —Mike gruñó por lo bajo y Luke prorrumpió en una sonora carcajada antes de señalar a dos jóvenes que estaban sentadas a un par de mesas de distancia—. Oye, mira a esas de allí. Me pido a la morena.

—Por mí puedes pedirte a las dos.

—¿Ninguna te gusta?

—Paso de líos.

—¿Todavía piensas que tienes alguna posibilidad con Rachel? ¿Es eso? —Luke no logró esconder el leve reproche que escondían sus palabras, pero suavizó el tono cuando volvió a hablar—. Mira, la hemos recuperado, está en casa y ahora todo es perfecto. No fuerces las cosas. La conoces mejor que nadie; sea lo que sea que estás pensando, no funcionará con ella. Sabes que puede ser... muy testaruda.

—¿Alguien ha pedido tu opinión?

—Créeme, te lo digo por tu bien. Por el bien de ambos. —Antes de que pudiese darle una reconfortante palmada en la espalda, Mike se apartó bruscamente y se puso en pie—. No solo es importante para ti, Mike. Nosotros también la queremos.

Y se guardó lo que realmente pensaba; que no era justo que ellos tuviesen que pagar las consecuencias por lo que él hacía o dejaba de hacer.

—Puedo reparar lo que hice —aseguró en un susurro. Luke negó con la cabeza y Mike tragó saliva para deshacer el nudo que tenía en la garganta—. Olvídalo. Tienes razón. —Se giró y cogió el vaso que estaba en la barra—. Será mejor que hagamos algo interesante antes de que me vuelva loco aquí dentro. ¿Vamos?

Dirigió la mirada hacia las dos jóvenes que Luke había señalado instantes atrás y caminó hacia ellas con decisión. Luke sonrió con tristeza antes de seguir sus pasos.

—Es maravillosa.

Rachel abrazó uno de los cojines de colores que había en el amplio sofá. Era incapaz de apartar los ojos de los títulos de crédito que todavía se deslizaban por la enorme pantalla. Esa película era una obra maestra.

Tras mirar la hora en su reloj de muñeca, Jason se levantó y apagó el televisor. Volvió a sentarse y estiró los brazos en alto mientras bostezaba. Ella cogió un par de palomitas frías y se las llevó a la boca con gesto ausente.

—Si de verdad quieres ver mañana esa casa, será mejor que no tardemos demasiado en irnos a dormir. Esta semana ha sido mortal. Estoy agotado —protestó Jason. Había tenido que sucumbir a la presión de Rachel y buscar un apartamento que poder mostrarle—. ¿Estás segura de que es lo que quieres? Porque no hay ninguna prisa. En absoluto. Y podríamos... no sé, hacer algo interesante como ir a ver por la tarde el partido de los chicos de Luke. Juegan contra los Lions.

—Ya he quedado con Luke en que iría al partido de la próxima semana. Y sí, quiero encontrar un apartamento —aclaró tajante—. Sé que pretendes que me quede aquí, pero necesito salir de esta casa cuanto antes, en serio.

—¿Por Mike?

—Por todo.

Jason emitió un suspiro de fastidio y se revolvió el cabello rubio y liso. Rachel se apresuró a inclinarse hacia él y cogerlo de la mano.

—Eso no cambiará nada. Ahora que os he encontrado, no me alejaré otra vez. —Llevaba toda la semana dándole vueltas al asunto y meditando sobre si podría volver a dejar atrás a Jason y a Luke. La respuesta era no, claro que no. Eran las únicas personas del mundo por las que sería capaz de hacer cualquier cosa y no quería volver a sentirse sola—. Seremos como amigos normales que quedan para comer y se mantienen al corriente. Te lo prometo.

Jason frunció el ceño y ladeó la cabeza hacia un lado. Movió los dedos sobre el brazo del sofá, tamborileando con ellos sobre la blanda superficie.

—Pero no has estado mal con Mike... —comenzó a decir.

De hecho, él mismo se había sorprendido de la actitud pasiva y controlada de Rachel. Habían pasado cinco años, sí, pero sabía que ella no era una persona que pudiese olvidar con facilidad. Cuando cursaban tercer año, un compañero de la clase de literatura empezó a llamarla «zanahoria» y a burlarse de su pelo. Ella aseguraba que no le importaba, pero dos años más tarde fingió ser su admiradora secreta durante meses. El chaval se coló totalmente de esa chica imaginaria y el día de San Valentín, Rachel le mandó una postal confesándole que todo había sido una broma de la «pequeña zanahoria, una hortaliza muy traviesa».

—Que no esté mal no significa que esté bien.

Jason recostó la cabeza sobre el respaldo del sofá.

—¿Has hablado con él?

—Claro que sí. Y el hecho de que no le haya negado la palabra dice mucho a mi favor, por cierto. Esta mañana hasta me acompañó a correr. Tampoco es que me dejase opción, claro, ya sabes lo flexible que es Mike —ironizó.

—Me refería a hablar de lo que pasó.

—¡No! ¿Te has vuelto loco? —Apartó de su regazo el cuenco de las palomitas y lo dejó sobre la mesa auxiliar—. No hay nada que hablar.

Jason chasqueó la lengua.

—Yo creo que sí. Y tú lo sabes, Rachel.

—¿En serio? ¿De verdad lo crees? —preguntó exasperada.

—Es necesario. No podéis ignorar eternamente algo que ocurrió.

—¿Ah, sí? ¿Y qué se supone que debería decirle, eh? —Notó cómo la rabia se apoderaba de ella y no quiso, o no pudo, controlar todas aquellas emociones que la conducían al borde del precipicio—. ¿Que por qué jugó conmigo como si fuese una cualquiera? ¿Cuántas veces crees que me he hecho esa pregunta a mí misma durante todos estos años? —Su voz sonó agitada y entrecortada—. Nos conocíamos desde que teníamos siete años. ¡Siete años! Yo hubiese hecho cualquier cosa por él... Y él fue capaz de romperlo todo en un momento, sin siquiera pestañear —retrocedió cuando Jason se inclinó para abrazarla—. O quizá sí, quizá tendríamos que hablar; así podría preguntarle si él también cree que mi padre podría estar vivo si no hubiese corrido como una imbécil detrás de un tío al que no le importaba una mierda.

Un silencio denso pareció llenar la habitación.

Se miraron fijamente, sin decir nada, hasta que él rompió el contacto y centró la vista más allá de Rachel, tras ella. Comenzó a levantarse del sofá con torpeza, apoyando una mano sobre el respaldo.

—Oye, lo que has oído no es... —empezó a decir Jason.

—... no es lo que parece —concluyó la voz áspera de Mike, y Rachel creyó sentirse como si alguien acabase de darle un puñetazo en el estómago—. Os dejo para que sigáis con vuestra interesante conversación.

Ignoró el nudo que atenazaba su garganta y la mirada preocupada de Jason, antes de correr tras Mike por el oscuro pasillo.

—¡Espera! ¡Mike, espera!

Él fue directo hacia la puerta de salida; las llaves que llevaba en la mano tintinearon cuando bajó las escaleras. Rachel logró alcanzarlo en el jardín, antes de que consiguiese abrir y entrar en el coche.

—¡Espera, por favor! —rogó.

Mike, dubitativo, permaneció de espaldas unos segundos. Y cuando finalmente se giró, Rachel creyó preferir que no lo hubiese hecho porque cuando él se abría y se mostraba así ante ella, sentía que su corazón se encogía y se retorcía en el interior del pecho. Se había desprovisto de la coraza con la que normalmente se protegía y había abandonado esa frialdad que siempre lo acompañaba y lo ayudaba a mostrarse distante. Mike era solo Mike. Con los ojos claros repletos de dolor y más brillantes de lo normal.

Ella tuvo que hacer un enorme esfuerzo para hablar. Y para evitar abrazarlo y reconfortarlo como había hecho siempre, tiempo atrás.

—Lo siento, Mike. No quería decir eso. Perdóname, por favor... —Deseando retenerlo, alargó una mano y lo sujetó por la muñeca, ignorando la abrumadora sensación que sentía en cuanto rozaba su piel—. Sabes que no lo pienso en serio, ¿verdad? —preguntó, aunque ni siquiera ella estaba convencida de que aquello fuese cierto.

Se escuchaba el cantar de algunos grillos a lo lejos, el sonido frágil y delicado de las hojas de los árboles sacudidas por el viento y el crujir de la hierba escarchada bajo sus pies, pero Mike tan solo era consciente de la suavidad de los dedos de Rachel que rodeaban el contorno de su muñeca y la presionaban levemente con las yemas. Tenía los ojos fijos en su mano. Había algo en aquel contacto que le impedía apartarlos. Porque era la primera vez, la primera vez en cinco largos años, que ella lo tocaba.

Él cerró los ojos durante unos segundos y respiró hondo, esforzándose por calmar el bullir de las emociones y mantener el control.

Cuando volvió a abrirlos, aquel velo de tristeza había desaparecido y sus iris parecían hechos de volátil humo, sin brillo.

—No tienes que disculparte. —Retiró la mano y se soltó de ella—. No has dicho nada que no pensemos todos.

Y sin que Rachel pudiese hacer nada más para detenerlo, dio media vuelta, subió en su coche y se marchó.

||

Sábado. Había esperado con impaciencia aquel día de la semana cuando siendo pequeña vivía en Seattle con sus padres y los tres juntos se acercaban a una laguna de las afueras para pescar. Ella no estaba interesada en pescar, pero sí en los sándwiches de mantequilla de cacahuete que su madre preparaba para el almuerzo.

Años más tarde, ya en San Francisco, el sábado siempre fue el día más divertido de la semana, cuando tenía horas y horas para jugar con los chicos. Los cuatro disfrutaban de un toque de queda más amplio y podían recorrer el vecindario de una punta a otra hasta que el cansancio terminaba con ellos.

Ahora, después de algunos años de indiferencia, un sábado volvía a presentarse como un día prometedor. O eso pensó Rachel cuando se acomodó en el asiento del copiloto y Jason arrancó el motor del coche dispuesto a enseñarle un nuevo apartamento. Claro que, pese a todo, esa aparente felicidad estaba enturbiada por lo ocurrido la pasada noche. Rachel no podía olvidar la mirada dolida y culpable de Mike y él, como era de esperar, todavía no había regresado.

Se abrochó el cinturón de seguridad cuando ya habían recorrido un par de calles, sin despegar la mirada curiosa de la ventanilla del coche.

—¿Está muy lejos?

Jason tamborileó con los dedos sobre el volante y la miró de reojo, instantes antes de que el semáforo volviese a ponerse en verde.

—¿Lejos? ¿El qué?

—El apartamento que me llevas a ver. —Movió las manos sobre su regazo—. ¿Qué iba a ser si no?

—Sí. Un poco.

Rachel intentó ocultar su decepción. Le hubiese gustado que estuviese relativamente cerca del barrio donde vivían los chicos.

—¿Estás bien?

—Sí, genial. —Rachel sonrió—. Estoy impaciente por conocer a Clarissa.

Habían quedado para tomar un café con la novia de Jason y recoger las llaves del apartamento que iban a visitar. Clarissa también era agente inmobiliaria; se habían conocido gracias a una colaboración.

La cafetería donde acordaron verse era el tipo de local que a Rachel solía parecerle frío e impersonal. Con tonalidades de color lo suficientemente suaves como para que costase clasificarlos en una gama cromática concreta, todo estaba ordenado de un modo escrupuloso y tenías que servirte tú mismo en una barra sobre la que se deslizaba una bandeja.

Rachel cogió una pieza de bollería y un café con leche tamaño gigante.

Llevaban dos minutos sentados cuando alguien produjo un desagradable sonido metálico al dejar con brusquedad unas llaves sobre la mesa. Se limpió con una servilleta los restos de chocolate y alzó la cabeza hacia la chica rubia de casi metro ochenta que la miraba fijamente manteniendo una sonrisa tirante.

—Te esperaba más tarde. —Jason miró distraído su reloj, se levantó y le dio un casto y corto beso en los labios. Señaló a su amiga con una mano—. Te presento a Rachel.

—Encantada de conocerte.

—Clarissa —le recordó la esbelta mujer.

—Sí, claro. —Rachel la miró de reojo mientras volvía a sentarse—. Lo sé, Jason me ha hablado mucho de ti durante estos últimos días.

—¿En serio? Supongo que eso compensa todas las horas durante las que he escuchado vuestras travesuras infantiles. —Emitió una estridente risita y apuntó con una uña, pintada de brillante esmalte rojo, el mordisqueado *muffin* de chocolate—. ¿Sabes cuántas calorías tiene eso?

—No sé, ¿unas cien?

—¿Cien? —Rio más fuerte—. Esta migaja tiene cien. —Señaló un diminuto trocito de bizcocho—. Entero tendrá unas seiscientas. O quizá más, depende de qué sea el relleno. —Olfateó el aire con su nariz respingona—. ¿Frambuesa o chocolate?

—Eh... esto..., creo que chocolate, sí.

Rachel giró la cabeza hacia Jason, buscando un poco de ayuda y solidaridad, pero estaba tan concentrado tecleando en su móvil un par de correos electrónicos de trabajo que ni siquiera había escuchado una palabra de la conversación.

—Los de chocolate son los peores, créeme.

Clarissa abrió la cartera de mano que llevaba y se retocó el pintalabios con ayuda de un pequeño espejo ovalado. Rachel aprovechó aquel momento de distracción y tranquilidad para engullir de un solo bocado lo que le quedaba. Cuando instantes después Jason se levantó, asegurando que necesitaba ir al servicio, estuvo a punto de rogarle que no se fuese.

—Y dime, Rachel, ¿cuánto tiempo piensas quedarte en casa de Jason?

Guardó el espejito en su bolso.

—Hasta que encuentre un apartamento. Por eso estamos hoy aquí.

—Entiendo. —Sacudió hacia atrás las ondas de cabello rubio que se deslizaban por sus hombros—. Jason es muy caritativo. A veces, demasiado. Supongo que acogerte en su casa llena algún extraño vacío de su infancia.

—Por lo que sé, la mayor parte del alquiler lo paga Mike —se defendió Rachel, cruzada de brazos.

No le gustaba lo que aquella mujer estaba insinuando.

—¿Acaso importa? —Alzó una ceja en alto—. No me malinterpretes, pareces una buena chica y estoy segura de que en el pasado fuisteis grandes amigos. Pero ya no sois unos críos, es un poco raro que compartas casa con tres hombres. —La miró fijamente—. A mí me parece raro —matizó, por si quedaba algún atisbo de duda.

—¿Piensas que...? —Abrió la boca, consternada—. ¿Piensas que puede haber algo entre Jason y yo? —Se le escapó una carajada—. Créeme, es como mi hermano. En serio —insistió.

—Detesto correr riesgos.

Jason regresó del servicio, pero no volvió a sentarse. Les dedicó una sonrisa, ajeno a la tensión del ambiente, y se abrochó distraído un diminuto botón de la manga de su camisa.

—¿Nos vamos? No quiero que se haga tarde.

Sin dejar de sonreír, Clarissa también se puso en pie y le dio un beso en la mejilla.

—Por supuesto, cielo. Será mejor que yo también me ponga en marcha —aseguró, antes de clavar su mirada en Rachel—. Espero que te guste el apartamento.

Tras una despedida que podía calificarse de muchas formas excepto de cálida, volvieron a ponerse en marcha y a recorrer las empinadas calles de la ciudad.

—¿Cómo ha ido el primer contacto?

Intentó poner en orden sus pensamientos.

—Bueno, parece simpática, ya sabes. Tiene pinta de ser una de esas mujeres que saben lo que quieren.

Fue la mejor estupidez que se le ocurrió decir. En realidad le daba miedo. Era como si anulase toda la dulzura de Jason; no se parecía en nada a él.

Rachel sintió un escalofrío al recordar su mirada fría y calculadora.

Por primera vez, y sin que sirviese de precedente, apoyaba la perspectiva de Mike al cien por cien.

Mike...

Dios, si seguía pensando en él se volvería loca. Apenas había dormido; no dejaba de preguntarse dónde demonios estaría, hasta cuándo y... con quién. Desde que había abierto los ojos por la mañana, tras dos horas escasas de sueño, se había repetido alrededor de una docena de veces las horribles palabras que la noche anterior habían escapado de sus labios, como si siempre hubiesen estado allí esperando el momento exacto para salir.

Ni siquiera Mike merecía escuchar algo como aquello porque, pese a todo, pese al daño que le había hecho cinco años atrás, si de algo estaba convencida era de lo mucho que él quería a su padre. Lo había idolatrado y colocado en un enorme pedestal desde el primer día que había traspasado el umbral de su casa. Ella habría puesto la mano en el fuego a que Mike hubiese hecho cualquier cosa, lo que fuese, por el «señor Robin».

—Todavía no es nada serio, solo llevamos unos meses, pero...

—Pero ¿qué?

Lo miró con el ceño fruncido, al tiempo que Jason giraba el volante del vehículo a la derecha y sonreía antes de frenar. Esperaron mientras uno de los característicos tranvías de la ciudad, lleno de turistas, cruzaba las vías por la calle paralela.

—No sé, quizá sea la definitiva. Tenemos muchas cosas en común.

Se removió incómoda en el asiento.

—Puede. Aunque tener cosas en común no lo es todo.

Ella nunca había tenido nada en común con Mike. Nada. Absolutamente nada. Y aun así se había enamorado de él hasta los huesos. Durante años.

Mike había sido fan de la música rock, de algunos grupos de punk, de películas estúpidas de acción y explosiones, bombas y Bruce Willis corriendo de un lado para otro. Se había interesado por todos los deportes que emitían por la televisión, fuese cual fuese, y había devorado cualquier plato de carne que le pusiesen delante, contrariamente a ella, que adoraba el pescado. Solo recordaba haberlo visto una vez con un libro en las manos y fue durante el último curso del instituto, cuando le pidió que sostuviese el ejemplar de *Orgullo y Prejuicio* mientras ella se apresuraba a limpiar el polvo del estante superior de su habitación. Mike había mirado el libro como si fuese algo muy curioso, lo había abierto por una página al azar y había soltado una risotada.

—¿Cómo puede pensar cosas tan ridículas de Darcy?

Con la bayeta en la mano y subida a la escalera de madera, Rachel lo había mirado con rabia.

—No sé. A lo mejor es porque tiene sentimientos.

Mike había lanzado el libro sobre la cama de la joven, provocando que gimiese conmocionada. Para ella, cada ejemplar de su colección era algo sagrado.

—O porque es estúpida.

Visto en perspectiva, ahora veía claro lo ingenua que había sido al creer que Mike podía corresponderla. Los hombres como él no estaban hechos para pasar treinta años con una misma mujer y vivir apaciblemente en una pequeña casita de madera rodeada por una bonita valla pintada de blanco.

Emitió un sonoro suspiro.

—Ya casi hemos llegado.

—La zona no parece mala.

Rachel hizo un esfuerzo por olvidarse de todo y disfrutar de la reconfortante compañía de Jason mientras contemplaba las calles estrechas e inclinadas, repletas de pequeños comercios. Aunque era un barrio antiguo, tenía su encanto.

Unos minutos más tarde, fijó la vista con impaciencia en el número nueve que colgaba en la parte superior de la puerta y siguió a Jason en cuanto entró en el apartamento.

Era precioso. Era perfecto.

—Como ves, tiene muchísima luz. Es un poco pequeño, pero han reformado tanto las ventanas como el suelo.

—¡Me encanta!

—Las habitaciones son bastante amplias...

Rachel señaló algunas cajitas que había repartidas por el suelo y recorrió con la mirada unos puntos negros de tamaño considerable que destacaban sobre la madera del parqué.

—¿Qué es eso de ahí?

—Bueno, eso...

Y entonces la vio.

Una cucaracha, negra, enorme, que correteaba libremente por la estancia como si conociese cada esquina y cada tramo de pared.

—¡Ahhh! ¡Jason! —gritó, y se protegió escondiéndose tras su espalda—. ¡Acaba con ella! —Él rio—. Pero ¿qué haces? ¡Mátala! ¡Mátala de una maldita vez!

—Pensaba que eras amante de los animales.

—¿No has oído hablar de la palabra *matices*?

—Sí.

—Pues aplícala a esta situación —dio un paso atrás—. ¿Por qué sigues ahí parado?

—Porque no servirá de nada que la mate. Hay muchas más —señaló el suelo—. Esas cosas negras de ahí deben ser sus hermanas. Y las cajas están puestas para atraparlas. Pero te sorprendería lo inteligentes que son.

—Pero qué... ¡¿qué demonios...?!

—Todo precio económico tiene un porqué, primera regla del mundo inmobiliario. Hay un bar justo abajo que tiene ciertos problemas con los conductos de ventilación y el edificio tiende a sufrir algunas plagas. Nada importante. Si te gustan los animales, claro. Tenía entendido que a ti te encantaban.

Rachel no esperó a que terminase de hablar antes de dar media vuelta y salir del apartamento. Corrió escaleras abajo y después caminó por la acera dando grandes zancadas en dirección al coche, cabreada. Él reía a su espalda.

Lo había hecho a propósito.

—¿Sabes? No necesito que me ayudes a buscar piso, ya me encargo yo sola. Gracias por nada.

Recostó la espalda en la puerta del coche y esperó con impaciencia a que él abriese. Parecía haberse dado cuenta de lo enfadada que estaba, porque había dejado de sonreír.

—Vale, lo siento, pero en el fondo no deja de ser una opción —tanteó.

—También es una opción que deje de contar con tus servicios como agente.

—No me gustaría perder a mi clienta más querida. Bueno, vale, admito que la he cagado; mi subconsciente me pide que no te deje escapar. Dame otra oportunidad y te enseñaré el mejor apartamento de la ciudad. Pero necesito un poco de tiempo, no es tan fácil encontrar algo medianamente normal. Sería una putada dejar escapar un gran chollo, ¿no crees?

Rachel se cruzó de brazos.

—¿Cuánto tiempo necesitas?

—No sé... ¿dos meses?

—¿Qué? —Alzó la voz—. ¡No puede ser tan difícil!

—Ya lo creo que sí. Tú tuviste veinte días y acabaste viviendo con nosotros.

—Pero no soy agente inmobiliaria.

—Dejémoslo en un mes y medio.

—Es... es demasiado.

—Intentaré que sea menos. Te lo prometo.

A pesar de que parecía sincero, Rachel lo miró con cierta desconfianza.

—Ya no sé si puedo fiarme de ti.

—¡Eh, eso ha dolido! —bromeó.

Jason rodeó el coche y presionó el botón del mando para abrir. Ambos subieron al vehículo y se abrocharon los cinturones de seguridad a un mismo tiempo, como si estuviesen sincronizados.

—No más que tener que entrar en un lugar plagado de cucarachas.— Notó un leve escalofrío recorriendo su espalda—. Estoy deseando llegar y darme una ducha.

—Tú siempre tan dramática...

Al regresar a casa, encontraron a Luke nadando en la piscina. No le hizo falta insistir demasiado para convencerlos de que se diesen un chapuzón rápido junto a él.

Cuando salieron del agua, Luke se sacudió el cabello negro con una mano salpicando a Rachel, que estaba sentada a su lado en el borde de la piscina, con los pies dentro del agua, igual que Jason. Al otro lado del jardín, tumbado sobre el césped y bajo la sombra de un enorme abeto, *Mantequilla* los observaba con atención.

—¿A qué hora tienes el partido?

—A las cuatro.

—Ya no queda nada. —Rachel sonrió—. Cruzaré los dedos por ti.

—Será fácil. —Luke cogió una toalla y se la colocó alrededor de la cintura—. Pero el de la semana que viene no, así que espero veros en la grada.

—Sabes que iremos.

—Más os vale. —Los miró divertido—. Será mejor que vaya preparándome.

Desapareció en el interior de la casa y Jason y Rachel se sumieron en un silencio cómodo. Ella observó con atención la piel blanquecina de sus brazos que estaba repleta de diminutas pecas. Recordó lo que Mike le había dicho años atrás. Que las contaba, como a las estrellas, cuando necesitaba calmarse. Era algo bonito de una parte de su cuerpo que ella había odiado cuando era pequeña.

—¿En qué piensas, Rachel?

—En nada.

Alzó la cabeza hacia su amigo, que la observaba con curiosidad. Sus ojos azules estaban fijos en ella. Jason siempre la miraba de forma que ella dudase sobre si tendría el poder especial de percibir todo aquello que callaba.

Él se limitó a mover las piernas bajo el agua, con las manos apoyadas en las baldosas de piedra que rodeaban el contorno de la piscina.

Rachel inspiró hondo.

—Jason...

—Dime.

—Va a volver, ¿verdad?

—Claro que sí.

Se concentró en el hipnótico movimiento del agua de la piscina. Al alzar la vista, descubrió las nubes oscuras que se aproximaban a lo lejos. Suspiró.

—¿Has vuelto a llamarle?

—Unas mil veces —le aseguró—. Solo necesita tiempo, no te preocupes.

Rachel se mordió el labio inferior con nerviosismo. Pensar que Mike podía estar en algún lugar torturándose mentalmente no ayudaba a que se sintiese mejor. Arrancó un poco de césped para mantener las manos ocupadas.

—¿Y cuándo crees que volverá? —insistió.

—Cualquiera diría que lo echas de menos...

—No es eso, pero... —Rachel negó con la cabeza—. No quise decir lo que dije. Sé lo mucho que él quería a mi padre. Si hubiese sabido que iba a escuchar aquello me habría tragado mis palabras.

Jason sacó las piernas el agua y se acercó más a ella.

—Lo sé. Todos lo queríamos. Y nadie tuvo la culpa de lo que le ocurrió. Sufrió un infarto. Podrías haber estado durmiendo o leyendo en tu habitación o haciendo cualquier otra cosa y ni siquiera te hubieses enterado. Es imposible saberlo.

—Pero no puedo dejar de pensar una y otra vez en si podría haberlo evitado, en todas las alternativas que estaban ahí y dejé escapar...

—No es justo que te hagas esto, Rachel. —Contempló las briznas de hierba que ella arrancaba y dejaba después en un diminuto montón—. Esas alternativas de las que hablas son imprevisibles, meras casualidades, no sabemos en qué momento una y otra se encadenarán y la vida dará un giro... —susurró—. Lo único que podemos hacer es intentar aceptar la realidad lo mejor posible. Lo que no hace Mike. Justamente eso.

Rachel emitió un sonoro suspiro.

—Te equivocas. Mike sí que acepta las cosas, lo que no acepta es sentirse culpable. Creo que no sabe manejarlo. Y siempre se ha sentido así. —Meditó sobre si seguir hablando de él, pero finalmente cerró la boca y solo volvió a abrirla para concluir—: Él tuvo mucha peor suerte que nosotros, Jason.

—Ya lo sé.

—No te imaginas hasta qué punto defendió a su madre, como si hacerlo fuese su responsabilidad. Papá acudió en un par de ocasiones a su casa. Estaba empeñado en denunciarlos y quitarles la custodia. Y Mike... Mike le dijo que si hacía aquello no volvería a verlo y que negaría todas sus acusaciones. Quería escapar de aquella casa. Creo que era lo que más deseaba del mundo, pero no estaba dispuesto a hacerlo si implicaba hacer infeliz o causarle problemas a su madre. Él mismo se elegía siempre como segundo plato.

No hizo falta que dijesen nada más. Jason esbozó una sonrisa triste.

—Fuimos afortunados.

—Es verdad. Tuve el padre más maravilloso del mundo; no imagino cómo podría haber sido mejor. Y mamá. Mamá también. —Rachel apretó los labios cuando notó que le temblaban, pero continuó hablando—: Cinco años parece mucho tiempo visto desde fuera, pero en realidad si echo la vista atrás tengo la sensación de que apenas hace unos meses que se marchó. Recuerdo cada detalle, cada pequeño gesto... A veces, todavía creo que está y cuando camino por la calle veo de pronto un perfil parecido al suyo, no sé, se me para el corazón durante unos segundos hasta que entiendo que no es él. Que no puede ser él.

—Rachel...

—Ni siquiera he ido a verlo. No puedo. No he visitado el cementerio ni una sola vez. Eso me hace horrible, ¿verdad?

—En absoluto. ¿Cómo puedes decir eso? Robin te adoraba. No te tortures así. Odio ver cómo lo haces. —Bajó el tono de voz—. Además, él va a menudo. No te preocupes. Está cuidado. El sitio, quiero decir.

—¿De qué hablas? —Rachel le miró confundida.

—La tumba —especificó.

Ella sintió que se le ponía la piel de gallina.

—¿Mike ha ido a verlo?

—Casi todos los meses.

Asintió en silencio. Era bueno saber que papá no había estado solo durante aquellos años. Al menos, él había tenido el valor de visitarlo. Ella tan solo había pasado por delante de la enorme y fría verja del cementerio y había permanecido allí durante lo que pareció una eternidad, incapaz de marcharse, pero también incapaz de entrar. Al caer la noche, había regresado a su apartamento. De eso hacía más de dos años. A día de hoy, no había vuelto a intentarlo. No se sentía con fuerzas para hacerlo.

Sacó las piernas del agua cuando empezó a tener frío. Las nubes habían ido cubriendo el cielo; se avecinaba tormenta.

—Y esa niña, Natalie... —indagó—. ¿Qué relación tiene con Mike?

Jason se levantó en silencio, cogió las dos toallas que estaban al otro lado del jardín y le pasó una a Rachel, que enseguida se cobijó bajo ella.

—Vive cuatro casas más allá. —Señaló a su derecha—. Sus padres son dos abogados increíbles. Sobre todo ella, la madre. Tienen clientes muy importantes, así que trabajan todo el día y, cuando no lo hacen, buscan cualquier excusa que los mantenga ocupados, como acudir a convenciones, cenas o... lo que sea. —Chasqueó la lengua y negó con la cabeza—. La cría siempre está con sus niñeras. Una es una mujer demasiado mayor como para hacerse cargo de ella, pero la ha cuidado desde que era pequeña y la quiere. La otra es más joven y cada vez que Mike se la lleva durante unas horas está encantada de quitársela de encima.

—Pobre niña.

Jasón dejó escapar un suspiro.

—Hace un tiempo, a la cría se le coló una pelota dentro de casa y Mike la dejó pasar para recogerla. No sé muy bien cómo, pero se hicieron amigos y ella empezó a visitarnos con frecuencia. Es una buena chica. Muy inteligente, le encanta jugar con Mike y hacerle la puñeta a Luke. Es capaz de pasar horas y horas en remojo en la piscina. —Giró la cabeza y contempló los árboles que empezaban a sacudirse a su alrededor movidos por el viento—. Pero por lo que veo el verano está llegando a su fin. Será mejor que entremos en casa.

Rachel se levantó con torpeza, sin querer desprenderse de la cálida toalla.

—Sí, estoy congelada. Y me muero de hambre.

—Vamos. —Le pasó un brazo por los hombros—. Seguro que Renata te ha dejado preparada alguna comida baja en grasas.

12

Mike regresó tres días después.

El sol parecía abatido mientras descendía tras la línea del horizonte. Rachel tecleaba en el portátil escuchando música de fondo, totalmente concentrada en la historia que tenía entre manos.

Él no pidió permiso antes de entrar en su habitación, simplemente lo hizo.

—Pero ¿esto qué es? ¿Katy Perry? ¿En serio? —La miró consternado—. ¿Por qué no me atraviesas el corazón con una espada y acabamos con esta tortura de una vez?

Al escuchar su voz, ella se giró lentamente hacia él e intentó que, a pesar del alivio que sentía, su rostro no mostrase ninguna emoción. No le sorprendió que él se comportase como si nada hubiese ocurrido entre ellos; estaba familiarizada con su fingida indiferencia. Con un nudo en la garganta, le siguió el juego.

—Pues no parece una mala idea. ¿Dónde guardáis las espadas en esta casa? No me gustaría ensuciarme las manos con un cuchillo de cocina; todavía tengo que terminar de escribir una escena.

Mike sonrió como un niño, atravesó la habitación con dos grandes zancadas y se dejó caer sobre la cama de Rachel, tumbado boca arriba e ignorando (probablemente a propósito) que se le había subido un poco la camiseta dejando al descubierto la piel morena y cálida. Rachel apartó la mirada de su atrayente estómago y maldijo interiormente al deducir que ahora la cama olería a él, a ese aroma tan delicioso y masculino...

Bien. Ya tenía una tarea nueva de la que ocuparse: cambiar las sábanas.

Mike sonrió satisfecho al advertir dónde se habían quedado suspendidos sus ojos y se dio unas pequeñas palmaditas en la tripa, levantándose más la camiseta.

—¿Y con qué escena erótica me vas a sorprender hoy? Por lo que veo, estabas inspirándote... —Señaló el portátil con la cabeza—. Vamos, no te cortes; no cobro por mirar, solo por tocar.

—No sé cómo consigues convivir con tu estupidez. Debe de ser agotador ser tú mismo. Y ahora vete. Tengo que terminar de escribir.

Mike se puso en pie, apagó la cadena de música y rodeó la silla del escritorio, acercándose a ella más de lo necesario. Uno de los tirantes de su camiseta azul había resbalado, dejándole ver la curvatura del hombro repleto de diminutas pecas y una parte más amplia del escote. Atrapó entre sus dedos un mechón de cabello pelirrojo y, sin dejar de tocarlo como si estuviese memorizando su tacto, inclinó la cabeza hasta que sus labios rozaron la oreja de la chica. Notó su agitación.

—¿Ni siquiera me has echado un poco de menos?

Rachel dejó de mover las manos por el teclado. Era estúpido fingir que podía concentrarse en algo mientras sentía el cálido aliento de Mike acariciando su piel.

—Ni un poco —siseó.

Él sonrió travieso e inspiró hondo.

—Sigues usando la colonia que te regalamos por tu cumpleaños.

—Sí, me gusta, ¿cuál es el problema?

—El problema es que eres como una deliciosa golosina andante de frambuesa. Y me dan ganas de comerte.

Ella hizo de tripas corazón y lo miró por encima del hombro. Estaban muy, muy cerca. Descendió la vista hasta sus labios entreabiertos y sintió un leve escalofrío. Mierda. Ojalá pudiese matar y sacrificar cruelmente a todas sus dichosas hormonas.

—Si tienes hambre, baja a la cocina. Renata habrá dejado algo por ahí.

—No es hambre de comida, pecosa. Es hambre de ti.

—Eso no es gracioso, Mike.

—Bien. Porque lo último que intentaba era ser gracioso.

Rachel dejó escapar un sonoro suspiro y se giró en la silla para poder mirarlo de frente. Estaba muy seria. Quería dejar las tonterías a un lado y comunicarse con él tal como hacía con Jason o Luke, sin medias tintas, sin andar con tiento sobre todas aquellas palabras no dichas que se quedaban pisoteadas en el suelo.

—Mike...

—Dime.

—Siento lo que... siento lo que dije. No era cierto, tú sabes que...

La mirada de él se oscureció y presionó los labios antes de hablar.

—No digas nada —replicó con dureza.

—Oye, ¿a ti qué te pasa? —Cabreada, se puso en pie—. ¡Ya basta de no poder hablar de las cosas! Eres como una maldita pared. ¿Cómo piensas que la gente soluciona sus problemas?

—Pareces un político.

—Deja de bromear. Hablo en serio.

—Pecosa —comenzó sin apartar los ojos de los suyos, mientras ella esperaba pacientemente a que Mike se decidiese a abrirse al fin—, deberías subirte ese tirante. O no. Todo depende de cuáles sean tus intenciones conmigo.

Rachel bajó la mirada y observó el escote entreabierto de su camiseta. Maldijo entre dientes y se subió el tirante. Mike observó con atención cada uno de sus movimientos.

—¿Eso es todo? Porque si no tienes nada que añadir ni tampoco estás dispuesto a escuchar, te agradecería que te fueses para que pueda continuar con lo que estaba haciendo. Tu presencia aquí aporta entre nada y cero, una cantidad bastante esclarecedora.

—Deja de hablar como un diccionario.

—¡Y tú busca la palabra *simple* en uno si quieres descubrir qué pienso exactamente de ti! De paso échale un ojo, a ver si se te queda alguna palabreja con la que impresionar a quien quiera oírte.

—Serendipia, abuhado, limerencia, dédalo, acmé, dadivoso... —recitó divertido.

—Me sacas de quicio. Déjame trabajar.

Mike impidió que cerrase la puerta colocando un pie en medio.

—Espera, tienes razón. Necesito decirte algo.

—Habla de una vez.

—Le he comprado golosinas a *Elvis*. Tiene derecho a poder saltarse la dieta de vez en cuando, ¿no? He pensado que debías saberlo.

Rachel casi podía escuchar el rechinar de sus dientes. ¿Por qué no podía tomarse nada en serio y ser alguien maduro con quien hablar las cosas? No es que ella desease hurgar en el pasado más de la cuenta, en absoluto. Pero qué menos que comentar de pasada un par de asuntos que necesitaban aclarar.

Lo miró fijamente. Por primera vez desde que había llegado a aquella casa, se permitió el lujo de zambullirse en aquellos ojos grisáceos y lo que vio la conmovió. Mike seguía siendo un niño. Con todas las carencias y debilidades que ello implicaba. Un niño asustado y algo inseguro detrás de toda aquella fachada que se esforzaba por proyectar. Tragó saliva, aunque no consiguió eliminar el nudo que tenía en la garganta.

—Necesito... Tengo que terminar lo que estaba haciendo, Mike.

—Vale. —Él la miró contrariado por su cambio de actitud—. Ya me iba, de todos modos. Solo quería que supieses que había vuelto.

Mike dio media vuelta, todavía pensativo, y ella cerró la puerta con suavidad y se quedó unos segundos contemplando la superficie de madera antes de apagar el ordenador. Adiós a la inspiración.

Tal como había previsto, al tumbarse en la cama advirtió que la almohada olía a él, a ese champú mentolado que Mike usaba y que le hacía evocar viejos y agradables recuerdos. Todas sus neuronas se declararon en huelga cuando hundió el rostro en la blanda superficie e inspiró hondo. Se apartó rápidamente, tomando conciencia de lo que estaba haciendo. «Joder, joder, eso sí que no.»

Apartó la almohada a un lado, se puso en pie y comenzó a quitar las sábanas que cubrían la cama.

Durante las siguientes semanas, una apacible rutina pareció adueñarse de la casa.

Rachel empezó a levantarse más pronto para poder desayunar con Jason y Luke. Mike también solía acompañarlos, obsesionado, eso sí, con la idea de hacer la tortita perfecta y, tras unos primeros días desastrosos en los que solo le salían trozos harinosos que se atascaban en la garganta, terminó consiguiendo una masa inmejorable, esponjosa y deliciosa. Desde ese instante, Rachel no volvió a hacer tortitas y dejó que Mike se encargarse de ello. Cada mañana, en medio del ajetreo que se sucedía en la cocina (Jason quería tostadas con mermelada de ciruela, Luke siempre comía fruta y una tortilla con dos claras de huevo...), él le preparaba una tortita redonda y muy hecha y le rozaba la mano al tenderle su plato. Esa pequeña caricia pasó a formar parte de la rutina que se sucedía. Y era parecido a sufrir una minúscula descarga eléctrica a primera hora del día.

También se habituó a que saliesen a correr juntos. Principalmente, porque no le dejaba otra opción. Cada vez que había intentado escaquearse y salir por la puerta antes de que él estuviese listo, acabó alcanzándola, así que terminó por aceptar su presencia.

Tampoco era tan terrible, porque Mike había adoptado la extraña costumbre de mantenerse callado mientras corrían.

Durante el resto del día, Rachel permanecía casi todo el tiempo encerrada en su habitación, concentrada en la novela que estaba escribiendo y esforzándose por evitar las constantes tentaciones que Mike le ofrecía. Cada vez que Natalie pasaba por allí, un par de tardes a la semana, ambos intentaban convencerla para que bajase a darse un chapuzón a la piscina, jugase a la videoconsola o hiciese cualquier otra cosa de dudosa utilidad.

Ella siempre se negaba.

Aunque empezaba a tolerar la presencia de Mike en medio de aquella especie de tregua, seguía intentando guardar las distancias. Al fin y al cabo, tiene su gracia ver el fuego de cerca, esplendoroso, con las llamas ondeando y chisporroteando alrededor, pero no es nada agradable meter la mano dentro, ¿cierto? Pues eso.

Como se sentía un poco culpable por ser tan arisca, dejaba que Natalie jugase con *Mantequilla* y cepillase su pelaje anaranjado hasta que el gato, harto de sus cuidados, se escabullía al jardín y escalaba por el tronco de un árbol en busca de un lugar donde descansar sin que la niña pudiese alcanzarlo.

Por lo demás, su estancia allí estaba siendo más tranquila de lo esperado. Procuraba esquivar a Renata y a sus «nutritivas» comidas, se tomaba el café de la tarde en el porche trasero observando el balanceo suave de las ramas de los árboles y cuando caía la noche los cuatro cenaban juntos antes de ver algún partido o disfrutar de una película. A veces, si los chicos jugaban al *Call of Duty*, Rachel se tumbaba en la gruesa alfombra junto a *Mantequilla* y leía un libro, sin poder evitar mirarlos de reojo cada tres o cuatro páginas... Porque había algo especial en el hecho de que volviesen a estar todos juntos que la reconfortaba, la hacía sentirse cobijada.

Solía esperar a que se fuesen a dormir para ponerse a escribir durante un par de horas. Terminaba entrada la madrugada, cuando ya no se oía nada a excepción de los grillos y el murmullo del viento. Entonces se acercaba a la ventana para correr la cortina y contemplaba a Mike durante unos instantes que parecían eternos. Él dormía incluso menos que ella y, cuando no conseguía conciliar el sueño, salía al jardín, se tumbaba en el porche de madera y clavaba la mirada en el cielo cuajado de estrellas.

Aquella noche era sábado y una insólita humedad se palpaba en el aire. Jason tenía una cita con Clarissa y Luke había salido a celebrar con el equipo la aplastante victoria del día anterior. Rachel terminó de escribir antes de lo previsto el número de páginas que se había propuesto y no se le ocurrió nada mejor que hacer que observar a Mike a través de la ventana de su habitación. Tardó en decidirse, pero finalmente cogió una chaqueta fina de algodón y se la puso mientras bajaba las escaleras hasta el piso inferior.

Mike giró la cabeza cuando escuchó el ruido de sus pasos tras él. La miró con curiosidad. Ella señaló el hueco que había a su lado, en el porche de madera.

—¿Puedo?

—Claro.

Se tumbó a su lado. Y Mike contuvo la respiración cuando su aroma a frambuesa lo impregnó todo. Sin apartar la vista del cielo, movió el brazo que antes tenía bajo su cabeza a un lado, provocando que sus hombros se rozasen. Los dedos finos y suaves de Rachel estaban a apenas unos centímetros de los suyos y, durante un instante de impulsividad, pensó en aferrarlos y cubrirlos con su mano para no volver a soltarlos jamás.

Intentó tranquilizarse contando estrellas, pero casi no había porque estaban cubiertas por una telaraña de nubes oscuras. Le hubiese gustado girarse y deslizar la vista por sus pequeñas pecas, pero no estaba seguro de poder soportarlo. Cuando la miraba, sentía una mezcla rara entre dolor y deseo. Dolor porque la inocencia que aún encontraba en sus ojos le recordaba todas las cosas horribles que había hecho a lo largo de su vida, los actos que los distanciaban y que no podía cambiar. Y deseo porque Rachel era suya. Solo suya. En su cabeza no existía otra posibilidad. ¿Quién más podría quererla como él lo hacía? De un modo ciego e incondicional. En cuanto tropezaba con su mirada, el resto del mundo parecía desdibujarse y solo era capaz de pensar en tocarla, besarla y lamer y morder cada centímetro de su piel...

—¿No tienes frío?

Mike la miró de reojo y negó con la cabeza.

Estaba ardiendo.

—¿Tú sí?

—Un poco.

Quiso abrazarla, pero sabía que no era una buena idea. Respiró hondo y notó las palabras que empezaban a atascarse en su garganta, como siempre. Tenía que sacarlas de allí, tenía que encontrar el modo de dejarlas salir...

—Te he echado de menos —logró decir en un susurro.

Ella permaneció en silencio tanto tiempo que él creyó que ya no diría nada.

—Yo también a ti. En el fondo. De algún modo que ni siquiera sé explicar...

Mike frunció el ceño y al girarse hacia ella sus cuerpos se rozaron. Apoyó un codo en la madera y miró a Rachel desde arriba, intentando encontrar en su rostro alguna señal que la delatase. No podía ser verdad.

—¿Lo dices en serio?

—Creo que sí. —Emitió una risa estrangulada—. Debo de ser masoquista, eso está claro. Supongo que los recuerdos a veces pesan demasiado. Quizá, si los dos hacemos un pequeño esfuerzo, podamos volver a ser... amigos. Más o menos.

Rachel tragó saliva lentamente, siendo muy consciente del nudo que oprimía con fuerza su garganta hasta el punto de que le costaba respirar. No recordaba que en todas aquellas semanas hubiesen estado tan cerca. Apenas unos centímetros separaban sus rostros y ella temblaba ante el contraste de la frialdad de la madera y la calidez del aliento de Mike que acariciaba su piel. Contempló en silencio su boca, la mandíbula ensombrecida por el inicio de la barba, las espesas pestañas, la piel dorada que resaltaba la claridad de sus ojos y las pequeñas cicatrices que tenía en la ceja derecha y el labio superior.

—¿Amigos? —preguntó con voz ronca.

—Eso decía, sí.

Rachel ladeó la cabeza y se removió con incomodidad. No estaba preparada para poder soportar la cercanía de Mike durante más tiempo.

—Como tú y Jason. O Luke —insistió él.

—¿Adónde pretendes llegar? —Ella se incorporó un poco.

—Ni siquiera confías en mí, ¿cómo va a ser lo mismo?

—Algo parecido. Simplemente, podemos llevarnos bien. —Rachel alzó la voz cuando volvió a hablar—. ¡Tampoco has intentado que lo haga! Que confíe. Te comportas como si no hubiese ocurrido nada y eso, eso solo consigue hacerme más daño y...

Dejó de hablar de golpe cuando Mike le acarició la mejilla con el dorso de la mano. Y fue una caricia tan pequeña... tan dulce... tan suave...

—Yo nunca quise hacerte daño, pecosa.

Ella parpadeó para contener las lágrimas.

—Pero lo hiciste.

—Lo hice —inhaló profundamente—. Y lo siento. No sabes cuánto. Haría cualquier cosa, lo que fuese, por poder volver atrás y cambiarme a mí mismo, cambiar lo que ocurrió, cambiarlo todo.

Pero no puedo, Rachel. ¿Crees que a mí no me duele? Todo lo que podría haber sido y no fue...

—No importa. No sirve de nada remover el pasado. Deberíamos dejar de hacerlo. Deberíamos mirar hacia delante.

Ella cerró los ojos con fuerza.

—¿Eso significa que me perdonas?

Dudó. Mucho. Demasiado.

—Sí.

—Pero no totalmente.

—Te perdono y ya está, Mike.

—Y pretendes que seamos amigos...

—¿Qué es lo que quieres? Dilo de una vez.

Él se acercó más a ella y le rodeó la cintura con un brazo.

—Quiero que entiendas que es imposible que lo nuestro sea como lo que tienes con Jason o Luke. Tú y yo nunca fuimos solo amigos, nunca. Siempre hubo algo más. —Con el corazón latiéndole a trompicones, deslizó una mano por el interior de la camiseta de Rachel y la posó sobre la piel suave y tersa de su estómago—. ¿O acaso también tiemblas cuando ellos te tocan? —preguntó. Se inclinó y sus bocas se rozaron. No llegó a besarla; permaneció quieto, con los labios suspendidos sobre los suyos, tentándola, rompiéndola en mil pedazos. Mike alzó la mano que descansaba sobre su estómago y ascendió lentamente hasta sus pechos, acariciando la piel que se derretía bajo la familiaridad del tacto de sus dedos—. Dime qué sientes.

Una mezcla de náuseas y deseo que se asentaba en la parte baja de su estómago. Mike tenía razón. Estaba temblando. De excitación. Y de rabia. Todo a un mismo tiempo. Ni siquiera podía procesarlo. No estaba segura de que existiese una palabra que pudiese describir sentimientos tan dispares.

Antes de cometer una estupidez, apartó su mano y se levantó. Sin dejar de tiritar, clavó sus ojos en los de él.

—No vuelvas a tocarme. Nunca.

Mike se puso en pie y permaneció inalterable, a excepción del músculo que se sacudió en su mandíbula.

—No lo haré.

Abrió la puerta corredera de cristal y desapareció en el interior de la casa.

13

Mike volvió a ser el de siempre. Es decir, el Mike al que no parecía importarle nada ni nadie, el Mike que no recordaba los sucesos del pasado, ese que no veía nada más allá de su propio ombligo. Y Rachel enterró en algún lugar profundo lo que había sentido bajo el tacto áspero y delicado de sus manos. Porque había sentido *algo*, aunque no tenía claro si era bueno o malo ni con qué palabra definir esa emoción intrincada y caótica que apresaba su corazón como una enredadera espinosa y sin flores.

Esa noche en el jardín trasero de la casa los cambió a ambos. Y ese cambio se traducía en el poco tiempo que pasaban juntos, especialmente cuando Jason o Luke estaban fuera. Ya ni siquiera insistía en acompañarla a correr. Ahora él solía hacerlo por la tarde, mientras Rachel corregía lo que había escrito el día anterior. A propósito. La única costumbre que siguió intacta fue la de prepararle una tortita para el desayuno. Por la mañana, casi evitando mirarla, Mike le tendía el plato y sus manos se rozaban. Nada más. Eso era todo.

Cada vez que intentaban acercarse se alejaban más.

Rachel sacudió la cabeza y expulsó lejos aquellos pensamientos mientras trotaba a paso lento por la calle peatonal, con la mirada clavada en el suelo y el movimiento hipnótico de sus coloridas zapatillas. Respiró hondo y, cuando divisó a lo lejos la zona comercial de la urbanización, dejó de correr y avanzó caminando.

Rebuscó en el bolsillo interior de sus mallas negras un par de monedas que había cogido y entró en la primera cafetería. Era un local pequeño que hacía esquina, de aspecto hogareño y agradable, aunque estaba vacío porque casi todos los clientes disfrutaban del débil sol matinal en la terraza. La camarera, una joven que había visto algunas veces mientras corría por la zona, hablaba por teléfono tras la barra, dándole la espalda a la puerta principal. Tenía una piel increíble con un bronceado permanente debido a sus orígenes latinos. Rachel permaneció en silencio sin dejar de observarla, pero no pudo evitar escuchar la conversación.

—Así que te la follas y luego vuelves conmigo y esperas que te perdone, ¡que te perdone! *Changos*, tienes suerte de que el viejo esté bajo tierra porque te habría disparado con la escopeta y tirado en una cuneta, ¡y corre cuando Héctor salga! —gritó—. ¿Qué lo sientes? ¡Pedazo de animal! ¡Más siento yo lo que te haré cuando te pille!

Colgó sin esperar respuesta del interlocutor. Cuando se giró y descubrió la presencia de Rachel, aún respiraba agitada.

—Eso ha sido... impresionante. —Avanzó hasta el mostrador de la cafetería sin dejar de estudiarla con una mezcla de admiración y curiosidad que no estaba acostumbrada a sentir por nadie—. Y siento... lo que sea que te hiciese. Seguro que era un idiota.

—¡Ni que lo digas! ¡Uno de los grandes!

Tenía un acento muy gracioso y melódico.

—Todos terminan siéndolo. Deberías darme un par de lecciones, no se me da tan bien como a ti poner en su sitio a... bueno... —No es que soliese revelar sus problemas a la primera persona con la que se tropezaba. No sabía por qué había abierto la boca. Torció el gesto, reprendiéndose a sí misma—. Una botella de agua, por favor.

Dejó sobre la repisa de cristal un par de monedas. La morena habló al tiempo que se daba la vuelta para acercarse a la nevera donde guardaban las bebidas.

—Veo que has tenido una mala experiencia, bienvenida al club. Yo voy por la cuarta en lo que va de año —especificó—. Debería estar contenta, mi compañera de piso no ha tenido tanta suerte.

—¿La cuarta?

—Los tíos solo saben meterla y sacarla, meterla y sacarla. Ya no quedan hombres de verdad para mujeres de verdad. Como yo. —Se señaló con las manos el cuerpo, delineando con el sinuoso movimiento la marcada curvatura entre la cintura y las cadenas—. ¡Ellos se lo pierden! —Se encogió de hombros.

Rachel cogió la botella de agua, la abrió y le dio un pequeño sorbo. Pero no se movió. Se quedó allí, pensativa, sin dejar de admirar la seguridad que desprendía aquella chica. Le recordaba a un volcán en erupción, escupiendo lava aquí y allá, revelándose. Decidió que le gustaba.

—Al fin y al cabo, así tenemos una excusa más para salir de fiesta y celebrar mi *Bienvenida de soltera* —prosiguió, y sus ojos negros la miraron con tal intensidad que Rachel se sintió desnuda ante ella—. No te ofendas, pero tienes pinta de necesitar divertirte, amor. ¿Por qué no nos acompañas este viernes?

—Yo... bueno... es un poco...

Miró a su alrededor, buscando una escapatoria.

—Me llamo Jimena Santos —prosiguió implacable—. ¿Y tú eres...?

—Rachel Makencie.

—Mira, pese a lo que algunos piensan, no soy una de esas mujeres marimandonas que no son capaces de dejar pasar una arruga en la camisa de un hombre, no voy a obligarte —musitó, al tiempo que arrancaba una hoja de su bloc de notas y garabateaba sobre ella—. Órale, si cambias de opinión y te apetece salir por ahí, llámame. Y no, esto no es una cita, amor. Es algo mucho mejor y más divertido. Toma.

Le tendió el papel donde había apuntado su número de teléfono. Rachel, todavía algo confundida, se lo metió en la cinturilla de la malla y le sonrió.

—Gracias. Puede que lo haga.

Una mujer de mediana edad entró en la cafetería y le pidió que sirviese un café más, junto con la cuenta, y que cambiase el azúcar por un poco de sacarina. Después, volvió a salir y Jimena se llevó las manos a las voluptuosas caderas.

—¡Estos gringos, siempre pidiendo y pidiendo! —exclamó mientras retiraba el café de la máquina.

—Tengo que irme —se despidió, sin entender lo que la otra chica estaba diciendo.

—¡Adiós, amor! ¡Llámame! —Y mostrando una deslumbrante sonrisa, fingió que su mano era un teléfono y se lo llevó al oído.

Cuando salió de la cafetería, bebió otro trago de agua y se puso en marcha. Durante el camino de vuelta, oteó los alrededores y divisó la colina por la que Mike le había dicho que algún día subirían. Todavía no lo habían hecho.

Sacudió la cabeza e intentó pensar en otras cosas.

No creía tener nada en común con Jimena y eso le gustaba. Ella parecía dispuesta a pelear con uñas y dientes, a maldecir mil veces si hacía falta; no veía nada malo en enfadarse y gritar a los cuatro vientos las verdades que pensaba. Ella, por el contrario, era incapaz de exteriorizar nada. Se tragaba sus emociones, no para rumiarlas y escupirlas más tarde, sino para quedárselas eternamente. Y si había problemas, bueno, prefería acurrucarse y esconderse hasta que pasase la tormenta. Solo con Mike era capaz de enervarse, de dejar que parte de la rabia que sentía se materializase en gestos y palabras. Pero, bueno, tenía sus razones. Al fin y al cabo, él era la punta del iceberg de su vida. Una puntita muy afilada, punzante y molesta.

Antes de llegar a casa, sudando y cansada, Rachel decidió que saldría con Jimena y sus amigas. Fue una especie de impulso. ¿Por qué no alejarse un poco de su zona de confort? Solo durante unas horas, claro. Solo eso. Tendía a sentirse incómoda entre desconocidos y lo más cerca que había estado de una «noche de chicas» era empapándose de la experiencia leyendo libros o frente al televisor, viendo una de esas películas donde la animadora siempre hace de villana y la chica nueva, dulce e inocente, es la protagonista principal.

El viernes, Rachel se volvió loca intentando encontrar algo adecuado en su armario. ¿Informal o más arreglada? No estaba segura. Así que cuando escuchó la estridente risa de Natalie que provenía del pasillo, salió de su habitación sosteniendo en alto dos vestidos. Uno, negro y ceñido, corto por encima de la rodilla, con un escote increíble y las mangas de encaje. El otro, amarillo pálido y vaporoso, ajustado en la cintura para después caer con vuelo.

Le dio un vuelco el corazón al toparse con el atractivo rostro de Mike y, luego, se centró en la pequeña, sin dejar de preguntarse cuándo dejaría de sentirse como una adolescente cada vez que lo miraba.

—Natalie, sé sincera, ¿cuál te gusta más?

La niña llevaba el pelo recogido en dos graciosas coletas con sendos lacitos púrpuras. Con actitud reflexiva, se llevó un dedo a los labios y estudió los dos vestidos.

—¿Es para el día o para la noche? —preguntó.

Natalie era muy lista, pensó Rachel.

—Para la noche.

—Entonces el negro. —Toqueteó con sus manitas la suave tela del vestido—. ¡Es súper bonito! ¿Me lo dejarás algún día, Rachel? ¡*Porfi, porfi*!

—Claro que sí, enana.

Le acarició la cabeza y se giró, dispuesta a vestirse y arreglarse de una vez por todas. Antes de que pudiese regresar a su habitación, Mike la retuvo sujetándola del codo; cuando se dio cuenta de que la estaba tocando, rompió el contacto y apartó el brazo con cierta brusquedad.

—¿Adónde vas?

—A mi dormitorio —señaló la puerta a su espalda.

Mike presionó los labios.

—Digo esta noche.

—¿Y por qué debería decírtelo?

Rachel se cruzó de brazos y él ladeó la cabeza, sin dejar de observarla.

—Natalie, deja que los mayores hablen a solas un momento. Ve a la cocina, ahora te alcanzo.

La niña lo miró indignada.

—¡Yo ya soy mayor!

—Natalie, haz lo que te digo.

La dureza de su voz no daba lugar a posibles réplicas, así que Natalie desapareció escaleras abajo arrastrando los pies y siendo más ruidosa de lo normal, como si así quisiese denotar su enfado.

—Bien, has hecho que la niña se marche para nada. Estarás contento.

Rachel dio media vuelta y Mike se interpuso entre la puerta y ella, impidiéndole entrar en su propio dormitorio.

—¿Tienes una cita o algo así?

—Sí, algo así.

Mike pareció necesitar unos segundos para procesar aquella información. Algo destelló en su mirada y el gris de sus ojos se tornó más oscuro.

—¿Quién es?

—¿En serio? ¿Me preguntas algo así y esperas que te responda?

—Sí, eso es.

—Déjate de tonterías y aparta. Necesito empezar a vestirme.

—Como quieras.

Se hizo a un lado. Rachel entró en la habitación y él la siguió, cerrando la puerta a su espalda. Ella dejó el vestido negro sobre la cama y después guardó el amarillo en el armario, mientras fruncía el ceño y lo miraba de reojo.

—¿Qué se supone que haces ahí parado?

—Esperar a que entres en razón. —Se cruzó de brazos—. No tengo prisa. Puedes ir vistiéndote mientras tanto, si quieres.

Rachel creyó que, si se esforzaba un poco, solo un poquito, sería capaz de escuchar la rabia deslizándose suavemente por sus venas. Bufó con exasperación.

—Ya te gustaría que me desnudase delante de ti.

—En eso te doy la razón —admitió—. Pero, además, ¿sabes qué otra cosa me encantaría? Que fueses razonable. No pienso dejar que salgas por ahí con cualquier desconocido. Al menos dime adónde vas. ¿Qué pasa si te ocurre algo...? Y no me pidas que no me preocupe por ti, pecosa.

—Sé cuidarme sola, Mike.

—Lo sé, pero si en algún momento te despistas o bajas la guardia... —pareció dudar un segundo—, quiero poder cuidarte. Deja que lo haga.

¿Cuidarla de sí mismo? ¿Cómo podía él, precisamente él, pretender algo así? Rachel emitió un largo suspiro y decidió zanjar el tema de raíz.

—Solo voy a salir con una amiga, nada más —confesó.

Mike la miró estupefacto.

Le había hecho creer que tenía una cita y había estado a punto de perder el control. Se había esforzado como nunca manteniéndose sereno, intentando quitarse de la cabeza la idea de retenerla allí y no permitir que quedase con ningún imbécil que sin duda no la merecería. Y ahora soltaba aquello. Cogió aire y relajó la mandíbula para tranquilizarse pero, antes de que lograse hacerlo, las palabras escaparon de sus labios.

—¿Y desde cuando tienes tú amigas? —preguntó con desdén—. ¿No te lo estarás inventando?

Un velo de dolor cubrió la mirada de Rachel.

—¿Sabes, Mike? Te pierde esa boca. Si fueses capaz de mantenerla cerrada más a menudo, todos ganaríamos —dijo antes de que él saliese de allí dando un portazo.

Se dejó el cabello suelto y se maquilló de un modo suave. Bajó a la cocina una hora después. Fue una pena que Natalie ya se hubiese marchado porque durante aquellas semanas se había encariñado con ella más de lo esperado y quería enseñarle cómo quedaba el vestido puesto. Jason, que acababa de llegar, la miró sorprendido y contento. Y Mike... Mike fijó sus ojos en ella de un modo tan intenso que consiguió que apartase la vista y se sintiese incómoda bajo su escrutinio.

Pero es que él no podía dejar de mirarla porque estaba preciosa. El dichoso vestido se ajustaba a su silueta, dejando poco margen a la imaginación y provocó que sus pulsaciones se acelerasen al descubrir el ovalado escote. Seguía teniendo unos pechos pequeños que para él eran perfectos, tan apetecibles con aquella piel suave y delicada que contrastaba con los labios gruesos y llamativos pintados de un rojo cereza.

Se estaba excitando solo con mirarla, como un estúpido crío de quince años con las hormonas descontroladas.

Torció el gesto, abrió la nevera y cogió un pequeño racimo de uvas con la intención de concentrarse en algo más allá de Rachel. Comida. Mantener las manos ocupadas. Lo que fuese... Respiró hondo.

—¿Vas a salir? —preguntó Jason con curiosidad.

—Ha quedado con su nueva amiga imaginaria.

Mike se llevó una uva a la boca y masticó con insolencia.

—La camarera de *Penny's House*, Jimena, me ha invitado a su *Bienvenida de soltera* —explicó, ignorándolo—. Me ha parecido un plan divertido. —Se encogió de hombros con inocencia de un modo encantador y Mike sintió de nuevo unas inmensas ganas de secuestrarla—. En realidad no la conozco, pero me cae bien. Parece diferente.

—Por supuesto. El hecho de no existir marca la diferencia —se inmiscuyó otra vez.

Estaba nervioso. Muy nervioso. Y cuando se ponía así de nervioso decía cosas sin ton ni son, cosas estúpidas, cosas que se le pasaban por la cabeza y sobre las que no se molestaba en pensar durante más de un segundo. Rachel estaba increíble. ¿Qué tío en su sano juicio no intentaría algo con ella en cuanto saliese por la puerta de casa? Ninguno. Y él era el idiota que la había dejado escapar.

Sus ojos volvieron a centrarse en su escote. Al parecer, Jason le estaba hablando, pero él no era capaz de hacer dos cosas a la vez. O escuchaba a Jason o miraba a Rachel. Y, evidentemente, tenía que estar ciego para decantarse por la primera opción.

—... así que Mike, haznos un favor a todos, y cierra la boca —oyó que decía Jason, antes de girarse hacia Rachel—. De acuerdo, eso es genial. ¿Y dónde es esa fiesta?, ¿necesitas que te acerque a algún sitio?

—Yo también puedo llevarte —se ofreció.

—¿Llevarme adónde? ¿Al infierno? Me conformaría con que me dejases en paz. Sé que pido mucho porque, mira, soy así de caprichosa, pero no está de más intentarlo.

Mike bufó antes de meterse otra uva en la boca y, muy a su pesar, Rachel tuvo que apartar la vista de sus apetecibles labios. Era una desgracia que, cualquier gesto normal e insípido en los demás, en Mike se antojase tremendamente erótico, como si se pasase todo el día insinuándose al mundo y exigiendo más miradas, más atención.

—Ahora en serio, sé razonable, pecosa. No pensarás de verdad salir por ahí con una desconocida. Podría ser una psicópata.

—Eso sería soportable. Recuerda que vivo contigo.

Sin darle tiempo a que siguiese protestando y metiendo las narices en sus asuntos, salió de la cocina. Como un regalo caído del cielo, su teléfono comenzó a sonar y la pantalla se iluminó mostrando el nombre de Jimena.

Habían quedado en la esquina de su misma calle. Rachel sintió un gran alivio cuando vislumbró un pequeño y viejo Ford de color blanco aparcado a unos metros de distancia. Jimena estaba sentada en el asiento del conductor y a su lado había otra chica, también hispana. Tras saludar y presentarse a la joven, que se llamaba Dulce, se acomodó en el asiento trasero del vehículo.

Dedujo enseguida que conducir no era el punto fuerte de Jimena. Daba *volantazos* aquí y allá sin venir a cuento, ignoraba la existencia del color ámbar de los semáforos, gritaba como una posesa por la ventanilla del coche y, sobre todo, utilizaba el claxon un millón de veces más que el resto de los conductores. Tampoco es que ella pudiese hablar mucho teniendo en cuenta que había dejado de conducir por un golpecito de nada, pero... un golpe era un golpe y ella no ignoraba las señales.

—¿Y de qué os conocéis? —preguntó, inclinándose hacia el asiento de delante e intentando encontrar algún tipo de distracción para olvidar que tenía muchas probabilidades de morir en un accidente de tráfico.

Dulce la miró por encima del hombro y le sonrió con cariño. Era una chica más menuda y delgada que Jimena, de aspecto inofensivo.

—Somos compañeras de piso desde hace dos años.

—¡Tres años! —corrigió Jimena.

—Eso, tres.

Jimena frenó bruscamente cuando un semáforo se puso en rojo y se giró en el asiento para dirigirse a Rachel.

—¡Eh, tú, no me habías dicho que vivías en una casa tan grande! —dijo—. ¿En qué trabajas? ¿O estás casada con uno de esos tipos ricachones? ¡Ay, si yo pudiese pillar a alguno...!

—No te duraría ni una semana. —Dulce rio.

—¿Y tú por qué dices eso? ¡Ya le gustaría a cualquiera de esos poder catarme! —Volvió a dirigirse a Rachel—. Entonces, ¿estás casada, amor?

—No, no. Qué va. Ni en broma.

Se permitió emitir una pequeña risita nerviosa. No sabía por qué, pero le hacía gracia la pregunta. Imaginar a Mike en un altar, vestido con riguroso traje de etiqueta, era igual de probable que partir mañana mismo hacia Marte a bordo de un trasbordador espacial de la NASA. Claro que, en primer lugar, el hecho de que ella pudiese casarse algún lejano día, no incluía en la ecuación a Mike. Evidentemente.

Se culpabilizó por el hecho de unir en una misma frase las palabras *boda* y *Mike*. Estaba empezando a delirar. Efectos secundarios por vivir con el demonio.

—Y entonces, ¿en qué trabajas? —preguntó Dulce con curiosidad.

—Soy escritora. Pero no gano tanto como para pagar esa casa. El alquiler está repartido. Vivo con unos amigos... Tres. Tres amigos.

Literalmente, vivía con dos amigos y un enemigo, pero vio un poco innecesario explicarles la historia teniendo en cuenta que acababa de conocerlas.

—Es decir, un amigo y dos amantes. O dos amigos y un amante. —Jimena sonrió pícara—. ¡O tres amantes!

—Tres *amigos*.

Probablemente debido al tono cortante de su respuesta, ambas dedujeron que no era apropiado seguir indagando en el tema, así que el rumbo de la conversación cambió y se centró en el descubrimiento de Dulce de una pequeña tienda de bolsos y zapatos artesanales en Haight Ashbury que, según ella, era de lo más *chida*.

—*Tengo un filo, que si me agacho me corto.*

—¿Qué has dicho?

—Ah, perdona. —Jimena la miró por el espejo retrovisor—. Significa que tengo hambre, mucha hambre. ¿Te gusta la comida mexicana? —preguntó, y Rachel admitió que tan solo había ido una vez a Chipotle Mexican Grill—. Pues prepárate para una degustación en toda regla.

Fueron a cenar a un bar cercano a la playa. Los farolillos de papel que colgaban de las vigas de madera iluminaban la terraza con una luz tenue y titilante. Aunque no se podía ver el mar desde allí, Rachel agradecía la brisa y el olor a sal mientras engullía un taco tras otro de pollo con pimientos. Estaban deliciosos. Casi tanto como los burritos.

El local estaba repleto de gente que comía, hablaba y reía. Jimena y Dulce no dejaban de criticar a un tal Liam que parecía ser el mismísimo diablo hecho hombre. Claro, que eso era porque no conocían a Mike, pensó Rachel.

Aunque estaba cómoda y la había atrapado la conservación, no le apetecía hablar de sí misma, prefería mantener la boca ocupada con el segundo mojito que habían pedido y observar con atención cómo los propietarios del local comenzaban a apartar algunas mesas de la terraza para hacer hueco y formar una especie de pista de baile improvisada. Subieron el volumen de la música, que había estado sonando de fondo durante toda la velada, y la gente empezó a danzar como si llevasen toda la noche esperando ese momento.

Se quedó embobada mirando a una pareja que parecía desprender fuego. Él acariciaba con descaro el contorno de sus nalgas mientras ambos se movían al son de la melodía. No le hubiese sorprendido demasiado que empezasen a desnudarse allí mismo.

—¿Sabes bailar *bachata*, amor? —preguntó Jimena con interés.

—No. Bueno, de hecho no sé bailar nada en concreto —rio—. Solo lo hice en el baile del instituto. Se encogió de hombros, intentando olvidar aquel día, cuando ella había acudido junto a Jason al baile, y Mike había ido acompañado por una chica que *casualmente* a Rachel le caía fatal. Algo que él sabía, claro. Cómo no.

—Ahí está Jonny —anunció Dulce, señalando un punto más allá de la provisional pista de baile—. ¿Os importa? Ahora vuelvo, chicas.

—¡Ve, ve tranquila! —Jimena volvió a clavar sus ojos en la mirada ausente de su invitada—. Bueno, todas hemos contado nuestros chismes menos tú. ¿No vas a decirme nada del *pendejo* por el que estabas mal cuando te conocí?

—Si no me falla la memoria, eras tú la que tenía un problema. Hablabas por teléfono, ¿recuerdas?

—¡Claro! ¡Y fue por eso que dijiste que ojalá pudieras poner en su sitio a alguien! ¿A quién te referías? ¡Vamos, ándale! —Cruzó los brazos indignada—. *La neta*, ¿por qué no me dices que no quieres contármelo y ya está? Eso lo entendería.

Rachel emitió un suspiro de resignación.

—Mira, mi situación es diferente —explicó—. No es un chico cualquiera con quien me haya tropezado por la calle. No puedo simplemente odiarlo sin más, ¿comprendes? Es especial porque me es imposible borrar ciertos recuerdos, supongo. —Tras beber un trago, hizo girar el vaso de mojito entre sus dedos y lo contempló ensimismada—. Dime, de esos chicos de los que has hablado antes, ¿te enamoraste de todos por igual?

—No.

—¿Y sentiste el mismo dolor por todos cuando la historia terminó?

—No, claro que no. —Jimena removió con la pajita su bebida, pero no apartó sus ojos oscuros de Rachel—. ¿Adónde quieres llegar?

—¿Hay un hombre que te haya hecho sufrir más que los demás? —insistió—. Entonces, quizá puedas entenderme.

—Sí. Héctor.

—¿Quién? A ese no lo habías nombrado cuando...

—Ya. Es que Héctor es mi hermano mellizo —aclaró—. Me has preguntado que qué hombre me hizo más daño, ¿no? Pues fue él. Sin lugar a dudas. Ese *güey* estúpido...

Rachel se removió incómoda en la silla, sin saber qué decir para cambiar el rumbo de la conversación, y Jimena lo notó de inmediato.

—Así que no sabes bailar... —Le sonrió—. ¿Quieres que te enseñe? ¿Qué me dices?

—¿En serio? —Miró a su alrededor animada. Todos se movían al son de la música latina que sonaba, era rítmica y muy pegadiza—. Parece divertido.

—Vamos, amor.

Jimena se levantó, se recolocó el ajustadísimo vestido que llevaba y le tendió la mano.

14

Gimió al golpearse en la espinilla con la mesa de la entrada y se mordió el labio inferior para evitar gritar, ¡qué dolor!

Todavía confusa y algo mareada, fue a depositar con cuidado las llaves sobre la repisa de mármol, pero debido a que la estancia estaba sumida en la penumbra y, sobre todo, a las copas de más que había tomado, se le cayeron al suelo. Cerró los ojos, maldiciendo al escuchar el estridente tintineo. Dio un paso al frente y tropezó con algo duro y firme. No le hizo falta encender la luz para saber que era Mike. Aquel aroma era inconfundible.

—¿Qué haces despierto?

—Quería ver si llegabas bien. Ya veo que no —masculló—. ¿Cuánto has bebido?

—Lo suficiente como para no querer decírtelo.

Mike sonrió en la oscuridad.

—Ven, vamos, te prepararé algo de comer. —Sin soltarla de la cintura, ambos avanzaron hacia la cocina dando pequeños pasos—. ¿Por qué caminas como si fueses coja?

—Los tacones —gimió.

Eran los zapatos más dolorosos del planeta Tierra. Pensaba relegarlos al fondo del armario y no volver a sacarlos jamás de los jamases.

—Para. Quítatelos.

Por inercia, Rachel se deshizo de los tacones y los dejó tirados en mitad del pasillo, agradeciendo el brazo de Mike que la sostenía.

En cualquier otro momento hubiese rehuido su contacto, pero no solo era confortable y cálido sino que, además, estaba segura de que si lo apartaba terminaría cayendo como un peso muerto. Estaba agotada. Había bailado, reído y bebido hasta la extenuación, se lo había pasado increíblemente bien.

Mike la ayudó a sentarse frente a la mesa de la cocina y encendió tan solo las luces de la despensa. Con un golpe seco, ella tiró encima el diminuto bolso de mano.

—¿Quieres tortitas?

—¡Sí, por favor!

—¡Chsss! No grites, pecosa.

Mike se llevó un dedo a los labios y ella imitó el gesto con torpeza, haciéndolo reír.

Él sacudió la cabeza, se agachó, sacó una sartén y la puso al fuego. Rachel estudió cada uno de sus movimientos con interés y en silencio, como si estuviese documentándose para una tesis.

—¿Sabes, Mike? Tienes un buen trasero —concedió, ladeando la cabeza.

Él sonrió y, tras poner la tortita en el plato, la dejó frente a ella en la mesa.

—¡Ya era hora de que te dieras cuenta! —bromeó, sentándose a su lado—. Empiezo a pensar que me gustas más cuando estás borracha.

—¡Está deliciosa! —Masticó con energía el primer trozo—. Creo que podría comer una tonelada de estas. Y, en serio, jamás pensé que lograrías hacer las mejores tortitas del mundo, ¡ni se me pasó por la cabeza! Deberías presentarte a algún concurso de postres o algo. —Mike aprovechó que no dejaba de hablar para recrearse mirando su rostro en silencio. Era agradable poder estar al lado de Rachel sin que ella lo mirase como si fuese un monstruo sin corazón—. Creo que incluso podrían competir con los tacos de esta noche, ¡qué pasada! Quizá te lleve allí algún día para que los pruebes.

—Sería un buen plan. Pero dudo mucho que mañana sigas pensando lo mismo.

—¿Y por qué no?

Rachel frunció el ceño y dejó el tenedor suspendido frente a su boca. Él se inclinó apenas unos centímetros hacia ella hasta posicionarse a la altura de sus ojos.

—Porque me odias, ¿recuerdas?

Parpadeó confundida durante unos instantes, tomando conciencia de dónde estaba y con quién. Se sentía un poco más despierta. Emitió un suspiro.

—Sabes que no te odio. Solo es que, a veces, eres un poco molesto. Casi todo el tiempo, en realidad. —Removió con el tenedor los restos de tortita y cuando alzó la cabeza su mirada estaba teñida de dolor—. ¿Por qué demonios no quieres ser mi amigo? —preguntó en tono infantil—. Hice un gran esfuerzo la semana pasada al intentar hablar contigo, ¿sabes? Siempre me toca tomar la iniciativa...

—Y yo lo jodí todo, como de costumbre.

—Sí. Empiezas a pillarlo.

Mike suspiró y se revolvió el cabello castaño, despeinándose.

—Lo siento, pecosa —dijo con sinceridad—. No sé cuántas veces me he disculpado a lo largo de este mes, ¿llevas una lista o algo así donde vas apuntándolo?

—No, pero debería. A veces me falla la memoria y pierdo la cuenta.

Él se mostró extrañamente serio.

—Rachel.

—¿Sí? —contestó distraída, mientras enroscaba un mechón de cabello pelirrojo en su dedo índice, una y otra vez, como si fuese la cosa más divertida y fascinante del mundo. Aunque se esforzaba por disimularlo, todavía era patente que se había tomado alguna copa de más. La miró con ternura. Mike nunca había conocido a nadie tan adorable, que despertase en él emociones tan puras, tan incondicionales... Inspiró hondo, preparándose para hablar.

—Quiero que volvamos a ser amigos. Lo digo en serio. Tú tenías razón y es hora de dejar el pasado atrás —admitió en un susurro—. Necesito tenerte en mi vida. Como antes. Como siempre. Te echo de menos, pecosa.

—¿Dónde está la trampa? La última vez que quise enterrar el hacha de guerra tú... tú... —balbuceó.

No estaba segura de qué había hecho, ¿tocarla? ¿Casi besarla? Él se adelantó antes de que pudiese encontrar la palabra exacta.

—Fui un idiota. Esta vez no hay trampas. Te lo prometo.

—Odio tus promesas. —Entrecerró los ojos y luego rompió a reír—. ¿Recuerdas cuando me prometiste que no pasaría nada si nos saltábamos la última hora de clase? ¡Sonabas tan convincente! Y al final nos pillaron. Dos semanas de castigo para mí. Cero semanas para ti.

Él esbozó una sonrisa triste mientras ella reía a carcajadas.

—Sé que en el fondo deseabas hacer un montón de maldades. Yo solo era una excusa. —Mike aprovechó que lo estaba mirando distraída para quitarle un trozo de tortita y llevárselo a la boca—. Y dime, ¿quiénes son las chicas que esta noche han conseguido tentar a la dulce e inocente Rachel? —ironizó—. Espero que no estés intentando sustituirme.

—¡Para nada! No están a tu nivel. Te lo he dicho antes, Jimena es la camarera de *Penny's House* y Dulce su compañera de piso. Son muy divertidas. ¡He bailado *bachata*! Mira, ¿quieres que te enseñe?

Antes de que Mike contestase, ella se puso en pie e insistió en que él también se levantase. Entre risas, comenzó a mover las caderas con cierta torpeza y le pidió que la agarrase de la cintura, tal como había visto hacer a los hombres de aquel local. Tarareó una melodía desconocida e intentó bailar al son de la misma, ignorando que estaba descalza. Mike respiró profundamente. Se lo estaba poniendo muy difícil. Tenía ganas de atraerla contra su pecho y abrazarla y... joder, apartó de golpe las manos de su cintura y dio un paso atrás.

—¿Quieres que te haga otra tortita?

—¿Qué? —Rachel pareció confusa—. No, si todavía no me he terminado la primera —emitió una carcajada estrangulada. Estaba algo mareada cuando volvió a sentarse para engullir los últimos trozos de tortita mientras parloteaba sin cesar.

Él escuchó pacientemente el relato de la velada. Rachel estaba eufórica y era agradable verla tan animada y feliz, sin el ceño fruncido. Mientras hablaba, se esforzó por evitar mirar por décima vez consecutiva su escote. Era una tortura. Quería intentar ser su amigo, de verdad que sí, pero no estaba seguro de cuánto tiempo podría fingir que lo que realmente deseaba no era desnudarla y darle miles, no, millones de besos. Le parecía imposible que Rachel no notase esa química, esa atracción que siempre había existido entre ellos y casi podía palparse en el aire.

—Mike, no me estás escuchando.

—¡Claro que sí! —protestó indignado—. Hablabas de... hum... ¿me das una pequeña pista? —bromeó riendo; no, no la estaba escuchando. Rachel lo golpeó en el hombro y se subió la tela del escote con un brusco tirón.

—Deja de mirarme las tetas y préstame atención. Te hablaba de Clarissa, la novia de Jason. Creo que no le pillé el punto. Puedo entenderla, ¿sabes? Lo de que esté celosa. Pero aun así es un poco rara, no sé si lograremos congeniar. Eso me preocupa.

—¿Y por qué iba a estar celosa?

—Por Jason. Porque vivo con él. Con vosotros.

Mike frunció el ceño.

—¿Acaso existe esa posibilidad?

—¿De qué hablas?

—De tú y Jason.

—¿Lo dices en serio? Nos conoces perfectamente. Sabes que no. Y lo mismo con Luke. Es ridículo que estemos hablando de esto.

—Solo es que con Jason parece que conectes de algún modo especial. Como si los dos tuvieseis... ya sabes, vuestro propio idioma o algo así. Confías en él ciegamente.

Rachel tardó unos segundos en responder.

—Sí, supongo que sí.

Mike se perdió un instante en sus propios recuerdos. Siempre, y a pesar de que era como un hermano para él, había temido que Jason fuese quien se llevase a la chica. A su chica. Porque había sido mejor en todo, mejor a la hora de entenderla, de compartir sus mismos gustos, de ser el hombro sobre el que Rachel necesitaba apoyarse... Jason había tenido una familia perfecta que Mike, muy a su pesar, envidiaba. Había sacado buenas notas. Y nunca había hecho nada moralmente cuestionable, no tenía ningún peso en su conciencia. Estaba en paz con el mundo que lo rodeaba. Era su antítesis.

Miró a Rachel fijamente.

—Cuando éramos pequeños, estaba convencido de que acabaríais casados, los dos con un título universitario bajo el brazo, viviendo el sueño americano en la típica casa adosada con un simpático perro labrador —sonrió.

—Pues te equivocabas.

—Supongo que sería la persona más egoísta del planeta si admitiese que me alegra no haber acertado.

—¡Acabas de hacerlo, tonto!

Rachel rio y le apartó con cariño un mechón de cabello que se escurría por su frente. Mike rehuyó el contacto y movió la silla hacia atrás. Si quería que intentase ser su amigo y comportarse como tal, más le valía no acercarse a él más de lo necesario. Se puso en pie y apagó las luces de la despensa.

—Vamos, pecosa. Te acompaño a tu habitación.

Ella se levantó sin rechistar y lo siguió escaleras arriba, sujetándose a la barandilla para no tropezar. Dejó que Mike abriese su armario y sacase el pijama y lo dejase sobre la cama. Lo observó en silencio, parada en medio de la habitación, mientras él corría las cortinas y apartaba a un lado las sábanas.

—Gracias, Mike.

—No me las des. —Le dio un beso suave en la frente que a Rachel se le antojó extrañamente íntimo—. Que duermas bien.

—¡Espera! —pidió y él se giró antes de salir por la puerta—. Podríamos volver a correr juntos, ¿no? Estaría bien retomar esa costumbre.

Mike sonrió. Una sonrisa cálida.

—Claro que sí, pecosa. Eso está hecho.

15

Si hace quince años alguien le hubiese preguntado a Mike cuál era su fiesta preferida, habría respondido lo mismo que ahora: Halloween. Le volvía loco Halloween.

Cuando era pequeño, siempre cruzaba los dedos con la esperanza de toparse con la típica pareja que había olvidado ir a comprar caramelos y tener la excusa perfecta para lanzar huevos contra la casa o pintarrajear la puerta de sus estirados vecinos con espuma de afeitar.

—Menudo muermo de Noche de las brujas —se quejó Luke mientras avanzaban por la acera.

A cambio de acompañarlos, Rachel les había exigido que dejasen en casa su arsenal de productos destinados a hacer el mal.

—¡Yo quería lanzar huevos! —exclamó Natalie.

—Lo sé, pero la mentalidad de la tía Rachel es similar a la de una mujer centenaria. Tienes que ser más comprensiva. No está acostumbrada a hacer cosas guais —intervino Mike.

Rachel lo golpeó en la espalda con la calabaza que llevaba colgando de la mano y Jason emitió una carcajada.

—Oye, Mike tiene razón. Halloween sin huevos es un asco —insistió Luke—. ¿Qué pasa si alguien prefiere «truco»? —Miró a Natalie—. Cuando Rachel era joven, molaba más.

—Molaba más y siempre salía mal parada —le recordó—. Ahora haremos las cosas a mi manera. Si alguien dice «truco», simplemente nos marchamos, ¿está claro?

Mike hizo una mueca burlona, pero no la contradijo.

La urbanización estaba repleta de enormes calabazas iluminadas con rostros terroríficos que descansaban al borde de la acera. Habían apagado algunas de las luces de la zona para darle un aire más tétrico y las casas, casi todas en la penumbra a excepción de las múltiples velas encendidas, desprendían un halo de misterio. Algunos jardines habían sido decorados a conciencia, colocando tumbas de plástico que sobresalían entre el césped y telarañas enormes que colgaban de las vigas que precedían la entrada.

Los cuatro iban disfrazados de zombis. Más o menos. Natalie era la única que llevaba un disfraz completo. Los demás se habían pintado la cara, simulando restos de sangre por las mejillas y manchas de barro y mugre por todas partes. Daban un poco de asco, así que en cierto modo cumplían el propósito.

En todas las casas en las que pararon les dieron caramelos. Rachel no recordaba que en la urbanización donde se habían criado los vecinos fuesen tan colaboradores y amables. Llevaban apenas unas manzanas y ya tenían varias bolsas repletas de todo tipo de gominolas y dulces.

—¿No crees que ya has comido suficientes?

Jason le arrebató a Natalie la pequeña bolsita que llevaba agarrada en la mano y ella empezó a chillar.

—¡No! ¡Es Halloween!

—¡Deja en paz a la pequeña zombi!

Mike la defendió y ella sonrió agradecida.

—Luego te dolerá el estómago —insistió Jason, antes de devolverle los caramelos.

—¡No es verdad! —Natalie lo miró enfadada, haciendo un puchero—. Luke, ¿a qué no es verdad? ¡Díselo!

—¡Claro que no, enana! —Se giró hacia ella con una sonrisa—. Ven, vamos, ¡sube a caballito!

Natalie trepó por la espalda de Luke como si fuese un mono y Rachel rio, mientras todos volvían a ponerse en marcha y se acercaban hasta la puerta de entrada de la siguiente casa.

La velada estaba siendo agradable.

Era especial. Se sentía rara, como si alguien hubiese rascado en su interior, sin prisa, sacando brillo y puliendo partes de ella que creía haber perdido para siempre. Y mientras Natalie, Jason, Luke y Mike esperaban sonrientes a que los siguientes vecinos abriesen la puerta, se dio cuenta de que era feliz. En ese instante se sentía inmensamente feliz.

Estaba en casa. Mientras se esforzaba en sonreír y balancear con gracia la pequeña calabaza que colgaba de una cuerdecita en su mano, se dio cuenta de que, tras muchos rodeos, había llegado al lugar indicado. Ellos eran su familia. Lo habían sido tiempo atrás. Y lo seguían siendo ahora.

—¿Truco o trato? —gritaron todos en cuanto la puerta se abrió.

Les sonrió un hombre que vestía un pantalón de pinzas color café y un suéter gris que conjuntaba con su cabello canoso.

—¡Trato, trato! ¡Me rindo! —Se giró y cogió un puñado de caramelos de una bolsa que había a su espalda. Se los dio a Natalie, que acababa de bajar de la espalda de Luke—. ¿De qué vas disfrazada?

—¡Somos zombis! —exclamó emocionada. Tenía una alegría contagiosa—. ¿A que sí, Mike? —Saltó a su alrededor—. ¡Somos como los de *The Walking Dead*! ¡Y podemos contagiar a los humanos!

—Sí, pero a los que nos dan ositos de gominola los dejamos vivir —especificó Mike.

El simpático hombre si inclinó hacia la niña y le tendió una tableta de chocolate. Le había tocado el premio gordo. Ella abrazó al desconocido, porque Natalie era así, impulsiva y demasiado cariñosa en según qué ocasiones. Rachel todavía seguía sin comprender cómo sus padres podían soportar la idea de pasar tan poco tiempo con la pequeña; era adorable y traviesa y hasta ella, que se consideraba alérgica a los niños, a menudo caía en la tentación de disfrutar de su compañía. Cada vez sucumbía con más frecuencia a sus deseos y terminaba haciéndole trencitas en el pelo o jugando a la videoconsola con ella y Mike (a pesar de que siempre perdía). De hecho, llevaba bastante retraso con la novela que tenía entre manos. Se había propuesto tomárselo más en serio la próxima semana.

El vecino sonrió antes de mirar a los presentes.

—Está visto que a las mujeres se las conquista con chocolate desde bien pequeñas.

—¡Gracias! —Natalie le quitó el envoltorio a la tableta de chocolate y le dio un bocado. Masticó con la boca abierta.

—No quiero pensar en la noche que le espera por delante —murmuró Jason, palmeándose la tripa al tiempo que bajaban los escalones de la casa y se dirigían de nuevo hacia la acera—. Pobrecilla.

—Es Halloween. —Rachel lo cogió del brazo y, mientras caminaban tras los demás, apoyo la cabeza en su hombro—. Todos hemos tenido dolor de barriga en Halloween. Tú el primero —recordó con nostalgia.

Un rato más tarde, Luke anunció que se iba a casa con la excusa de que al día siguiente tenía un entrenamiento de buena mañana y quería descansar. Natalie pataleó, se quejó y le dedicó unos cuantos pucheros que no dieron ningún resultado, especialmente cuando Jason bostezó, estiró los brazos y dijo que él también se marchaba.

—Creo que deberíamos irnos todos.

Mike masticó el caramelo que llevaba en la boca, haciéndolo añicos con los dientes y provocando que la mirada de Rachel fuese a parar a sus labios. Y qué labios. ¿Por qué demonios tenían que ser tan perfectos y apetecibles? ¿Y por qué siempre sus ojos se desviaban allí?

—¡Pero no quiero, no quiero, no quiero! —Natalie comenzó a dar pequeños saltitos y Rachel tuvo que hacer un esfuerzo para no reír. Estaba muy graciosa vestida de pequeña zombi—. ¡Por favor! ¡Por favor, Mike, solo un poco más! —Lo cogió de la mano, tirando de él y le señaló la calle que había enfrente—. Mira, ¡los demás niños aún están pidiendo caramelos! ¡Yo también quiero! ¡*Porfi, porfi*!

Era incapaz de soportar esa mirada suplicante.

—Vale, quince minutos más y te llevamos a casa —accedió Rachel antes de que él pudiese negarse—. ¿Verdad que sí, Mike?

—Eh, sí, claro —sonrió—. Rachel manda.

—¡Despídete del tío más guay del mundo!

Luke extendió los brazos a ambos lados y Natalie le abrazó.

—No eres el más guay —lo corrigió con retintín—. El chico más guay se llama Daniel Creek. Va a mi colegio. Y todas lo quieren. Aunque a mí no me habla.

—Porque es imbécil —siseó Mike.

Rachel le dio un codazo para hacerlo callar. Estaba segura de que, gracias a los tres, la pequeña tenía toda una despensa de tacos e insultos dentro de su cabecita. En una ocasión, se le había escapado un inocente «jolines» delante de Renata y la severa mujer le dio tal sermón que Natalie no volvió a pronunciar esa palabra nunca más.

Cuando Jason dejó en el suelo a la cría, después de estrecharla con fuerza entre sus brazos, tanto él como Luke se dieron media vuelta y desaparecieron calle abajo.

—¿Podemos ir a casa de los Frederick?

—Sabes que me caen mal. Son unos estirados.

Mike la cogió de la mano y los tres comenzaron a andar.

—¡Pero me han dicho que han hecho un túnel del terror! ¡Y yo quiero verlo!

—Tú siempre quieres verlo todo —se quejó él.

—¡Y tú no te esfuerzas! —refunfuñó—. ¡Ya no sé si quiero que seamos amigos! —gimoteó.

—¡Claro que me esfuerzo! —Mike la miró dolido.

Rachel contempló anonadada cómo una niña conseguía manejar al hombre que ella nunca había podido controlar. Era increíble. Se sentía maravillada y frustrada a un mismo tiempo. Una de dos: o la cría era muy lista o ella había sido un poco lerda.

Decidió intervenir.

—Natalie, ¿no prefieres que te compre una manzana de caramelo?

Toqueteó una de sus trenzas rubias con los dedos en actitud cariñosa.

—¡Sí! ¡Vale!

Avanzaron en silencio por las calles de la urbanización. Los niños saltaban, reían y corrían de un lado para otro, disfrazados de personajes diversos. Durante el trayecto, Natalie saludó a un par de compañeros de su clase, pero, cuando vio a lo lejos el puesto donde vendían las manzanas de caramelo, salió disparada hacia allí como si el resto del mundo hubiese desaparecido.

Le compraron su manzana y, cinco minutos después, regresaron sobre sus pasos hacia su casa. Quedaba a unas calles de distancia de la de ellos, era todavía más grande y majestuosa, casi sin jardín y con unas cristaleras infinitas. Una mujer morena, con un corte de pelo *bob,* sonrió a Mike tras abrirles la puerta.

—Muchas gracias por llevártela, Mike. —Le palmeó la cabeza a su hija y la cogió de la muñeca para instarla a entrar en casa—. Acabamos de llegar justo ahora. —Cuando se percató de la presencia de Rachel, le ofreció una mano con cortesía—. Perdona, creo que no nos conocemos, eres Rachel, ¿verdad? Recuerdo que Natalie me habló de ti. La novia de Mike.

Le costó unos segundos procesar la información. Natalie, tras la puerta, le dedicó una sonrisa dentuda y traviesa. Debería haberla disfrazado de diablo en vez de zombi.

—Solo somos amigos —aclaró—. Pero me alegra conocerte.

—¿Gillian no está en casa? —preguntó Mike, refiriéndose a la niñera más veterana.

—Le he dicho que descanse esta noche y mañana porque necesito que la semana que viene esté aquí. Nos vamos a Nueva York. Es la reunión anual de exalumnos de la facultad de Derecho —especificó.

—Hum, eso suena como la cosa más aburrida del universo —contestó Mike y ella rio sin percatarse de que lo decía en serio.

Rachel advirtió la mirada ausente que se adueñaba de los ojos de Natalie antes de que se despidiese de ambos con una mano y se adentrase en la casa arrastrando los pies al andar.

Caminaron calle abajo. Aún después del tiempo que llevaban conviviendo bajo el mismo techo, no podía evitar ponerse nerviosa cuando estaban a solas. Casi siempre había alguien en la casa, si no eran los chicos, estaba Natalie o Renata. Ella lo prefería así. Era mejor que soportar el silencio que los envolvía porque ese silencio estaba repleto de todas las palabras no dichas. Y a veces hasta dolía.

—La consientes mucho —dijo, deseando hablar de cualquier cosa—. A Natalie —concretó—. Entiendo por qué lo haces, pero puede ser negativo para ella.

Mike la miró de reojo.

—No es verdad.

—Sabes que sí —insistió con suavidad—. ¿Y qué será de ella cuando salga al mundo exterior?

—¿A qué te refieres?

Rachel dejó de caminar cuando llegaron a casa. No entró. Permaneció en la acera, con las llaves en la mano.

—Ella tiene que ser fuerte e independiente. Debe entender que no va a conseguir todo lo que quiera solo con pedirlo. Y que la gente de ahí fuera no es precisamente bien intencionada —dijo, recordando su propia experiencia. Ojalá hubiese sido menos mojigata—. La mimas demasiado. Luego se dará de bruces con una pared.

Él se mantuvo en silencio un instante, sin apartar sus ojos de los de ella. Rachel advirtió cómo encogía los nudillos inconscientemente y sus manos se tensaban.

—Eso no pasará. Yo la cuidaré.

—Mike, no eres su padre —susurró—. Y no te corresponde a ti hacer ese papel.

—Ya lo sé.

—Ella no eres tú.

—Eso también lo sé. —Suspiró hondo—. No tiene nada que ver. Simplemente, me cae bien, nos divertimos juntos, es una amiga más, ¿qué tiene de malo? ¿Tengo que ponerle algún tipo de etiqueta estúpida a la relación que tenemos? Solo quiero que sea feliz. Dentro de sus posibilidades. Que son escasas teniendo en cuenta que sus padres son idiotas y egoístas.

Rachel sintió el impulso de abrazarlo, pero se contuvo. Sus instintos físicos siempre le pedían que se acercase más a él, que no quedase espacio entre ambos. Sus instintos racionales le exigían que diese media vuelta y saliese corriendo. Los ignoró a ambos y, sin moverse, mantuvo la vista clavada en la diminuta llave morada que colgaba de su llavero.

Mike estudió su rostro, prestando especial atención a las graciosas pecas que tantas ganas tenía de acariciar con la punta de los dedos.

—Ella tampoco eres tú. Las cosas no siempre salen mal. Puede parecer algo raro para nosotros, pero a la mayoría les va bien. —Le mostró una sonrisa torcida—. La mayoría... simplemente viven tranquilamente sin sobresaltos y hacen las típicas cosas que se supone que deben hacer. Ya sabes. Universidad, trabajo, coche, casa, hijos, más trabajo... e imagino que finalmente nietos. Qué se yo. Pero sí sé que quiero una estabilidad para Natalie y que es muy probable que lo consiga. Casi todo el mundo lo hace.

—Menos nosotros —concluyó Rachel.

El silencio de la noche fue interrumpido por las risas de un grupo de chiquillos a lo lejos. Mike bajó la mirada al suelo, antes de volver a alzarla hacia ella.

—¿Te apetece dar un paseo? No tenemos por qué entrar ahora —dijo, señalando con el hombro la enorme casa.

—De acuerdo. Vamos.

Él casi pareció sorprendido. O eso pensó Rachel. Caminaron calle arriba, mientras observaban a los niños y los padres que todavía seguían celebrando Halloween.

—¿Te has preguntado cómo sería este paseo si tú y yo fuésemos dos desconocidos?

—¿A qué te refieres?

Mike buscó sus ojos.

—Hace unos días dijiste que querías que empezásemos desde cero, ¿no? Pues imagina por un momento que es así, que no sabemos nada el uno del otro.

—Ya entiendo... —Había un deje de diversión en su mirada—. En ese caso querría preguntarte muchas cosas. Para empezar, no saldría a pasear con un desconocido así porque sí.

—Es comprensible. ¿Qué querrías saber?

—Hum, veamos, depende de tantos factores... —Se mordió el labio inferior pensativa—. ¿Estamos en una cita? ¿O eres un vecino algo perverso que me está siguiendo?

—La cita. Estamos en una cita. Acabamos de cenar en uno de esos restaurantes para pijos. Ha estado bien, aunque la ternera estaba un poco seca. Y después tú te has empeñado en pagar la cuenta pero, como soy un caballero, he insistido en hacerme cargo. Hemos salido y no quería dejarte escapar y que la noche terminase ya, así que te he propuesto dar este paseo.

Rachel lo miró impresionada e intentó no pensar en lo agradable que hubiese sido esa fantasía.

—Vale. En primer lugar, difícilmente tú te comportarías como un caballero en una cita. Ni siquiera puedo imaginarte vestido en plan formal.

Lo recorrió de arriba abajo, contemplando su atuendo de zombi en vaqueros y sudadera gris, a juego con las zapatillas deportivas. Llevaba la capucha puesta y las manos dentro de los bolsillos.

—Eso no vale, pecosa, te estás saliendo del papel. Eres escritora, se supone que deberías poder meterte en una historia ficticia sin problemas. Y no solo cuando lleguen las escenas eróticas.

Mike rio cuando ella le dio un pequeño empujón.

—Bien, veamos… —Meditó—. Querría saber de dónde vienes, cosas sobre tu pasado y tu familia —dijo, sintiéndose algo indecisa—. Y también a qué te dedicas, por ejemplo. Creo que es algo a tener en cuenta, sí. Cuáles son tus expectativas y todo eso.

Mike tardó más de lo previsto en contestar.

—Apenas tengo relación con mi familia, a no ser que enviar un cheque mensual pueda considerarse como tal. —Rio, pero no había ni un ápice de diversión en su risa. Era un sonido seco—. ¿Expectativas? Supongo que vivir. Sin más. Intentar ser feliz ¿No es eso a lo que finalmente se reduce todo? —susurró—. Y me dedico a las apuestas. Ya sabes, invierto en locales donde la gente acude a tirar su dinero a la basura. No literalmente, claro. En realidad me lo dan a mí. Es un bucle bastante interesante si lo piensas bien…

—Y muy lucrativo, por lo que veo. ¿Cómo llegaste al mundo de las apuestas? ¿Qué hacías antes?

Cualquier otra persona no hubiese advertido la forma en la que sus músculos se contrajeron o esa tensión latente en su mandíbula, pero Rachel sí.

—Eh, ahora me toca a mí. Deja de salirte del papel.

Intentó aplastar esa curiosidad que parecía hacerle cosquillas.

—Vale, adelante.

—¿Color preferido?

—¿Va en serio, Mike?

—Claro que sí. Es interesante.

—El verde, creo. Sí, es bonito. Verde —murmuró antes de alzar la cabeza—. ¿Y el tuyo?

—Rojo.

—Cuéntame qué hiciste después de...

—Pecosa, vuelve a tocarme. Has querido saber qué color me gustaba, eso cuenta.

Rachel bufó, percatándose de su pequeño error.

—Este juego es una tontería.

—Ya, pero le toca el turno a mi pregunta tonta, así que... —Ladeó la cabeza para poder encontrar sus ojos cálidos—. ¿Has estado enamorada alguna vez?

—¿Qué? ¡Oh, vamos! —Le miró consternada—. ¡Nadie en su sano juicio preguntaría algo tan íntimo! Se supone que ni siquiera me conoces, solo hemos compartido una cena y medio paseo.

—Querría saberlo. Contesta a la pregunta —insistió Mike.

Había dejado de caminar y estaba frente a ella, esperando una respuesta. Rachel notó su estómago encogerse en cuanto se sumergió en el gris brillante de sus ojos. Tenía la boca seca.

—Lo estuve. Una vez. Pero me rompió el corazón y ahora es agua pasada.

Se miraron fijamente durante lo que pareció una eternidad. Cuando ya pensó que él no diría nada, Mike entreabrió los labios con lentitud.

—Debía de ser un capullo.

—Sí que lo era. —Rachel le regaló una sonrisa pequeña y trémula, pero suficiente para que Mike volviese a tomar aire con cierta brusquedad y señalase con el dedo la arboleda que se abría a la derecha.

—¿Te gustaría subir a la colina?

—¿Ahora?

—Sí. Ya sé que esto es solo una primera cita y que puede parecer un poco atrevido por mi parte... pero me encantaría enseñarte las vistas que hay desde allí. Te prometo que no te arrepentirás. En serio. —Le tendió la mano—. ¿Confías en mí?

«No», pensó Rachel.

—Sí —contestó.

—Pues vamos.

16

Cuando sus dedos se entrelazaron, Rachel intentó que él no notase que había empezado a temblar. Puede que no tuviese nada que ver con Mike. Puede que solo fuese porque su mano era grande y confortable y tenía ese tacto áspero y tan masculino y... ¿a quién pretendía engañar? Tocarlo siempre sería así, imprevisible y desbordante. La tentación de algo que quería con todas sus fuerzas pero también temía. Eran dos piezas equivocadas, que no encajaban; pero a veces, solo a veces, creía haber llegado a él y estar a punto de alcanzarlo... y después recordaba que era dañino y su instinto de supervivencia salía a relucir.

—¿Estás bien, pecosa?

Mike buscó sus ojos en la oscuridad, mientras recorrían el sendero bordeado por abetos, pinos y pequeños matorrales. Olía a hierba y a tierra mojada.

«No», volvió a pensar.

—Sí —se obligó a decir—. ¿Por qué no iba a estarlo?

El resplandor de la luna no era suficiente intenso como para iluminar el empinado camino, pero Mike parecía conocer bien adónde se dirigían. De vez en cuando, en mitad de la pronunciada cuesta pedregosa, había un escalón hecho con troncos de madera que facilitaba el ascenso.

—¿Y pretendías que subiésemos aquí corriendo?

—Eh, podemos ir más despacio. Para. Espera.

Mike tiró de su mano, obligándola a reducir la velocidad.

—No, no. Era broma. Vamos.

Ella tropezó, sonrió cuando recuperó el equilibrio y le dio un empujoncito en el hombro para que siguiese avanzando. El último tramo era más plano y Rachel pudo recuperar el aliento antes de acercarse al mirador que había en la cima. Se inclinó hacia delante, sujetándose a la valla de madera y admirando el paisaje.

—¡Es precioso! —Contempló ensimismada las infinitas luces de colores que recorrían la ciudad como si deseasen formar nuevas constelaciones terrenales. Se distinguía el Transamerica Building y las vistas de la bahía de San Francisco eran espléndidas.

A su lado, Mike apoyó los antebrazos en la valla.

—¿Ha valido la pena? —preguntó.

—Ya lo creo. Se ve toda la ciudad...

—Casi toda.

Ella inspiró hondo como si desease cazar el aroma a pinos y tierra húmeda. Levantó la cabeza y descubrió un cielo solitario, sin apenas estrellas. Mike se movió a su lado, acercándose más.

—Cada vez hay menos —murmuró—. Mejor dicho, cada vez se ven menos.

—Es la contaminación lumínica...

—Supongo. —Se encogió de hombros—. Ya no importa.

—¿Has dejado de contarlas?

—Solo era una distracción. No servía para nada.

—Mike, has recreado un cielo en el techo de tu habitación.

—Ya, bueno, a veces todavía necesito distraerme. Pero ahora te tengo a ti. Y a tus pecas. —La miró de reojo.

Rachel frunció el ceño y se mordió la lengua, pero no pudo mantener la boca cerrada.

—Me alegra seguir siendo una distracción para ti —contestó sarcástica—. Hay cosas que nunca cambian.

—No lo decía en ese sentido, joder. ¿Cómo es posible que de cada cuatro frases que diga una esté mal? —Se dio la vuelta, apoyando la espalda en la valla de madera, y cruzó los brazos sobre el pecho—. Es como si hubiese algo entre nosotros que me impide llegar a ti. Una barrera. ¿Existe la posibilidad de que yo diga gris y tú escuches azul?

—¿Cuándo piensas dejar de hablar de utensilios de cocina? A nadie le interesa si la sartén es antiadherente. —Rachel rio y luego permaneció en silencio unos segundos—. Puede que tengas algo de razón. Solo *algo*, no te hagas ilusiones. Por lo general estoy un poco a la defensiva. Eso no quita que el hecho de que abras la boca suela ser un problema. Que lo es.

—Vale. —Mike asintió, sonriendo—. Retrocedamos. He dicho: «Pero ahora te tengo a ti. Y a tus pecas», de un modo positivo. Porque los dos sabemos que es algo concreto de ti que... me vuelve loco. —Calló al notar la incomodidad de Rachel y decidió cambiar de tema—. Pero sí, te he mentido. Sigo contando cosas. Cualquier cosa, en realidad. ¿Quieres saber cuántas rayas tiene *Elvis* en el lomo?

—*Mantequilla* —corrigió—. ¿Lo estás diciendo en serio?

—Claro. Tiene veinticuatro.

Él sintió que algo se sacudía en su pecho cuando el sonido vibrante de la risa de Rachel flotó en el aire. Era una risa sincera y despreocupada. No recordaba la última vez que la había hecho reír de aquel modo.

—No me lo puedo creer.

—No es mi culpa, tiene las rayas muy marcadas...

—¿Qué otras cosas has contado?

—Jason tiene seis lunares en la mano izquierda. Uno de ellos casi en la punta del dedo índice. Aunque creo que eso es inevitable verlo porque no deja de mover los dedos; me pone de los nervios. —Tamborileó sobre la madera imitando la manía de Jason—. Ayer, la buganvilla que trepa por la viga de la terraza, tenía cuarenta y seis flores púrpuras. Hay ciento trece cristalitos en la lámpara que cuelga del techo del comedor. Y cada azulejo de la pared del hornillo de la cocina tiene dieciocho uvas diminutas. —Se encogió de hombros—. También me gusta mirar las grietas del suelo del porche, pero hay demasiadas como para llevar la cuenta.

—¿Eres consciente de que estás loco? —emitió otra estridente carcajada. Mike estuvo a punto de decirle que ella seguía teniendo treinta y tres pecas, pero se contuvo—. ¿Y por qué sigues haciéndolo?

Rachel se dio la vuelta, dejando también atrás el paisaje nocturno de la ciudad de San Francisco.

—No lo sé. Manías. Me concentro en algo concreto...

—Y te olvidas de todo lo demás que hay a tu alrededor —concluyó ella.

Conocía bien esa sensación. Le pasaba al escribir y al leer. No eran solo *hobbies*, sino también formas de evadirse.

—Más o menos.

—Pero ya no tienes que ver a tu madre. Ni a Jim. Eso lo cambia todo, ¿no?

Mike frunció el ceño y giró lentamente la cabeza hacia ella.

—A estas alturas ya no importa demasiado. Cuando no se puede dar marcha atrás todo pierde un poco su valor, ¿no crees? No sé cómo deberían ser las cosas. Ni tampoco quiero pensarlo.

En cuanto ese tema salía a relucir, empezaba a agobiarse y se sentía atrapado, como si alguien le echase por encima una red. Notaba una leve opresión en el pecho, una especie de ansiedad que se esforzaba por controlar... Si no hubiese sido porque los dedos de Rachel se aferraron a su brazo, hubiese propuesto que se marchasen de allí. El contacto lo tranquilizó.

—¿Marcha atrás? Hiciste todo lo que pudiste por ella.

—No es solo eso, Rachel. Ha pasado el tiempo. Ya no me conoces tan bien como crees. —Inspiró hondo y buscó el brillo de sus ojos en la oscuridad—. ¿Cómo estás tan segura de que he sido una buena persona durante estos últimos cinco años? Dime.

—Simplemente lo sé. —Bajó el tono de voz—. Ellos nunca te merecieron. Ninguno de los dos. Y encima ahora los mantienes económicamente. Es injusto.

—No lo entiendes, no soy el mismo.

—Todos hemos cambiado, Mike. Pero sé que te preocupas por la gente que quieres, sé que no harías daño a propósito y que...

—Te lo hice a ti —la cortó—. Te hice daño. Y me gustaría poder culpar a mi padre de todas mis malas acciones, pero engañarse a uno mismo es estúpido y un sinsentido.

Rachel tragó saliva y apartó a un lado las emociones que se escabullían y salían del lugar donde las había enterrado para tomar protagonismo.

—No puedo creer que sigas llamándolo así. Siempre me pregunté por qué demonios lo llamabas «papá». —Habló con voz suave y baja, como si intentase acariciar a Mike con las palabras—. Nunca fue tu padre. Ya lo sabes. No le debes nada.

Él parpadeó confundido y luego bajó la mirada al suelo y removió con la punta de la zapatilla la tierra polvorienta y algunas piedrecillas.

Todavía era su debilidad, después de tanto tiempo...

No sabía por qué seguía siendo fiel a esa costumbre, pero sí recordaba el momento exacto en el que dejó de dirigirse a él como Jim para empezar a llamarlo «papá». A él no le gustaba que lo llamase por su nombre, se lo había dicho un millón de veces. Lo repetía sin cesar. Sin cesar. Pero Mike era un niño testarudo. Aquella tarde otoñal le había preguntado: «Jim, ¿puedo salir al jardín?» y su padrastro había apartado la vista del estúpido *reality* que emitían en la televisión al girar bruscamente la cabeza hacia él.

—¿Qué has dicho? —le preguntó con los ojos entrecerrados por el humo que escapaba del cigarrillo que colgaba de sus labios.

—Que si puedo ir al jardín. —Mike golpeó con el dedo la canica con la que estaba jugando y esta rodó por el suelo del comedor.

—No, antes. ¿Cómo me has llamado?

Se levantó del sofá beige con estampado de cerezas que su madre había tapizado el verano anterior, justo antes de que aquel hombre llegase a sus vidas.

—Jim —contestó secamente.

—¿Sí? ¿Así es como me llamo? —Se inclinó y lo cogió del brazo, clavándole las uñas en la piel—. ¡Vuelve a repetirlo! —bramó. El aliento le olía a alcohol.

Mike miró a su madre cuando la vio aparecer en el umbral de la puerta. Llevaba el corto cabello rubio perfectamente peinado en elaborados bucles que le daban un aire angelical. Ella se secó las manos con nerviosismo en el delantal de cocina rosa con sus relucientes ojos azules clavados en los de su hijo.

—Mike, por favor —rogó—. Dile cómo lo llamas en realidad. Vamos, hijo, pórtate bien. Por favor —volvió a suplicar, retorciendo los hilos del delantal entre sus dedos.

La mirada del niño se endureció. Presionó los labios antes de abrirlos para contestar.

—Jim. Te llamas Jim.

Fue testigo del momento exacto en el que algo hizo *clic* en la cabeza del hombre que tenía enfrente. Le clavó con más fuerza las uñas en la piel y se quitó el cigarrillo que sostenía en la boca.

—¿Así me lo agradeces? ¿Así me agradeces todo lo que hago por vosotros? —gritó fuera de sí—. Quién te trae la comida a casa, ¿eh? ¿Quién? ¡Maldito crío idiota!

Y sin darle tiempo a huir, hundió la punta del cigarro en la parte interna de su brazo. Mike nunca había sentido un dolor tan terrible. Era mucho peor que los arañazos o los golpes secos. Era desgarrador. Un grito se quedó atascado en su garganta. Quemaba. La piel se estaba quemando. Tenía los ojos anegados de lágrimas cuando Jim se apartó, lo lanzó al suelo y salió de la casa dando un portazo que retumbó en las paredes. Solo entonces su madre abandonó la seguridad de su posición distanciada y se acercó a él. Lo acunó entre sus brazos y lo besó en la frente.

—Ven, vamos, cariño. Te curaré —susurró mientras lo conducía por el pasillo hasta el baño y Mike intentaba no mirarse el brazo para evitar ver la carne viva de esa herida que dolía como mil demonios.

Desde ese momento, fue siempre «papá». Siempre. Nunca volvió a llamarlo por su nombre de pila.

Mike contempló ensimismado la mano de Rachel sobre su brazo, sin ejercer presión, como si hubiese caído allí accidentalmente. Observó el punto exacto donde él sabía que todavía estaba aquella cicatriz blanquecina con forma ovalada, ahora cubierta por la manga de la sudadera. Solo era uno de los tantos adornos que recubrían su piel.

—Eh, ¿no me respondes?

La voz aterciopelada lo sacó de aquel trance.

—¿Qué?

—Lo de tu padrastro —lo instó—. ¿Por qué no lo llamas Jim?

Intentó vislumbrar en la oscuridad algunas de las pecas que rodeaban su nariz, pero era casi imposible encontrarlas.

—Por costumbre —dijo y se encogió de hombros.

Ella apartó la mano, rompiendo el contacto, y se sujetó a la valla de madera, balanceándose hacia atrás, con la vista fija en el paisaje de luces.

Mike inspiró hondo.

Necesitaba respirar. Urgentemente.

Cerró los párpados e intentó apartar todos aquellos recuerdos que deseaba borrar de su memoria. Fijó los ojos en la chica que tenía al lado. Rachel había sido lo único bueno. Lo mejor de su vida, junto a Jason y Luke.

—¿Y tú? ¿Se puede saber por qué escribes con seudónimo?

—Escribo con el apellido de mi madre. A ella también le gustaba escribir, ¿sabes? Escribía poesía. Encontré un montón de papeles y cuadernos en el sótano de tía Glenda, en Seattle. Cuando supe que me publicarían, me pareció un buen homenaje. Es evidente que mi afición por la literatura no tuvo nada que ver con papá.

—¡Ni con tus amigos! —bromeó Mike y luego estudió su perfil en las sombras—. Aun así me gustaría poder leer algo tuyo. Si tú quieres, claro.

—Quizá más adelante.

—Vale —asintió con la cabeza—. Y no me importa que a Jason ya le hayas dejado hacerlo, eh. En absoluto. Para nada. —Rio—. Yo seré viejo cuando por fin ocurra el milagro.

—¡Sabes que es..., es diferente! —se defendió aturullada.

—Claro. Jason es muy bueno y yo soy muy malo. —Esbozó una sonrisa y alzó las cejas en alto—. Lo entiendo, no creas que no. El universo crea contrapuntos. ¿No dicen siempre cosas sobre equilibrio y el yin y el yang? Pues eso.

—No sabes de lo que hablas. —Rachel lo miró divertida.

—¿Qué más te da? Reflexiona un poco, pecosa. Incluso aunque me dejases leer algo tuyo, tardaría... no sé, un par de años en terminarlo. Puede que para entonces ya volvamos a estar enfadados. Sabes que no soy un gran lector.

—Oh, «qué guay». Qué malote.

Mike emitió una suave carcajada, pero se calló cuando Rachel lo pellizcó en el brazo.

—¡Ay! ¡Joder! Pero ¿qué haces?

Ella le sacó la lengua como si tuviese seis años, antes de echar a correr colina abajo. Mike sonrió animado y giró sobre sus talones, dispuesto a perseguirla. Apenas había luz. Apartó las ramas que entorpecían el camino de regreso y descendió rápidamente, ignorando la gravilla que arrastraban las zapatillas.

—¡Eh, pecosa! ¡Te vas a matar! Frena un poco.

Miró a su alrededor contrariado cuando dejó de distinguir movimiento frente a él. ¿Dónde demonios...? ¿Dónde demonios se había metido? Notó que el corazón le latía más rápido y se sujetó a la rama de un árbol mientras seguía caminado.

—¡Buuuuuu!

Rachel saltó sobre él por su espalda, consiguiendo que ambos perdiesen el equilibrio y cayesen al suelo a un lado del camino, sobre un montón de hojarasca seca y tierra húmeda.

—¿Has perdido la cabeza? —Mike tosió—. Maldita psicópata...

—Solo quería asustarte. —Rachel rio, notando las hojas crujir a su espalda cuando se dio la vuelta perezosamente—. Oh, Dios, ¡me duele el trasero!

—A eso se le suele llamar *karma*.

Mike se puso en pie y le tendió las manos para ayudarla a levantarse. Intentó ocultar la emoción que sintió al reencontrarse con esa Rachel risueña y divertida por la que él se había vuelto loco desde que la conocía. Ella aceptó su ofrecimiento. Tiró con fuerza y la puso en pie. Sonrió al observar su cabello pelirrojo revuelto; la perfecta trenza que colgaba a un lado de su hombro horas atrás estaba completamente deshecha. Sin pensar, alzó las manos y le quitó con cuidado las hojas que se le habían enredado en el pelo.

Rachel aguantó la respiración durante unos segundos. Estaba convencida de que, en medio del silencio de la noche, él podía escuchar los latidos profundos y secos de su corazón. Encogió el estómago en cuanto las manos de Mike abandonaron su cabello y descendieron por su rostro con una lentitud demencial. Tembló, aunque no estaba segura de si era por el frío o por su contacto.

—Tenías barro.

Le frotó una última vez la mejilla con el dorso de la mano.

—Ya. Gracias. —Se palmeó los vaqueros con torpeza, sacudiendo la arenilla—. Será mejor que volvamos. Hace frío. ¿Tú no tienes frío? —parloteó nerviosa—. Porque yo sí. Bastante.

—Ten, toma.

Ignorando sus protestas, se quitó la sudadera y se la tendió, quedándose con la camiseta blanca de manga corta que llevaba debajo.

—No. Te he dicho que no.

Cogerla, ponérsela y tener que caminar con su aroma mentolado adherido a la piel. Eso era una tortura.

—¿Me vas a hacer ponértela con mis propias manos? Porque créeme, puedo hacerlo.

Cuando dio un paso amenazante hacia ella, se decantó por la opción menos peligrosa.

—Bien, dámela —cedió y le arrebató la prenda de las manos, antes de expulsar el aire que había estado conteniendo—. ¿Seguro que tú no tienes frío?

Mike la miró bajo la fúlgida luz de la luna.

—Lo que tengo es calor. Mucho calor.

—Vale. Genial. —Tenía un nudo en la garganta porque esa voz y ese tonito burlón...—. Será mejor que volvamos a casa.

17

Los lunes por la noche apenas solían acudir clientes a *Penny's House*. Rachel pronto adoptó la costumbre de dejarse caer por allí algún que otro día entre semana. En primer lugar, porque podía cenar gratis cosas normales y no la comida grasosa que Renata le preparaba constantemente (le había pedido que dejase de hacerlo, pero la mujer no atendía a razones. Según ella estaba en los huesos, al borde de la muerte). En segundo lugar, porque le encantaba escuchar las aventuras y desventuras que Jimena siempre le relataba de sus relaciones pasadas y de cómo había sido su infancia en México antes de llegar al país junto a sus abuelos cuando tenía siete años. Si algo le gustaba hacer, sin duda era hablar. De hecho, tenía la insólita capacidad de poder hacerlo también cuando masticaba y casi mientras tragaba.

Rachel se dejó caer en uno de los taburetes de la barra y depositó la chaqueta en el contiguo. Como había supuesto, el local estaba vacío aunque no cerraba hasta las diez.

—¿Qué tal tu día? —preguntó Jimena mientras limpiaba unas gotas de café que había sobre el mostrador—. Espero que mejor que el mío. ¡Un estúpido mocoso maleducado me ha pegado un chicle en el pelo! ¡He tenido que cortarlo! ¿Ves el trasquilón? ¿Lo ves? —gritó, sosteniendo el mechón de cabello entre los dedos.

La miró dubitativa.

—No, no veo nada.

—¡Pues está ahí! ¡Me falta un trozo del maldito pelo! ¡Es mi pelo!

Rachel rio despreocupadamente, pero cerró la boca en cuanto advirtió el rostro enfadado y serio de Jimena. No podía evitarlo. El acento latino la hacía sonreír, hablaba de una forma melodiosa, encadenando unas palabras con otras y con una pronunciación cortante y brusca.

—No tiene gracia —protestó, con las manos en las caderas y alzando el mentón orgullosa—. Te había guardado espaguetis con albóndigas para cenar, pero creo que no te los mereces.

—Oh, ¡haberlo dicho antes! —Rachel sonrió—. ¿Prefieres que te diga que se te nota el trasquilón?

—Sí.

—Pero será mentira.

—Como sea, pero dímelo. Así no me sentiré culpable insultando a ese niñato. Creo que no tenía más de tres años. Eso me hace sentir violenta.

—¡Todo sea por un par de albóndigas! —Suspiró hondo y luego habló en tono monótono—. Te falta un trozo de pelo. Y se ve a kilómetros de distancia.

—Eh, ¡tampoco te pases!

Le dio un pequeño manotazo antes de coger el plato repleto de pasta con tomate que había al otro lado y meterlo en el microondas.

—Cuéntame, amor, ¿no ibas hoy a visitar ese apartamento nuevo?

—Sí. Jason me ha llevado esta mañana.

—¿Y bien?

Jimena abrió un paquete de rosquilletas saladas y la miró alzando una ceja en alto.

—No estaba mal. Era... era aceptable.

—¿Te vas a mudar entonces?

—Antes tengo que pensarlo.

—¿Qué es eso que tienes que pensar? Hace unas semanas dijiste: «Necesito salir de esa casa cuanto antes». No sonaba muy bien.

Al parecer, decía muchas cosas estúpidas. Se reprendió mentalmente. Eso era lo que ocurría en cuanto alguien decidía abrirse a otra persona. Las palabras dichas solo creaban cabos sueltos en la trama de su caótica vida. No le gustaba tener que rendirle cuentas a nadie, ya era suficiente difícil y duro justificarse ante sí misma.

—¿Y si me arrepiento? Quiero decir, es posible que Jason encuentre un piso mejor esta próxima semana. O la que viene.

Jimena sacó el plato de espaguetis del microondas y lo dejó con un golpe seco sobre la barra. Le tendió un tenedor y un cuchillo.

—Tienes razón. O a lo mejor dentro de una semana ya te has decidido sobre ese chico. Todo puede pasar.

—¿Quién ha hablado de ningún chico?

Emitió una risa estrangulada.

—¡No hace falta que hables, amor! Se te nota. Mírate, ¿de qué te ríes ahora? *Pobre niña loca* —parloteó en castellano.

Rachel negó con la cabeza, enrolló los espaguetis en el tenedor y se llevó un bocado enorme a la boca. Los cortó con los dientes, incapaz de engullirlos todos de golpe. Llevaban cebolla. Esos eran sus preferidos.

—Increíbles. —Habló con la boca llena—. ¿Por qué cocinas tan bien?

—Mi abuela me enseñó. —Mordisqueó una de sus rosquilletas—. ¡Pero no me cambies de tema! Ya sé que eres una de esas chicas desconfiadas, pero, créeme, no tengo intención de aparecer en tu casa con un hacha en la mano. A no ser que no me cuentes tu historia con ese chico. Entonces sí.

La miró mientras bebía agua. No estaba segura. No quería. Pero sí quería. Últimamente todas sus decisiones eran poco firmes y sus sentimientos e ideas se tambaleaban, frágiles y asustadizos.

—¿Para qué quieres saberlo?

—Somos amigas, ¿no? ¿Por qué otra razón si no ibas a venir aquí día sí y día también a charlar conmigo? Estoy bastante buena, pero no es para tanto... —Meditó, bajando la vista para mirarse el pronunciado escote.

—¿Somos amigas? —Rachel la miró seria.

—¿Me lo estás preguntando de verdad? —Se llevó una mano a la cadera—. ¿Cuál es tu problema, amor? ¿Te golpeaste la cabeza al nacer?

—Algo así. —Se encogió de hombros y le sonrió.

—¿Te he dicho ya que eres muy rara?

—Unas veinte veces —contestó al azar. Si fuese Mike seguro que hubiese podido decir el número exacto. Emitió un suspiro lastimero y dejó el tenedor a un lado—. Él es... es diferente. Me hace sentir diferente. Cuando está cerca, si me dejo llevar, me olvido de cómo debería ser y me comporto como creo que soy... no sé. —Toqueteó con los dedos el borde de la servilleta de papel, incapaz de sostener la mirada inquisitiva de Jimena—. Pero no confío en él. Y eso hace que todo lo demás, la parte en la que puedo ser yo misma, quede en un segundo plano. No es importante. No puedo dejar que lo sea. ¿Me entiendes?

La joven morena la observó fijamente durante casi medio minuto.

—¿Te digo la verdad? ¡Ni *pajolera* idea de lo que hablas!

Frunció el ceño.

—¿Ves? ¡Por eso me caes bien!

—A ver, deja que me aclare. —Jimena cogió una lata de refresco y tiró a la basura el paquete vacío de las rosquilletas—. Te gusta uno de los tres chicos con los que vives, ¿hasta ahí voy bien?

—No, porque no me gusta.

—¡Me mareas!

—¡Es que no es tan sencillo como decir «me gusta» o «no me gusta»! Se trata de algo mucho más complejo... los sentimientos no pueden definirse de un modo tan simple. No es justo para ellos. Para los pobres sentimientos, quiero decir.

—Vaya, debe de ser un infierno estar en tu cabeza, amor. Te compadezco. —La miró con lástima—. ¿Podemos dejarlo en que el tío está bueno? ¿Te pone cachonda?

Rachel alzó la mirada al techo y luego volvió a bajarla.

—Bueno, vale, quizá podríamos dejarlo en algo así.

—No será ese chico que a veces va a correr contigo, ¿verdad?

—¡Claro que no! —Rachel negó con la cabeza y dejó caer las manos con desgana sobre su regazo—. Vale, sí, es él.

—Ah... —Se llevó un mechón tras la oreja mientras se relamía los labios y sonreía—. Haberlo dicho antes. Ya comprendo lo de que te ponga cachonda.

—Déjate de bromas.

—¿Quién ha dicho que esté bromeando? No estoy ciega, tengo ojos, me gusta mirar las cosas bonitas... —admitió—. Espero que tengas una buena razón para estar ahora mismo aquí, comiéndote esa albóndiga, y no en su cama disfrutando de esta vida corta.

Rachel tragó otro bocado de pasta y se limpió con la servilleta.

—Creo que no eres consciente de que no estás colaborando demasiado. Reconozco que no sé mucho del tema, pero tenía entendido que las amigas se ayudaban entre ellas. Pensaba que me dirías cosas como que no me merece, o que puedo aspirar a algo mejor, o que... no sé, cualquier consejo estúpido y obvio.

—¡Y lo haría si hubiese algún problema! —Jimena la miró divertida y con la cabeza ladeada—. ¿Por qué no sales con ese *papacito*? Haríais buena pareja.

—Una, si vuelves a llamarlo *papacito* me pegaré un tiro en la sien. Dos, ya salí con él cuando tenía dieciocho años y me engañó con otra —confesó—. Ya está. Ya lo he dicho. Esa es la historia.

Enrolló unos cuantos espaguetis más y se los metió en la boca sin ningún tipo de delicadeza. No iba a hablarle también de la inesperada muerte de su padre, ni del hecho de que ocurriese la misma noche que había descubierto a Mike entretenido en la cama con una desconocida.

Cuando estaba con alguien más todavía se sentía como una pequeña hormiguita frente a un huracán. Contarlo todo, abrirse sin reparos, era como sacudir una mochila con fuerza hasta que no quedase nada en su interior.

Además, deseaba separar los dos sucesos que habían acontecido. De verdad que quería. Pero sin duda Mike y su padre estaban unidos por un hilo muy fino e inquebrantable; lo había perdido todo en apenas unas horas. Toda su vida al traste. Su familia. Sus amigos. La universidad. Sus expectativas y sueños. En cierto modo, fue como volver a nacer, reinventarse, empezar desde cero.

Una de las razones por las que le gustaban los gatos era porque siempre, con independencia de vivir bajo un techo y tener una manta calentita sobre la que tumbarse, siempre siguen manteniéndose alerta. No bajan la guardia. No se arriesgan a salir mal parados. Más que nada en el mundo, desean sobrevivir.

Cuando tropezó con *Mantequilla* aquella noche lluviosa, al regresar a casa tras ir a por un poco de comida china para llevar, vio algo en sus ojos brillantes que la sacudió por dentro. Estaba solo, al lado del cubo de la basura, en una pequeña caja de cartón. Su única compañía era un frasco de mantequilla sin tapa a medio acabar y tenía el rabo manchado de la sustancia amarillenta. Ella lo observó durante un largo minuto, a la espera de que el pequeño gato maullase o hiciese algo, cualquier cosa. Pero él tan solo la miraba en silencio, de reojo, ovillado para protegerse del frío. Era como si no quisiese pedir ayuda. Como si se hubiese resignado a que su destino no fuera aquella húmeda caja.

Rachel comprendió entonces que no siempre pedimos ser rescatados, incluso aunque sea evidente que lo necesitamos.

Ella estaba sola. Y el gato también. Si se mantenían unidos, ninguno de los dos volvería a estarlo.

El animal no protestó cuando lo cogió. Estaba helado. Agarró con fuerza las bolsas de comida china en una mano y con la otra acunó al gato contra su pecho; era poco más grande que el tamaño de su puño abierto. Bajó la cabeza para mirarlo. «Me gusta tu pelo, aunque esté lleno de mantequilla», le dijo. Y después comenzó a caminar calle abajo directa hacia su diminuto pero acogedor apartamento.

Jimena dio unos golpecitos en la barra con los dedos para llamar su atención.

—Así que te engañó hace como un millón de años, cuando los dinosaurios existían, y *Piecito* todavía buscaba a su mamá —parloteó.

—¿De qué hablas? ¿Piecito?

—Unos dibujos animados.

—Y luego soy yo la rara —suspiró con resignación—. Escucha, a algunas personas no nos gusta que nos hagan daño.

Jimena apartó el plato ya vacío.

—¿En serio? ¡Qué extraño! ¡A mí me encanta! —ironizó.

—Me refiero a que... —se mordió el labio inferior—, no me es fácil olvidar. Tengo ciertas cosas grabadas en la memoria y no puedo simplemente ignorar que están ahí. Odio mentirme a mí misma.

—Necesitas tiempo.

—Ya he tenido mucho tiempo...

Puede que si no se hubiese encerrado tanto hubiese superado sus miedos y problemas. Ni siquiera sabía deshilachar los nudos que encontraba en su mente y saber con claridad qué era lo que debía superar. Lo único que podía afirmar era que mirar a Mike dolía. Dolía de un modo raro. Y a él lo sentía muy cerca y, al mismo tiempo, muy lejos. Era una estupidez. Todo lo que pensaba últimamente eran estupideces. Y pensaba demasiado, pero no en cosas útiles o productivas.

—¿Y tú? —La miró con curiosidad—. Lo que comentaste de tu hermano hace unas semanas... —Tanteó—. ¿Qué fue lo que te hizo?

Jimena negó con la cabeza. Cogió una bayeta y comenzó a limpiar la barra y los alrededores, como si no soportase tener las manos vacías y estar quieta.

—No fue lo que me hizo, fue lo que se hizo a sí mismo. Eso es lo que más me dolió.

—Entiendo. —Rachel asintió con la cabeza—. No tienes por qué contármelo. —Se giró y comenzó a coger su chaqueta del taburete que había al lado. Ya eran casi las diez, la hora de cerrar.

—Espera —dijo—. No soy como tú. No creo que todos sean malas personas. No creo que deba esconderme y protegerme de los demás constantemente. Y no creo que vayas a ser feliz si no empiezas a confiar en el mundo que te rodea porque, te guste o no, formas parte de él —concluyó con dureza—. ¿Sabes todo lo que te estás perdiendo por tener miedo? El miedo no conduce a nada bueno. El miedo solo es represión. Yo no tengo nada que temer y me gusta compartir lo que siento, sea bueno o malo. Es lo justo. Dar aquello que tienes. Apostar por las personas que crees que valen la pena. —Hizo una pausa—. Héctor está en la cárcel. Tráfico de drogas. Lo pillaron hace unos años. Yo no sabía nada.

Rachel permaneció en silencio. Muda.

—Antes de eso, creía que estábamos muy unidos, que no solo era mi hermano sino también mi mejor amigo... —explicó, arrastrando un poco las palabras al hablar—. Es cierto que en el último año nos habíamos distanciado un poco. Nada realmente importante. Pero cuando pasó aquello... me di cuenta de que no lo conocía como creía. Él no había confiado en mí. No me contó que tenía problemas con una banda ni que les debía dinero. Podría haberle ayudado, ¿sabes? Solo tenía que habérmelo pedido...

—No todo el mundo sabe pedir ayuda.

Jimena la miró con una mezcla de incomodidad y ternura.

—Ya lo sé —apostilló—. ¡Héctor es tan testarudo como tú! Me recordaste a él en cuanto entraste el primer día en la cafetería. Tan esquiva pero tan cercana a un mismo tiempo... —Entrecerró los ojos—. Qué contradicción.

Rachel se limpió el sudor de la palma de la mano en los vaqueros.

—¿Sigue en la cárcel?

—Le quedan siete meses de condena.

—Entonces ha pasado lo peor... —dijo, en un intento algo torpe de buscar el lado positivo. Necesitaba quitarse ese mantra de la cabeza. No siempre había un lado positivo. No.

—¡Lo peor llegará cuando salga y no estemos separados por un cristal! —exclamó y luego rio—. ¡La que le espera a ese *güey*! Pienso despedazarlo con mis propias manos, ¡por inútil!

—No lo dudo —sonrió.

Jimena miró la chaqueta que colgaba del brazo de la pelirroja.

—¡Madre mía! ¡Estás deseando huir! ¡Ni que hubiésemos estado hablando de adoptar un hijo juntas! Te preguntaría si quieres que te acerque, pero deduzco que no.

—¡No intento escapar! —se quejó—. Es solo que es tarde. Pero sí, prefiero volver dando un paseo.

Rachel se puso la chaqueta finita y deportiva que le había robado a Luke unas horas atrás. Cuando escarbaba en el montón de la ropa limpia solía echar un vistazo a las prendas de los chicos, aunque siempre evitaba coger cosas de Mike.

Jimena se contuvo para no reír.

—*Ándale*, ¡vete!

Caminó en silencio por las calles solitarias e iluminadas de la urbanización. Cuando pasó por la casa de Natalie, se puso de puntillas para intentar vislumbrar el interior, pero las luces del comedor estaban apagadas, tan solo había una ventana encendida en el piso superior y adivinó que sería la de la habitación de la pequeña.

Permaneció unos segundos quieta sobre la verja de aquella casa, antes de continuar avanzando calle abajo. Existían muchos tipos de soledad. Y suponía que la de estar rodeada de un montón de personas pero sentirse aislada debía de ser una de las peores.

No había nadie en el salón de casa. Alzó la vista hacia la escalera cuando escuchó las voces y las risas de los chicos. Fue a la cocina y se preparó un vaso de leche mientras *Mantequilla* se esforzaba por derribarla, frotándose entre sus piernas una y otra vez, exigiendo más comida.

Se agachó frente al animal y le rascó bajo la barbilla.

—Lo siento gato. Lo hago por tu bien —le susurró, sintiéndose culpable—. Pero necesitas adelgazar. Me lo agradecerás dentro de unos años.

Después, con el vaso en la mano, subió hasta el piso superior y entró en la habitación de juegos. Luke estaba sentado en el sofá, frente a la enorme televisión, con el mando de la videoconsola entre las manos, aporreando los botones frenéticamente. Jason y Mike jugaban una partida al billar. Este último alzó la mirada cuando la vio entrar y le sonrió. Una sonrisa sincera, de esas que le encogían el corazón.

Ay. Necesitaba volverse inmune a sus sonrisas.

—Hola, mi querida cliente inconformista —bromeó Jason.

—Hola, mi amigo desleal que ha visto *Her* sin mí.

Había ocurrido dos días atrás. Rachel se había quedado dormida a mitad de la película y Jason había roto su estricto código de cinéfilos al no pararla y continuar viéndola. Era un traidor.

—¡Estaba muy interesante! —arguyó.

Le lanzó un almohadón a Jason antes de sentarse en el sofá con las piernas encogidas, junto a Luke.

—¿Por qué nivel vas?

—Nueve —contestó, sin apartar los ojos de la pantalla—. Ayúdame. Estate atenta a cuando la carga esté a tope.

—Hecho.

Observó el piloto rojo que había en una esquina donde se veía la energía del arma que se iba recargando poco a poco. Bebió un trago de leche y luego sostuvo el vaso entre sus manos, agradeciendo el calor que desprendía.

—Luke, no vas a conseguirlo... no vas a poder saltar por encima de... —Se calló cuando el muñequito que se veía en la pantalla se alzó sobre una enorme roca—. ¡Te persiguen! ¡Te van a pillar! —Le zarandeó el hombro con una mano—. ¡Corre, corre Forrest!

Jason rio al escuchar la frase de la película. Luke se giró a un lado como si el mando a distancia realmente captase el movimiento corporal, pero el mensaje «Game over» apareció en la pantalla y quebró sus esperanzas.

—¡Puta mierda! —lanzó el mando sobre la mesita auxiliar.

—Déjame a mí.

Mike se hizo un hueco entre Luke y Rachel, donde apenas había espacio, consiguiendo que todos estuviesen muy, muy juntos. Ella apartó la mirada de la pantalla y fijó la vista en la piel morena de su brazo; llevaba la camiseta negra remangada, dejando al descubierto el hipnótico movimiento de sus músculos al contraerse cada vez que se movía.

—¡Maldita sea! —protestó, absorto en el juego.

Rachel se giró hacia Jason, que no había dejado de observarla, apoyado levemente en uno de los tacos del billar. Ella se removió con incomodidad; estaba convencida de que habría notado que no había mirado la partida ni una sola vez. Se terminó la leche, le sonrió e intentó desviar su atención.

—Necesito saber dónde puedo coger un autobús para ir a Fisherman's Wharf desde la urbanización sin tener que hacer cientos de transbordos. Ninguna de las tres paradas que hay en la zona comercial tiene esa ruta, ¿cómo es posible?

—Porque el noventa por ciento de la gente que va a Fisherman's Wharf son turistas a los que no se les ha perdido nada en este barrio, y el resto son personas normales con coche propio. Conducen y esas cosas raras —contestó Mike, sin soltar el mando de la videoconsola.

—¿Por qué necesitas ir allí? —preguntó Jason.

Sostenía la bola de billar blanca en la mano derecha y no paraba de hacerla girar entre sus dedos. Rachel observó la mano de su amigo y descubrió que sí, en efecto, tenía seis lunares y uno de ellos estaba en la punta del dedo índice. Era gracioso. Como si se hubiese perdido entre tanta piel y hubiese ido a parar a aquel lugar recóndito.

—Algunas de las escenas del final de la novela que estoy escribiendo trascurren allí. Me gustaría poder describirlo al detalle y hace mucho tiempo que no voy. Además, me apetece salir, creo que me vendrá bien.

Mike le pasó el mando a Luke sin mediar palabra, a mitad de la partida, y se giró hacia ella en el sofá, rozándole la pierna con la rodilla.

—Yo te llevaré —dijo—. ¿Cuándo quieres que vayamos?

—Pues ya está todo aclarado.

Jason sonrió ampliamente y lanzó con la mano la bola sobre la mesa de billar. Se produjo un sonido hueco cuando esta se coló por uno de los agujeros.

18

Se colgó en el hombro la cartera donde llevaba el ordenador portátil, junto a un par de libretas y algunos bolígrafos, por si acaso. A veces le agobiaba teclear y sentía la pantalla fría y distante, de modo que recurría al papel.

—¿Estás lista?

Mike asomó la cabeza por la puerta.

—Sí. Creo que lo llevo todo... —Le echó un vistazo rápido a la habitación y se detuvo en la puerta inferior del armario, dubitativa—. Bueno, espera. Me falta una cosa.

Él emitió un suspiro de fastidio.

—Cuando lleguemos a Fisherman's Wharf seré viejo.

Rachel lo miró desde el suelo, donde estaba arrodillada, frente a la puerta entreabierta de madera de pino.

—¿Sabes? Iba a darte algo, pero no sé si te lo mereces.

—¿El qué? Eh, pecosa, no seas mala. Sabes que me pierden las sorpresas.

Se inclinó a su lado y ella le tendió un ejemplar de su novela. Mike lo cogió con cuidado, como si fuese algo valioso y trazó con la punta del dedo índice las letras en relieve donde se leía su nombre: Rachel Collins. Sonrió y alzó una ceja en alto cuando la miró.

—¿De verdad? ¿Me dejas leerlo?

—Sí. Te lo regalo.

Él lo abrió por la primera página y leyó las dos líneas que había escritas en cursiva: «Para papá, mamá... y todos aquellos que quedaron atrás». Había cierta tensión en su mandíbula cuando volvió a levantar la cabeza y a fijar sus ojos grises en ella.

—¿Nos vamos? Se está haciendo tarde. —Rachel le sonrió—. Y no quiero que te hagas viejo. Dicen que las canas son sexis, pero tengo mis dudas...

Mike la siguió en silencio escaleras abajo. Tanto *Mantequilla* como Renata los acompañaron hasta el exterior y ambos permanecieron en un lado del jardín mientras el coche arrancaba y la puerta automática se abría lentamente.

Mantequilla comía un par de hierbajos que habían crecido entre las juntas del camino de piedra y Renata los despedía con una de sus manos ondeando en lo alto. Se había empeñado en que se llevasen un par de bocadillos; Rachel se sintió tan acorralada que finalmente los había aceptado.

—¿Crees que Renata me odia? —preguntó, cuando dejaron atrás la casa y comenzaron a recorrer las calles de la urbanización.

—Qué va. Lo único que desea es engordarte como a un pavo de Navidad, nada más.

Estaban en un semáforo en rojo. Mike se inclinó de improviso hacia ella y Rachel encogió el estómago y se apartó hacia atrás como si fuese un asesino con una sierra eléctrica en la mano. Él la miró con el ceño fruncido.

—Solo quería abrir la guantera.

—Ah. Vale, lo siento. Espera.

La abrió. Mike suspiró hondo y sacó un par de CD. Permaneció pensativo mientras sonaba *Rape me* de Nirvana, pero se mostró más animado cuando se escucharon los primeros acordes de *Wonderwall*. Rachel sonrió al verlo cantar y se estremeció cuando, sin dejar de hacerlo, la miró: «*There are many things that I would like to say to you. But I don't know how. Because maybe, you're gonna be the one that saves me. And after all, you're my wonderwall*».

—¿Vamos a escuchar tu música durante todo el trayecto? —tanteó.

—Sí. Mi coche, mi música.

Rachel bajó la ventanilla.

—Esa es una norma estúpida, pero ¿recuerdas el primer día que llegué aquí?

—Di lo que sea que estés pensando.

—Me dijiste: «Lo mío es tuyo».

—Ah, listilla... —La miró de reojo, con una sonrisa ladeada—. ¡Total, ya estabas en mi cuarto, escarbando entre mis cosas! No perdía nada.

—Bueno, conclusión, que me acojo a tus palabras. Tenías razón. Lo tuyo es mío. Y ahora deja que ponga la radio. Mi radio.

Se inclinó, tirando del cinturón de seguridad, con la intención de buscar alguna cadena de música actual. Mike fue más rápido y retuvo su muñeca con suavidad.

—Pecosa, no juegues con fuego si no quieres quemarte —le advirtió, y a ella le pareció extrañamente seductor el tono de su voz.

—No puedo quemarme, mi segundo nombre es «Icegirl».

—El fuego derrite el hielo.

—Te congelaría antes de que pudieses rozarme siquiera.

Mike sonrió, le soltó la mano y volvió a colocar la suya en el volante.

—Pídeme lo que quieras, menos que escuchemos esa música... perdón, ruido, que a ti te gusta. Tengo los tímpanos sensibles.

—Lo que quiera, ¿eh?

Él alzó una ceja con gesto travieso.

—¿Estás pensando en maldades, pecosa?

—No en el tipo de maldades que a ti te gustarían. —Volvió a subir la ventanilla—. Está bien. Escucha tu música. Me debes un favor. Ya me lo cobraré más adelante.

—Siempre has sido como una ratilla, ¿sabes? —bromeó con los ojos fijos en la carretera—. O una hurraca. Lo que prefieras. Te gusta tener un seguro de vida, algo que te cubra la espalda. ¿Nunca has probado a saltar al vacío sin más? Sin paracaídas, sin nada.

—Eso sería una estupidez —bufó—. ¿Por qué iba a arriesgarme a morir pudiendo tener unas cuerdas que me sostengan en caso de emergencia? Yo lo llamo «inteligencia», tú lo llamas «no arriesgar».

—También lo llamo aburrimiento… —masculló por lo bajo y, dando la conversación por zanjada, volvió a subir el volumen de la música al máximo, ignorando la mirada furiosa de la joven.

Hacía un día soleado y el cielo era azul, completamente azul. Sonaba *Sweet Home Alabama* de fondo y tenía a la chica de sus sueños sentada en el asiento de al lado. Por una vez, el mundo era perfecto. Totalmente perfecto.

Rachel se relajó viendo pasar las calles de San Francisco a través del cristal de la ventanilla. Odiaba conducir, sí, pero le entusiasmaba ir en coche, ver el mundo en movimiento, sentir que no permanecía estática en un punto concreto, sino que avanzaba.

Le encantaba aquella ciudad. Mientras que Seattle era lluvia y un cielo encapotado y frío, San Francisco era variedad, sol, viento y gente, mucha gente por todas partes.

—Ya casi hemos llegado —anunció cuando divisó a lo lejos el mar.

—Sí. —Condujo más despacio—. ¿Emocionada?

—Más bien concentrada. Quiero aprovechar el día.

Tuvieron que andar unos veinte minutos para llegar al antiguo puerto de San Francisco. El suelo estaba recubierto por vigas de madera oscura que crujían de un modo encantador al pisar sobre ellas. Casas pequeñas y preciosas, engalanadas en tonos pastel, se recortaban frente al mar. Las gaviotas graznaban y planeaban sobre el agua en calma que brillaba bajo el reflejo del sol matinal.

—Es el mejor lugar del mundo.

—No te pases, pecosa.

—¡Lo digo en serio! —Dio un pequeño saltito mientras se adentraban más en el paseo del puerto—. ¿Cómo puede no gustarte?

Se encogió de hombros.

—Hay cosas que me gustan más —le sonrió travieso—. Tú, por ejemplo.

Rachel le dio un codazo juguetón y contempló ensimismada los barcos frente al muelle que formaban una fila recta y perfecta, cada uno de un color, cada uno con un nombre y una historia detrás. Sacudió la cabeza e intentó centrarse en lo importante.

—Vale, luego tenemos que ir a ver a los leones marinos, pero antes será mejor que adelante un poco. Podría sentarme en esa cafetería de ahí. —Señaló las mesitas de madera que había a unos metros de distancia—. Y tú puedes... no sé, ¿dar una vuelta? ¿Qué se supone que vas a hacer mientras trabajo?

—Mirarte.

—En serio —siseó—. ¿Has planeado algo?

—Tranquila, pecosa. —Del maletín del ordenador, que se había ofrecido a llevar al bajar del coche, sacó el ejemplar de su novela—. Soy un tío previsor.

—¿Pretendes leerlo delante de mí?

—Claro.

—Es algo incómodo.

—Quiero leer.

—La frase suena muy rara saliendo de tu boca.

—En serio, voy a leerlo. No discutas. Pierdes el tiempo.

Maldiciendo por dentro lo siguió hasta una acogedora cafetería. Una enredadera con diminutas flores blanquecinas trepaba por la pared principal, formando sinuosas y retorcidas formas en su empeño por dirigirse hacia el techo a dos aguas.

Se sentaron en la terraza. Rachel pidió un café con leche tamaño grande y Mike pidió todo lo que tenían en la despensa como si desease arruinar a los pobres propietarios.

—Tostadas, beicon, fruta, huevos y tortitas, ¿en serio?

—Totalmente.

—Eres consciente que lo de las tortitas y las tostadas es una contradicción, ¿no?

—¿Por qué?

—Porque las dos cosas son lo mismo: harina.

—Me gusta la harina, entonces.

El brillo de sus ojos grisáceos parecía más intenso de lo normal bajo el suave reflejo del sol. Llevaba puesta una sudadera gris oscura, unos vaqueros y deportivas. A Rachel le ponía nerviosa que pudiese estar tan impresionante cogiendo lo primero que pillaba del armario.

Mientras la camarera les servía el desayuno, recorrió con la vista la mandíbula varonil recién afeitada y los labios finos y entreabiertos; tenía una diminuta cicatriz en el superior, una línea blanquecina de menos de un centímetro. Tampoco su nariz poseía unas proporciones totalmente simétricas, se entreveía una leve desviación si te fijabas con la suficiente atención. Dedujo que se la habría roto años atrás porque recordaba que cuando era pequeño la tenía recta.

—¿Qué miras? —Mike masticó el primer bocado con ganas.

—Nada. Solo pensaba —carraspeó, aclarándose la garganta—, pensaba en lo que tengo que escribir.

Apartó el café con leche a un rincón de la mesa (ahora abarrotada por la comida de Mike), sacó el ordenador del maletín y lo encendió. Bajo la curiosa mirada de él, abrió el documento de la novela y releyó lo que había escrito dos días atrás con la intención de retomar el hilo. Después, comenzó a teclear.

«La cúpula del cielo estaba pintada con un tono añil que se tornaba violeta al curvarse hacia el horizonte. Agatha, tumbada en mitad de la carretera, parpadeó confundida; tenía los músculos agarrotados y...»

Cuando terminó de almorzar, Mike apiló los platos produciendo un molesto tintineo y abrió el libro por la primera página. Volvió a leer la dedicatoria antes de avanzar hasta el prólogo. Rachel respiró hondo, distraída de su tarea. No podía ignorar la inquietud que la embargaba al verlo ahí leyendo, sentado frente a ella, con las piernas estiradas bajo la mesa (tocando las suyas de vez en cuando por «accidente»). En cierto modo, era como si le estuviese permitiendo entrar en su cabeza.

Los débiles rayos del sol arrancaban destellos más rubios a su cabello castaño alborotado por la brisa del mar. Mike tenía un atractivo especial cuando estaba relajado y en paz. Sacudió la cabeza, rompiendo aquel hechizo momentáneo.

—¿Qué? ¿Qué opinas? —preguntó con brusquedad.

Él tardó un instante en apartar los ojos del papel y fijarlos en ella con extrañeza.

—Llevo dos párrafos. —Alzó el libro, como destacando lo evidente.

—Vale. Pues tendrás una opinión de esos dos párrafos.

—Eh, no sé. Estoy orgulloso de ti. ¡Son un montón de páginas! —añadió girando el ejemplar y mirándolo desde diferentes ángulos.

—Gracias. —Rachel le dedicó una sonrisa tierna—. Yo también me siento orgullosa de ti, ¿no te lo había dicho? Me alegra ver que has, ya sabes, que has seguido hacia adelante. En la dirección correcta.

—La dirección correcta... —Mike saboreó aquellas palabras, como si estuviese meditándolas. Después la miró fijamente—. Tuve que tomar desvíos no tan correctos para llegar hasta aquí.

—Todos lo hacemos.

Él tenía en la punta de la lengua la verdad, su verdad, la pieza del puzle que Rachel todavía no poseía, pero la intención de dársela se desvaneció. Fijó de nuevo la vista en el libro y continuó leyendo en silencio, esforzándose por no pensar en todo lo que había estado a punto de decirle. Cinco minutos más tarde, cuando ya había logrado concentrarse al fin, ella lo interrumpió otra vez. Mike emitió un bufido de fastidio.

—¿Recuerdas que me debes un favor por lo de la música?

—Sí...

—Pues ha llegado el momento de cobrármelo. Necesito que te vayas a otra mesa —pidió—. No puedo centrarme en lo que estoy haciendo si te tengo... si te tengo...

—¿Tan cerca?

—Algo así. Tan cerca y leyendo, quiero decir.

—Vale.

Él se levantó y se sentó a tres mesas de distancia. Desde esa posición podía mirarla todo lo que quisiese y sin que ella se percatase; la forma en la que el viento sacudía su cabello recogido, el balanceo sutil de los hombros mientras escribía y el movimiento rítmico de su pierna golpeando el suelo una y otra vez. Contó las veces que lo hacía y, cuando llegó al número cincuenta, apartó la vista y continuó leyendo la novela.

Rachel se dio cuenta de que llevaba un buen rato escribiendo cuando la camarera volvió a salir y le sirvió un segundo café con leche. Le dio un trago y alzó la mirada; las gaviotas volaban en círculos y se zambullían en el agua con decisión en busca de peces, para salir después y sacudir las alas con fuerza. Era una visión extrañamente hipnótica. Siempre le habían gustado las cosas que volaban: los aviones, los pájaros, las hojas secas que el viento arrastraba, los globos de helio cuando era pequeña... Cuando bajó la vista, Mike volvía a estar frente a ella. Sostenía su primera novela abierta en la mano derecha y (como halago para ser un lector más que principiante) había avanzado bastante.

—¿Qué haces aquí? Todavía no he terminado.

—Ya, pero me he tropezado con una escena muy interesante. —Sus ojos cristalinos brillaron antes de que se aclarase la garganta y empezase a leer en voz alta—. «Agatha gimió cuando Fred introdujo dentro de ella un segundo dedo; se arqueó contra él buscando más profundidad. Deseaba sentirlo, deseaba que se enterrase en ella de una vez por todas, pero Fred parecía dispuesto a hacerla suplicar.»

Notó que se sonrojaba como una estúpida adolescente.

—Vale. ¡Para! Ya es suficiente.

—«Decidida a llevar el control, lo apartó de un empujón y se arrodilló frente a él. Tenía las manos temblorosas mientras le desabrochaba el cinturón. Le bajó los pantalones. Era enorme y Agatha deseaba acogerla en su boca...»

—¡Mike, basta! —gritó.

Él rio como un chiquillo, pero no apartó la mirada de las páginas.

—«Quería lamerla, deslizar la lengua por la punta y luego...»

Rachel, que se había puesto en pie, le quitó la novela de las manos, la cerró y la abrazó con fuerza. Mike dio un paso al frente mientras una sonrisa peligrosa se apoderaba de sus labios. Y estaba muy, muy cerca. Demasiado cerca. Por un momento ella pensó que volvería a tocarla como aquella noche en el porche. Pero no lo hizo. Tan solo se quedó ahí, con su rostro a escasos centímetros del suyo, respirando con pesadez.

—Con que no escribes erótica, ¿eh? Pues no quiero imaginar el día que te propongas hacerlo. Me vas a matar, pecosa. Infarto al corazón en tres, dos, uno...

—¿Ves por qué no quería que leyeses nada? Eres un crío, Mike.

—¿Y todo esto sale de tu cabecita traviesa o influyen factores externos?

—Te comportas como si tuvieses unos doce años. Lo digo en serio. Ni uno más. A los trece se suele superar esta estúpida etapa.

—Yo no tengo la culpa de que tu libro sea tan estimulante. Soy humano. Y ahora mismo, entre tu novela o una porno, humm, tendría serias dudas.

—Es romántica —insistió, consciente de que estaban entrando en uno de esos bucles de difícil salida—. Solo hay un par de escenas así. No es tan raro. Es el modo más sencillo de que los personajes expresen lo que sienten. Que se quieren y todo eso —matizó con fastidio.

Mike la miró intensamente. Se inclinó un poco hacia delante y sus cuerpos se rozaron. Ahí estaba, esa especie de descarga eléctrica, esa extraña e ilógica necesidad...

—Bueno, si ese es el premio, entonces..., te quiero, pecosa —dijo con semblante serio, muy serio, para segundos después prorrumpir en una carcajada.

Rachel presionó los labios y le dio un puñetazo en el hombro.

—¡Madura de una vez!

Se escuchó el tintineo de la puerta de la cafetería cuando las campanitas y las conchas que pendían de un hilo se movieron. La camarera los miró confusa, torció el gesto y decidió que lo mejor era ignorarlos y recoger los vasos que quedaban en las mesas.

—¿Te cobras ya?

Ella asintió y Mike la siguió dentro del establecimiento, mientras Rachel apagaba el ordenador y guardaba las cosas.

Le había dicho que la quería. Así. De coña. En plan, «Eh, te quiero, jajajaja. ¡Qué no! ¡Qué era broma! Jódete». Era un imbécil. Un imbécil encantador. Un imbécil que a veces seguía comportándose como ese amigo incondicional del que ella se había enamorado desde que era una cría, demasiado pequeña todavía para entender que hubiese sido mucho más seguro fijar sus ojos en Jason... en Luke... o en cualquier otro. Lástima que no tuviese una máquina del tiempo (y que su corazón se negase a cooperar).

19

Pasearon por el puerto y Rachel escribió un poco más en el cuaderno, mientras Mike se entretenía observando y contando los barcos, caminando de un lado a otro. Le hubiese gustado seguir leyendo, pero ella se había empeñado en que lo hiciese a solas, cuando regresasen a casa. Cogieron comida para llevar de diversos puestos ambulantes con precios desorbitados para los turistas y, frente al muelle, mientras observaban los enormes leones marinos que se apiñaban unos sobre otros, comieron palitos de pescado rebozado y pastel de gambas en una tarrina que se pasaban de una mano a otra, para finalizar con el famoso cóctel de cangrejo.

—Odio el pescado —farfulló Mike.

—Pues menos mal —contempló la tarrina de gambas ahora vacía—. ¿Cómo describirías este sabor?

Mike se encogió de hombros.

—¿Sabor a mar? O a sal. No lo sé. Tengo sed. Espera aquí, voy a comprar agua.

Rachel asintió con la cabeza, tiró el envase vacío en una papelera, sacó la libretita y anotó algunas cosas. Se sentó en el borde del muelle, con las piernas cruzadas y la mirada fija en el difuminado horizonte. Mike se acomodó a su lado al regresar y le tendió la botella de agua. Permanecieron en silencio un buen rato.

—¿Te has preguntado qué quieres hacer con tu vida? —indagó Rachel, sin dejar de observar a los adormilados leones marinos.

Él tardó en contestar.

—A veces solo el hecho de vivir ya me parece suficiente.

—Eso es triste.

—Créeme, hay cosas peores. Vivir tranquilo. Me basta con eso —aseguró y emitió un largo suspiro que ella no supo interpretar—. ¿Y tú? ¿Qué necesitas?

—*Necesitar* no es la palabra.

—Vale, quisquillosa. —Sonrió de lado—. ¿Qué quieres?

Rachel dudó. Se mordisqueó el labio inferior, arrancando algunas pielecitas.

—Lo que dijiste el otro día que para nosotros sería raro. Eso quiero. Creo. —Ante su ceño fruncido, especificó—: La noche de Halloween.

Él la miró atentamente.

—¿Trabajo, coche, casa, matrimonio, hijos...? —Sus ojos revolotearon nerviosos por su rostro—. ¿Eso?

—Puede. Quizá no todo dicho así, pero sí la seguridad, la estabilidad... —Hizo una pausa—. ¿Por qué te sorprende?

—No me sorprende, es solo que a veces te miro y creo que la Rachel que conocía ya no existe..., pero entonces haces o dices algo que me hace darme cuenta de que sigue ahí, en alguna parte, solo que está perdida. Pero está.

—Mike...

—No sé si se puede echar de menos algo que nunca has tenido, pero a veces lo siento así. Echo de menos cosas que no llegamos a vivir, momentos que solo han estado en mi cabeza. Y en casi todos esos momentos estás tú, Rachel —susurró y ella apoyó la cabeza en su hombro sin apartar los ojos del horizonte—. Echo de menos desayunar contigo antes de ir a la universidad e intentar convencerte para saltarnos un par de clases y que tú te resistas. Puedo ver la escena. Puedo verte a ti en el campus con la mochila colgada al hombro. Y echo de menos quedarme contigo en la habitación las tardes de tormenta, y risas y caricias y miradas que no han existido.

—Sé lo que quieres decir. De verdad que lo sé, Mike.

Ninguno de los dos volvió a decir nada. Pasaron allí el resto de la tarde, ignorando las voces de los turistas que había a su alrededor, los niños que corrían y los vendedores ambulantes de comida. El día murió lentamente; empezó a oscurecer y unos nubarrones de color lavanda conquistaron el cielo.

—¿Volvemos a casa? —Mike soltó su mano tras ayudarla a ponerse en pie y avanzaron en silencio por el muelle 39 de Fisherman's Wharf.

—¿Podrías llevarme antes a otro sitio?

—Adónde quieras, pecosa —le sonrió, todavía pensativo por todo lo que había dicho, por todas las ventanas que había abierto para ella y todas aquellas que todavía permanecían cerradas bajo llave.

Media hora después, él estacionó el coche casi frente a la puerta. Repasó con la punta del dedo índice las costuras del volante y se concentró en los puntos que había. Contó quince. Luego se giró y la miró. Estaba un poco pálida. Alargó la mano para recoger el mechón de cabello que había escapado de su coleta y colocárselo tras la oreja.

La puerta del cementerio se antojaba extrañamente grande y fría.

—Imagino que quieres estar sola.

—No. —Desvió la mirada de la entrada—. ¿Me acompañas?

—Claro —asintió y abrió la puerta del coche—. Vamos, pecosa.

Rachel se abrochó la chaqueta y siguió los pasos de Mike, que parecía saber bien hacia dónde dirigirse.

El cementerio era triste, oscuro y doloroso. Las flores de colores vibrantes tan solo producían el efecto contrario a lo deseado, contrastando con el vacío del lugar, haciendo más patente la falta de vida. Rojas, blancas, naranjas, amarillas, con tallos verdosos o secos, pero todas ellas muertas. Nadie lleva macetas al cementerio. Todo el mundo prefiere arrancar las plantas y dejarlas allí, quizá a modo de simbolismo por los que descansan bajo tierra.

Rachel caminó por el sendero de piedra; los hierbajos crecían sin control a ambos lados, por todas partes, adueñándose del terreno. Pero solo eran eso: hierbajos. No flores bonitas ni exóticas. Evitó fijarse en los nombres de las tumbas que había a su alrededor, en las imágenes, las fechas y los regalos que descansaban bajo algunas lápidas: solitarios osos de peluche, coronas de perfecta forma ovalada, recuerdos personales... Esas eran las más recientes. Se distinguían fácilmente las tumbas que habían caído en el olvido más desolador de aquellas que todavía atraían las visitas frecuentes de los seres queridos.

¿Cuántos años era correcto asistir con cierta asiduidad? ¿En qué momento dejaba de ser algo prioritario en la vida de los familiares? ¿Meses...? ¿Un año, dos, tres...? ¿Era necesario para seguir adelante que el dolor tuviese una fecha de caducidad?

—¿Estás bien? —Mike se giró hacia ella—. ¿Rachel?

Asintió con la cabeza.

Cuando él frenó en seco, le costó ubicarse. Fijó la mirada en el suelo y ascendió lentamente hasta distinguir las letras talladas sobre la piedra donde se leía «Robin Makencie». El aire desapareció de sus pulmones. Se le contrajo el estómago de un modo brusco y pensó que vomitaría, pero se sobrepuso, aunque no supo cómo. El viento soplaba con fuerza y ella entrecerró los ojos, sin moverse, sin ser consciente de que Mike estaba a su lado sintiéndose de un modo muy similar.

Cuando los músculos de su cuerpo dejaron de estar en tensión; se sintió más liviana, más entera también. Él estaba allí. Su padre. Y le había hecho tanta falta durante todos aquellos años...

Los recuerdos acecharon rápidamente, como si llevasen años guardados en una cajita de cristal, esperando que ella se decidiese a dejarlos salir libres, al fin, a convivir con ese peso. Rememoró lo maravilloso que era despertarse cada día y tener preparado un plato de tortitas muy hechas, lo especial que ahora parecía ese momento que antaño resultaba rutinario; haría cualquier cosa por volver a desayunar junto a él. Estaba todo en su cabeza. Todo. Los fines de semana de trabajos manuales en el garaje, mientras ella garabateaba cosas sin sentido o dibujaba tumbada en el suelo de hormigón.

Recordó los días de pesca, los sándwiches de cacahuete, las relajadas y agradables noches de pizza y televisión, la música rock que escuchaba con los chicos durante horas y horas en su estudio. Su risa, siempre tan brusca e inesperada, y ese caldo de pollo y verduras que se empeñaba en preparar cuando se acercaba el invierno para «que no se resfriase»; podía percibir el característico aroma en cuanto llegaba a casa del instituto y siempre sonreía, consciente de que era la única comida caliente que a su padre se le daba bien cocinar (aunque él solía insistir en que no era cierto mientras reprimía una carcajada).

Rachel dio un paso al frente, se puso en cuclillas y posó la mano sobre la lápida fría y porosa, como si desease sentir el latir de su corazón a través de ella. Después se puso en pie y miró a su alrededor, observando las demás tumbas, todas las personas que allí descansaban ahora, pero que años atrás habían tenido una vida, recuerdos y sueños futuros. Se frotó la nariz. Mike la estudiaba en silencio.

—Podemos irnos —declaró.

Quería salir de allí. Quería que los recuerdos permaneciesen intactos.

Él echó un último vistazo a la piedra ovalada antes de que abandonasen el lugar y regresasen al vehículo. Dentro, el aire era más cálido. Apagó la radio y dejó que el vibrante rugido del motor del coche los envolviese. Rachel permaneció en silencio el resto del trayecto, pensativa, con la frente apoyada en el cristal de la ventanilla. El vaho que escapaba de sus labios entreabiertos había dejado una mancha que limpió con la manga de la chaqueta mientras traspasaban la verja de casa y estacionaban a un lado del jardín delantero. Él sacó las llaves del contacto y se decidió a romper el silencio.

—Yo también lo echo de menos.

—Ya lo sé, Mike.

Se quedaron dentro del coche. El viento soplaba ahora con fuerza y a través del cristal del parabrisas se observaba el danzar violento de las ramas de los árboles, sacudidas con fuerza, agitadas. Ya casi había anochecido.

—Gracias por cuidar de él durante todos estos años —susurró.

—¿Qué quieres decir?

—No había podido ir. Hasta ahora —confesó.

—Es una broma, ¿no? —Mike hizo una mueca.

—No —contestó cortante.

Él tensó la mandíbula y negó con la cabeza.

—¿No has podido ir a ver a tu padre?

—Eso he dicho —insistió y notó un cambio de ritmo en las pulsaciones.

—A veces hay que hacer un esfuerzo —replicó Mike con dureza.

Tenía los ojos muy brillantes, y había un deje de decepción en la profundidad de su mirada...

—No podía, ¿vale? —gritó furiosa—. No tienes ni idea de cómo me he sentido todo este tiempo. Lo has dicho antes: tú elijes los caminos incorrectos y en cambio la vida te recompensa. Yo no hice nada malo. ¿Por qué tenía que ocurrir aquello, entonces?

—¿Crees que las putadas no las sufren las personas buenas? ¿En qué mundo vives, Rachel? ¿Sabes cuánta gente tiene problemas? ¿Te has parado a pensar en algún momento lo insignificantes que somos tú y yo frente al mundo? No hay nadie a quien reclamar.

No has comprado una vida perfecta, no puedes pedir una devolución, no es...

—¿Me tomas por tonta?

—No, pero...

Rachel forcejeó torpemente con la puerta del coche hasta que consiguió abrirla y salir de allí corriendo. Sentía un dolor profundo, como si alguien la hubiese partido en dos. Entró en casa, saludó a Luke a toda prisa y subió a su habitación con Mike pisándole los talones. Él cerró la puerta a su espalda, dando un portazo.

—Vete. —Se quitó la chaqueta y la lanzó sobre la cama.

—No voy a irme. Quiero que me escuches.

—¿Qué escuche qué, exactamente? ¿Cómo insinúas que no quería a mi padre por el simple hecho de no ir al dichoso cementerio? ¡Odio ese sitio! ¡Lo odio!

—No es lo que he dicho.

—No, pero casi. —Le fulminó con la mirada—. Casi.

—¡No solo tú lo querías! —gritó—. ¿Sabes cómo fue enterarme de que había muerto? Hacía días del funeral. ¡Nadie me avisó! ¡Nadie me dijo nada! Y para mí era importante. —Se acercó más a ella—. Entiendo tu dolor. Pero entiende tú el mío alguna vez.

—Habrías estado si no hubieses sido un idiota.

—¡Para ya! ¡Deja de recordármelo! —Le latía el corazón tan, tan fuerte...—. ¡Tú no sabes nada! ¡No tienes ni idea de qué pasó esa noche o de cómo ha sido mi vida!

—¡Siempre haces esto! —Rachel alzó también el tono de voz—. Muestras una cara durante el tiempo suficiente para que vuelva a confiar en ti y después sale a relucir la verdad.

—¿Qué verdad? ¿Qué he hecho?

—¡Juzgarme! —Le escocían los ojos.

—¡Eso es lo que haces conmigo todo el tiempo! —exclamó furioso—. Pero no importa. De verdad que no. Porque tú eres la única persona en esta habitación que tiene derecho a sentir algo. Los demás carecemos de emociones.

—¡No es cierto! Sé cuándo algo te duele, sé todo por lo que has tenido que pasar y...

—No, no lo sabes —la interrumpió y negó con cabeza—. No lo sabes cuando piensas que es triste que me conforme simplemente con vivir. Como si eso fuese poco, como si no tuviese ningún valor.

—Cada vez que hablamos es para hacernos daño el uno al otro. Odio esto. Que no salgamos de aquí. Que no consigamos avanzar...

Mike inspiró hondo y dejó caer los brazos a ambos lados, derrotado.

—¿Qué es lo que quieres de mí?

—No lo sé.

—Vale. Ha sido un día muy largo. Será mejor que me vaya.

—Sí, eso, huye.

Dio un paso hacia ella.

—¿Y tú qué haces? ¿Te enfrentas a las cosas? ¿Te enfrentas a mí y admites la jodida verdad? Dímelo. Dime que no me vas a perdonar nunca. Que da igual lo que haga. ¿Te sientes mejor si finges que lo has hecho? ¿Es eso? Sabes que es mentira. Sabes mejor que nadie que sigues odiándome.

—¿Ahora eres tú la víctima? —Sonrió amargamente—. ¿Y por qué debería perdonarte? ¡Ni siquiera te has dignado a intentar explicarme qué ocurrió, por qué lo hiciste!

—¡Sí que lo intenté, joder! Tú ni me mirabas cuando apareciste en esta casa. No sabía cómo llegar a ti. —Presionó la mandíbula—. Y luego me perdonaste. Supuestamente, claro. Aquella noche en el jardín.

Rachel negó con la cabeza lentamente. Tenía lágrimas en los ojos. Por todo. Los sentimientos se desbordaban y ya no tenía ningún lugar donde seguir escondiéndolos.

—¡Vete! ¡Márchate!

Mike la miró indeciso durante unos segundos, hasta que se decidió a romper la escasa distancia que los separaba y apresó aquel cuerpo pequeño y cálido entre sus brazos, intentando abarcarlo todo, abrazándola con desesperación. Hundió una mano en su cabello y escondió el rostro en su cuello, rozándole con los labios el lóbulo de la oreja.

—Lo siento, lo siento. —La abrazó más y más fuerte—. Lo siento, lo siento, lo siento...

La puerta de la habitación se abrió de golpe y él la soltó de inmediato. Luke los miró cohibido y vacilante antes de decidirse a hablar.

—He oído gritos. Solo... solo quería saber si estabais bien...

—No pasa nada, Luke —aseguró Rachel e hizo el enorme esfuerzo de esbozar una sonrisa mientras Mike los esquivaba a ambos y salía de la habitación sin mirar atrás.

Se cambió de ropa y permaneció hecha un ovillo en la cama durante el resto de la tarde, hasta que alguien llamó dando unos golpecitos en la puerta. Sabía que no era Mike porque él entraba sin avisar, o lo hacía pero no esperaba respuesta.

Jason la miró en silencio y chasqueó la lengua.

—Vaya, modo dramático activado por lo que veo.

Rachel se sentó al estilo indio sobre el colchón sin apartar las mantas. *Mantequilla* aprovechó que alguien había abierto la habitación para colarse, subir a la cama y acoplarse a su lado. Jason se unió a la fiesta ignorando que lo único que deseaba era estar sola.

—Dime qué puedo hacer.

—Nada, a no ser que tengas un arma y estés dispuesto a enfrentarte a la pena de muerte.

—No hago ese tipo de encargos. —Jason sonrió mientras le rascaba las orejas al gato, que ronroneaba felizmente—. Pero he visto que está disponible en el videoclub online *Atrapado en el tiempo* y sé de alguien a quien le gusta mucho por razones que desconozco.

—Le tocó la punta de la nariz—. Podría hacer el esfuerzo de verla por duodécima vez.

—Lo siento, no tengo ganas.

Se dejó caer hacia atrás y su cabeza aterrizó sobre la almohada.

—No puedes negarte. Venga, vamos. Levanta.

—Sí puedo. Déjame —protestó en tono infantil, dándose la vuelta y achuchando a *Mantequilla* que se vio atrapado entre sus brazos y las mantas.

—Me lo debes. Sea lo que sea lo que ha pasado con Mike, no puede ser peor que dejarlo con tu novia después de...

—¿Qué? —Se incorporó de golpe—. ¿Has roto con Clarissa?

—No quería que os murierais de hambre si había boda.

—En serio, Jason. ¿Qué ha pasado?

—Nada. Ese es el problema. Nunca pasaba nada especial.

—¿A qué te refieres?

—¿No debería sentir algo... algo intenso? —preguntó, frunciendo el ceño—. Eso no está por ninguna parte. Simplemente éramos dos personas que sabían acoplarse y estar cómodas. Pero para eso creo que ya te tengo a ti.

—Jason... Lo siento...

—No. Estoy feliz. Quiero aspirar a más —murmuró pensativo—. Debe de haber alguien ahí fuera que consiga hacerme sentir especial. Tú has hecho que me dé cuenta.

—¿Yo? —Alzó una ceja, incrédula.

—Sí. Tú y Mike. Por cómo lo miras. El modo casi cómico en el que intentas evitar rozarlo siquiera. No sé si es malo o es bueno, pero sí sé que no es indiferencia —aclaró—. Y él, que haría cualquier cosa por ti... Nunca he tenido la certeza de querer sacrificarme o esforzarme por nadie de ese modo, no sé qué es poner a alguien en primer lugar. Hasta ahora, vosotros tres y mi familia habéis sido lo más importante. He dicho demasiadas veces «te quiero» sin sentirlo, solo porque se supone que pasados ciertos meses de relación debe ser así.

Rachel presionó los labios. Quería decirle que no era cierta la imagen que proyectaba de ellos, que estaba totalmente equivocado, que tener una relación cómoda y tranquila era mucho mejor que vivir constantemente en aquel vaivén de emociones..., pero no era el momento. Hizo de tripas corazón y esbozó una sonrisa.

—Vale, hoy es tu día. —Se levantó de la cama y *Mantequilla* consiguió escapar—. Ves preparando la televisión y yo me encargo de la cena. —Metió los pies en las zapatillas de estar por casa, que eran dos ranas verdes gigantes de peluche, antes de mirarlo de reojo—. Cuando has llegado, ¿cómo sabías que me había pasado algo con Mike?

Jason estaba inclinado sobre el ordenador encendido, releyendo por encima lo último que ella había escrito aquel día en Fisherman's Wharf. Apartó la mirada de la pantalla y se giró.

—Porque se ha ido —declaró.

—¿Adónde?

Él se encogió de hombros con resignación.

—No lo sé. Supongo que a Los Ángeles o... a cualquier parte. Tranquila, siempre vuelve en un par de días, ya lo sabes. Además, prometió acompañar a Natalie el sábado a los castillos hinchables que ponen la semana antes de Acción de Gracias.

—¿Crema de puerros y patatas fritas?

—Qué cortante, Teniente Dan —bromeó con un ridículo tono de voz.

Se habían pasado años y años imitando al pobre Forrest. Su padre siempre se moría de risa cuando lo hacían. Rachel no pudo evitar que una sonrisa le tirase de la comisura de los labios. Negó con la cabeza.

—¿Te apetece o no?

—Claro —asintió—. A no ser que tengas gambas a la brasa, cocidas, al horno, al vapor, salteadas, pinchos de gambas, criollas, con mango... —prosiguió parodiando la película.

Finalmente, ella emitió una carcajada.

—Crema y patatas, entonces —concluyó.

—Pero no te pases con la pimienta, eh.

—Tranquilo. Seré suave.

Bajó las escaleras de dos en dos. El tiempo se había esfumado; en poco más de una semana sería Acción de Gracias... Otro año más para celebrar una fiesta familiar sin ninguna familia con la que compartir y dar las gracias. Rachel adoraba tanto esas fechas como el Grinch la Navidad.

20

Bolas de colores brillantes, espolvoreadas con purpurina o adornadas con ribetes dorados; espumillones verdes y esponjosos, estrellitas relucientes, calcetines rojos y la voz de Mariah Carey sonando de fondo al ritmo de *All I want for Christmas is you*. Y no, todavía no era Navidad, aún faltaban un par de días para la llegada del temido Acción de Gracias, pero Natalie y Jason se habían empeñado en poner ya el enorme árbol navideño (enorme de verdad, hasta el punto de que apenas cabía por la puerta).

En el suelo del comedor descansaban las cajas de cartón abiertas de donde habían ido sacando adornos y, sobre la mesa auxiliar, quedaban tan solo los restos de las galletas de chocolate con naranja que acababan de engullir.

Natalie escapó de las garras de Luke, que estaba haciéndole cosquillas, y colocó una preciosa campanilla plateada en la punta de una rama del falso abeto.

—Deberíamos rellenar más esta zona —opinó Rachel.

—Sí, se ha quedado algo vacía. —Jason le tendió un espumillón y ella lo colocó cuidadosamente de forma que cubriese los huecos.

—*All I want for Christmas is you, you, ¡yeah!* —canturreó Luke mientras hacía el tonto bailando alrededor del árbol.

—Por cierto, antes de que nadie te lo diga..., ese suéter de renos te queda de pena —confesó Rachel—. Es como si enterrase en algún lugar muy, muy profundo todo tu atractivo.

Luke tiró de la parte inferior del suéter y agachó la cabeza para observar el dibujo.

—Lo sé, uno de los renos parece que esté muerto, pero me lo envía la tía Sue y está calentito. Más me vale acostumbrarme porque tendré que llevarlo en Acción de Gracias. Es la tradición. Se pasa el año tejiendo dieciséis suéteres, uno para cada sobrino —explicó.

«Qué tierno», pensó Rachel. Y el hecho de que se lo pareciese confirmaba que no estaba bien, nada bien. Se sentía extrañamente sensible. El día anterior había entrado en un bucle escuchando a James Blunt, y finalmente por la noche estalló en llanto mientras veía junto a Jason *El diario de Noah*.

Lo que suponía un gran problema por dos razones: Una, porque no soportaba *El diario de Noah*. Dos, porque hacía siglos que no lloraba.

En varias ocasiones había notado los ojos enrojecidos, irritados o incluso había visto borroso. Pero no lloraba. Siempre conseguía evitarlo en el último momento, parpadeando compulsivamente, alzando la cabeza y respirando hondo hasta que lograba calmar esa sensación de ardor.

Hasta ahora.

Algo iba mal, como si un insecto lacrimógeno, nostálgico e insufriblemente melancólico se estuviese apoderando de su cuerpo y su mente. Terrible.

—¡A mí me gustan los renos! —gritó Natalie.

—Gracias. Por fin alguien sabe apreciar el trabajo de la tía Sue.

Luke le revolvió el cabello con cariño y ella se quejó, le pellizcó el brazo y corrió hasta la otra punta del comedor para ponerse a salvo.

Jason rio y negó con la cabeza. Observó con cierta preocupación a Rachel, que parecía perdida en sus propios pensamientos y suspiró hondo al tiempo que colgaba las últimas bolas rojas en el árbol.

—Ven, Natalie. Te subo y pones tú la estrella en la punta.

La niña se acercó a paso lento hasta él, sin perder de vista a Luke.

—Pero este año le toca colocarla a Mike... —murmuró.

—Mike no está —le recordó Rachel con un tono más duro de lo que pretendía.

—Pues esperaremos hasta que vuelva —replicó cruzándose de brazos.

Jason negó con la cabeza y volvió a dejar la estrella más grande en el mueble del comedor. Rachel observó el brillante adorno sin entender cómo un simple objeto podía simbolizar tanta ausencia. Se preguntó dónde y qué estaría haciendo Mike. Cuando notó que le escocían los ojos, una sensación con la que empezaba a familiarizarse, se puso a guardar los adornos sobrantes en las cajas de cartón. Una vez que la estancia volvió a parecer un lugar habitable, se ofreció para llevar a Natalie hasta su casa y disfrutó del paseo y del aire frío invernal mientras la pequeña daba saltos por la acera y ametrallaba su cerebro a base de preguntas: «¿Vais a llevarme al zoo?», «¿Cuándo va a volver Mike?», «¿Crees en las hadas? Yo sí», «¿Por qué se ha ido Mike?», «¿Papá Noel me traerá cualquier cosa que pida?», «¿Dónde está Mike?», «¿Puedo pedir en mi carta un hada por Navidad?»

Le sorprendió ver a la señora Sullivan en casa cuando abrió la puerta y le sonrió. Natalie rodeó las piernas de su madre, abrazándola e impidiendo que pudiese moverse.

—Gracias por traerla —le dijo—. ¿Habéis puesto el árbol? —le preguntó a su hija, palmeándole la cabeza cariñosamente.

—¡Sí! ¡Con un montón de adornos! —extendió los brazos en alto.

—¡Eso es genial! Esta tarde lo pondremos aquí, ¡dos árboles en un día!

—¡Yupiiii! —Natalie desapareció corriendo por el pasillo.

—¿Pasaréis aquí las vacaciones? —le preguntó Rachel por curiosidad.

La madre asintió con la cabeza, miró a su espalda por encima del hombro, manteniendo la puerta entreabierta, y luego volvió a fijar sus ojos en ella.

—He cogido algunos días libres que tenía. Creo que Mike tenía razón y que Natalie nos echa de menos. A veces el trabajo nos consume. No es fácil combinar ambas cosas. —Se frotó el brazo de arriba abajo, como si le resultase incómodo mantener esa conversación.

—Lo entiendo. Me alegra que Natalie vaya a pasar las vacaciones con vosotros —admitió—. No sabía que Mike había hablado contigo.

—Después de Halloween —pronunció con rapidez—. Me hizo darme cuenta de que no me había disfrazado con ella ni una sola vez —susurró, tan bajo que era casi inaudible—. Parece mentira que el tiempo pase tan deprisa, pero...

—Aún os quedan muchos años —interrumpió Rachel, sonriéndole—. Tienes suerte. Natalie es realmente increíble.

—Sí que lo es.

Rachel acompañó a Luke al entrenamiento de la tarde. Estaba dispuesta a hacer cualquier cosa con tal de no quedarse sola en una casa inundada de ambiente navideño. Sentada en la zona del equipo técnico, envuelta en un grueso anorak, mordisqueó el sándwich que Renata se había empeñado en prepararle. Era de pavo y queso, pero como añadido había untado el pan con mantequilla. Le dio un minúsculo bocado y masticó sin ganas mientras se entretenía observando a Luke en el centro del campo, bajo las gradas desiertas, dando instrucciones a los jugadores.

—¡Deja de hacer eso, Phil! —gritaba—. Si es una defensa de tres, ¿por qué sales como si alguien te cubriese la espalda? Piensa un poco, tío.

Le lanzó el balón y el chaval lo atrapó. Se giró y volvió a colocarse en posición, junto a sus compañeros. Luke utilizó el silbato que llevaba colgado al cuello y todos se pusieron en movimiento a la vez. El balón cruzó el aire en diagonal, unos jugadores se lanzaron sobre otros como animales y Rachel desvió la atención para sacar un pañuelo de su bolso y limpiarse la mano. Dejó el bocadillo a un lado. Nunca había entendido bien qué gracia tenía aquel deporte, pero, ahora que sentía una frustración constante en su interior, suponía que lanzarse sobre alguien y golpearlo podía ser una práctica interesante contra el estrés.

Luke les dio unas cuantas instrucciones a los chicos antes de acercarse a ella. Se sentó en el asiento de al lado, abrió una botella de agua y bebió.

—Así que esto es lo que haces todos los días... —Rachel recostó la espalda en el respaldo de plástico—. Parece divertido. Es más relajante que los partidos, desde luego.

Había acudido a unos cuantos durante los últimos meses y la sensación era exactamente la misma que recordaba de su juventud: agobiante, con más gente de la aconsejable, muchos silbidos, muchos insultos, muchas manos ondeando en lo alto y muchos gritos. Sin duda, prefería los entrenamientos.

—Básicamente. —Estiró los pies todo lo posible, se cruzó de brazos y observó lo que hacían los chicos con gesto analítico. Después, cuando vio que le pillaban el punto al ejercicio propuesto, le dio un codazo a Rachel—. No está tan mal. En el grupo de los pequeños, las madres me adoran. Te sorprendería la cantidad de ellas que están divorciadas o viudas o... no sé, fueron madres solteras. —Sonrió fanfarrón—. Y ya sabes, la figura del entrenador tiene un algo irresistible.

—Debe resultarte muy difícil ligar como para tener que recurrir a esas tácticas de juego, ¿estás en baja forma o algo? —bromeó.

—Eh, eh, para. —Interpuso una mano entre ellos y sus ojos verdes brillaron con diversión—. Nadie liga más que yo. Nadie. Ni siquiera Mike.

—Ah, qué bien. Mike gana puntos por momentos. Ahora resulta que no solo es imbécil, sino que encima compite contigo por ver quién liga más. Interesante.

—¿Quién ha dicho eso? Me acojona ver cómo entiendes las cosas. —Luke la miró consternado—. Y, de todos modos, ¿qué te importa lo que él haga? Deja que siga adelante con su vida si en realidad no te interesa.

Ella subió las piernas al asiento y apoyó la cabeza en las rodillas. Fijó la vista en el equipo de fútbol que se movía de un lado para otro.

—Tienes razón. No me importa. Lo siento.

El silencio se prolongó durante casi un minuto.

—Olvida lo que he dicho. Ya sé... ya sé lo mucho que te importa, sería estúpido si no me diese cuenta. Es solo que a veces tengo miedo de que ocurra algo entre vosotros que vuelva a separarnos. Es egoísta. Pero no quiero que volváis a marcharos ninguno de los dos. —Bajó la cabeza para poder mirarla a los ojos—. Ya he perdido muchas cosas por el camino. Y os quiero. No me hagas repetirlo, pero... es la verdad.

—Luke, nunca volveré a irme —le aseguró en un susurro—. Y tampoco permitiría que él lo hiciese. Confía en mí.

—Promételo.

—Lo prometo.

Él asintió y dejó escapar un suspiro.

—¿Por qué tenéis que estar siempre discutiendo? No debe ser tan difícil llegar a un punto intermedio.

—No dejamos de culpabilizarnos el uno al otro.

Rachel se encogió de hombros. Tenía el problema, pero no la solución.

Luke se giró hacia ella, perdiendo de vista lo que hacían sus chicos, y le apartó la mano de la boca con cuidado.

—Deja de morderte las uñas.

—No me muerdo las uñas, solo las cutículas.

—Ah, «qué guay», ¡cutículas para merendar! —se burló—. No, ahora en serio, Rachel. No te muerdas nada. —Le retuvo la mano unos segundos—. Escúchame. Cuando nos encontramos con Mike, él no era él, ¿me entiendes? Fue en una fiesta de la universidad, no sé si te lo ha contado, pero necesitaba ayuda urgentemente.

—¿Ayuda de qué tipo?

—Del tipo de tener algún resquicio de esperanza y de alguien que se preocupase por él —aclaró—. La cuestión es que Jason le dio un puñetazo, Mike se empezó a reír, aunque le sangraba la nariz, y luego los dos se abrazaron. Así, sin más. Había un montón de gente en aquella fraternidad. Uno de sus colegas, que era gigante, se lanzó contra Jason, pero Mike lo frenó y se enfrentó con él hasta que los separaron. Todo muy normal —ironizó—. Después de unos meses las cosas empezaron a mejorar. —Hizo una pausa—. Jason propuso irnos a esa casa que no conseguía vender, Mike trajo consigo a Renata, y luego apareció Natalie... Todo estaba en calma. Y entonces llegaste tú.

—Vaya, gracias.

—No. Tú eras la pieza que faltaba —insistió—. Pero también haces que todo se tambaleé más. Oye, no creas que soy idiota, sé perfectamente que todos iremos haciendo nuestras vidas y que es inevitable que nos distanciemos...

—O no. —Lo miró con los ojos entrecerrados a causa de los rayos anaranjados del sol del atardecer—. ¿Tú qué opinas?

Luke sonrió travieso.

—Creo que mis hijos jugarán con los tuyos.

Ella emitió una carcajada.

—¡No te pases!

—Lo digo de verdad. —Rio con esa aparente despreocupación que lo caracterizaba—. Con los de Jason no. Seguro que son unos estirados y no quiero que se les pegue nada.

—Vale, ¿podemos volver a ponernos serios?

—Si tú dices que hemos dejado de estarlo...

—¡Luke!

—¡Sí, mi general! —Hizo sonar el silbato y varios jugadores se giraron a mirarlos. Volvió a reír y con un gesto de la mano les indicó que continuasen con el ejercicio que estaban haciendo.

—No todo pende de un hilo. Sé lo que parece desde fuera —reconoció Rachel—. Pero en el fondo creo que estamos avanzando. Poco a poco. Y lentamente.

—Si sirve de algo... no ha estado con nadie desde antes de que tú llegases. Mejor para mí. Ahora tengo más donde elegir. —Alzó las cejas.

—¿Sabes? Me sorprende que tus motivaciones en la vida se hayan reducido tanto como para resumirse en echar un par de polvos.

—Ya ves. Así son las cosas. —Levantó un hombro con indiferencia.

Observaron a los chicos moverse por el campo, caer al suelo unos sobre otros como enormes piezas de un dominó, lanzarse la pelota...

Rachel miró a Luke de reojo.

—Antes tenías motivaciones más interesantes... —Señaló a los jugadores con la cabeza—. ¿Qué pasó, Luke? Eras bueno. Muy bueno. Por eso te cogieron en la universidad y después...

—Después me lesioné —atajó él.

—¿Te lesionaste?

—En mitad de la temporada del tercer año —especificó—. Tenía apalabrado un contrato importante, pero la jodí. No sé cómo ocurrió. Caí mal.

—Luke, lo siento tanto... —susurró mientras lo abrazaba.

—La pierna no se curó bien del todo. No para seguir jugando, al menos. Intenté recuperarme y entrenar y seguir entrenando... pero no podía. Sabía que estaba mal, simplemente no quería aceptarlo. Porque aparte de jugar, no tenía ni puta idea de hacer nada más en el mundo.

Se separó de él para poder mirarlo a la cara.

—De verdad que lo lamento —repitió y le apartó algunos mechones de cabello oscuro que caían por su frente—. Pero ahora eres el mejor en esto. Segundo en la competición —le sonrió—. Estás haciendo algo grande por esos chicos; deberías estar orgulloso de haberte levantado y haber seguido...

—Tampoco me quedaba otra opción.

—Claro que sí. Mucha gente elige hundirse. Tú miraste hacia delante, te acoplaste a las circunstancias y supiste reinventar tus sueños. Eso dice mucho de ti.

—¿Soy un héroe? ¿He desbancado ya al idiota de Supermán? —Luke dejó escapar una carcajada y ella lo golpeó en el hombro.

—¡Deja de sacarle el lado divertido a todo! Lo que te he dicho era algo profundo, maldito capullo... —farfulló.

—Y tan profundo. Me he dormido. ¿Sueños de qué...?

En esa ocasión, Rachel no pudo contener la risa más tiempo y terminó desternillándose junto a Luke, mientras varios de los jugadores giraban la cabeza hacia ellos con curiosidad. Cuando consiguió calmarse, se frotó la nariz, que la tenía helada y, probablemente, enrojecida.

—¿Tienes planes para esta noche? Podríamos ir al cine si Jason y tú elegís una película normal y me dejáis que me una al plan, claro —añadió con cierto retintín.

—¡Nunca te hemos vetado! —exclamó—. Pero he quedado con las chicas. ¿Te apetece venir con nosotras?

—Eh... no, gracias. Estaré ocupado mirando una pared blanca o clavándome una daga en el corazón... Qué lástima. La próxima vez, quizá. Pero tú pásalo bien.

—¡Son divertidas! ¡En serio! Saldremos a cenar y luego iremos a algún local a bailar y beberemos unos cuantos mojitos y...

—¿Están buenas? —La cortó—. ¿Sabes qué talla usan de sujetador?

—Vale, ya no estás invitado.

21

Fueron a cenar a un barrio en el que Rachel no había estado anteriormente. No solo las acompañaba Dulce, sino también su prima Sofía.

—¿Me queda bien este vestido? —Jimena se recolocó la tela que delineaba la forma del generoso escote. Si le hubiese confesado a Luke la talla de sujetador que usaba su amiga, seguro que se habría unido a la fiesta.

Dulce chasqueó la lengua.

—¡Sabes que sí! ¡Deja de ser tan presumida!

—¿Presumida yo? —La miró escandalizada—. ¡Para nada!

Rachel rio con ganas mientras untaba un nacho con guacamole y se lo llevaba a la boca con cuidado de no mancharse. Llevaba puestos unos vaqueros ajustados y un top blanco sin mangas que dejaba al descubierto los hombros si se quitaba la chaqueta de cuero. Por desgracia, hacía demasiado frío, así que, a diferencia de las demás, había optado por cenar sin congelarse.

—¿Dónde vamos luego? —preguntó.

—Al Salsa —respondió Jimena.

—¡No! ¿Ese local aburrido? —Sofía frunció el ceño—. Vayamos a La Bahía. Además, Rosi estará allí.

—¿Te ha dicho que iba a ir? —Dulce frunció el ceño y luego su gesto se suavizó—. Vale, pues acerquémonos entonces.

—¡Ay, no sé, chicas! —Jimena se frotó las manos con nerviosismo y arrugó la nariz—. ¿A La Bahía? Eso está por Tenderloin y no me gusta ir a esa zona...

—¡Deja de preocuparte! Lo pasaremos bien —concluyó Sofía.

En una cosa Jimena tenía razón: el barrio no era precisamente *la crème de la crème*. Había muchísima gente por las calles, algo poco habitual a esas horas. A pesar de situarse en pleno centro de la ciudad, era una de las zonas más peligrosas de San Francisco y Rachel no estaba demasiado segura de si habían hecho bien accediendo a la petición de Sofía. Es decir, teniendo en cuenta que irónicamente al barrio se le solía denominar el *Wine Country* en alusión a la ingente cantidad de vino que consumían sus habitantes...

Rachel suspiró hondo y cogió a Jimena del brazo mientras caminaban a paso rápido por la acera; ya empezaba a arrepentirse de haber vuelto a ponerse aquellos tacones del infierno. Se dirigían hacia El Upper Tenderloin, la zona que estaba más de moda, cerca del distrito de los teatros. Farfulló un «¡demonios!» cuando su teléfono empezó a sonar. Paró de andar de golpe e intentó encontrar el dichoso aparato rebuscando en su bolso. Jimena la esperó, pero Dulce y Sofía no se percataron de que se habían detenido y continuaron avanzando hasta las puertas de La Bahía, que estaba a unos metros de distancia, justo al cruzar la calle.

Rachel notó el ligero cambio de ritmo en sus pulsaciones cuando leyó el nombre de Mike en la pantalla del teléfono.

—¡Venga! ¿Qué haces ahí parada, amor? ¡Cógelo!

—Es Mike.

—¡Ya lo sé! ¡No estoy ciega! —Jimena señaló con su uña rosa el móvil.

Inspiró mucho aire de golpe antes de llevárselo a la oreja y contestar.

—Hola —dijo.

—Hey. —Su voz ronca y calmada lo inundó todo.

Era triste que un simple «hey» fuese suficiente para conseguir que se congelase en medio de la acera ignorando a las personas que pasaban a su alrededor. Se oía una musiquilla animada de fondo que no era capaz de identificar. Y nada más. Al otro lado de la línea, solo silencio. Jimena abrió mucho los ojos, como preguntándole qué estaba ocurriendo. Se decidió a decir algo.

—¿Llamas por algo concreto?

—Sí. Tenemos que hablar.

—Ahora no puedo. He salido.

—Ya lo sé —dijo—. Dime dónde estás e iré a por ti.

—¡No!

—Pecosa...

—Llevas cuatro días desaparecido, no puedes volver cuando te apetezca y exigir que deje lo que esté haciendo para hablar quién sabe de qué tonterías.

Jimena llamó su atención y señaló al otro lado de la calle.

—¿Te dejo a solas y te espero en la puerta de La Bahía, amor?

—¿Qué?

Se escuchó la voz de Mike de fondo, amortiguada por el ruido.

—Sí, ve. Ahora te alcanzo.

La morena cruzó la carretera con lentitud, moviendo las caderas de un lado a otro al compás de sus pasos y haciendo ondear su largo cabello negro.

—¿Qué es lo que ha dicho? —preguntó Mike con urgencia—. Rachel, ¿con quién narices estás?

—Era Jimena... —respondió hablando despacio, confusa por el tono serio de su voz hasta que se repuso—. ¿Quién te crees que eres para hablarme así?

—¿Ha nombrado La Bahía? —insistió.

—Sí.

—Oye, estás fuera, ¿verdad? —Se escuchó el murmullo de sus pisadas cuando comenzó a caminar—. No entres ahí, Rachel. ¿Me has oído? Por una vez en tu vida, hazme caso y confía en mí. Quédate quieta. Voy a por ti y...

Ya, claro.

Colgó antes de que terminase de hablar. Estaba enfadada. Muy enfadada. ¿Ahora pretendía decirle lo que tenía que hacer? No, no. Ni de coña. Hablarían cuando terminase de divertirse. Mañana. O cuando tuviese ganas.

Miró a su alrededor y vio a Jimena al otro lado. Alzó la mano, avanzó cruzando la carretera y entraron juntas en el local.

Muchas de las chicas iban vestidas con un par de trapos y el local era bastante más pequeño de lo que había esperado. Como no divisaron a Dulce ni a Sofía, se dirigieron hacia la barra. Un hombre que estaba sentado en uno de los taburetes bebía una copa de líquido rojizo con el borde recubierto de azúcar. Cuando la camarera se acercó a atenderlas, señaló al otro cliente y pidió que le pusiesen lo mismo que acababan de servirle a él.

—¿Dónde se han metido? —se quejó Jimena sin dejar de mirar alrededor.

No es que hubiesen miles de personas allí dentro, pero la luz era lo suficientemente tenue como para que costase distinguir los rostros. Sonaba una música alegre de fondo, pero Rachel era incapaz de entender la letra.

—Bueno, sé que creías que era tu día de suerte y que podrías escaquearte, pero no. Cuéntame, ¿qué ha dicho Mike?

Se apartó el cabello de la cara.

—No mucho, porque le he colgado. Quería hablar. Ahora.

—Detesto cuando intentan dominar todas las situaciones...

—Exacto.

Apoyó un codo en la barra justo cuando la camarera dejaba encima la copa, que terminó volcándose a un lado; el contenido se desparramó sobre la barra.

—¡Mierda, lo siento! —Rachel levantó la copa y miró a la chica—. Perdona, no me he dado cuenta...

—No pasa nada. Espera, te pondré otra.

—Muchas gracias, no tienes por qué.

Jimena le dio un sorbito a su bebida, que se mantenía intacta. Sacó el teléfono del bolso de mano y le envió un mensaje a Dulce preguntándole dónde estaban. Cuando le sirvieron a Rachel la segunda copa, ya había contestado.

—Vamos, están casi enfrente —comenzó a caminar con decisión. Era una de las pocas personas que andaba mejor con tacones que sin ellos. Le hacían sentirse segura, más femenina—. Deben de estar por aquí...

Rachel se soltó de su brazo en cuanto pudo. No tardaron en verlas hablando con un grupo de chicos. Cuando se acercaron a ellos, Jimena se presentó rápidamente mostrándoles una sonrisa encantadora. La pelirroja se mantuvo en un segundo plano, como si intentase fundirse entre las sombras.

Dulce rodeaba con las manos el brazo de uno de los chicos. Tenía un aspecto peligroso, pero no era esa la razón por la que Rachel había empezado a notar la boca seca. Se inclinó hacia delante, intentando distinguir mejor...

El chico tenía un tatuaje en el brazo.

Un tatuaje exactamente igual al que Mike llevaba en la espalda.

Notó un escalofrío, a pesar de que hacía calor en el interior del local. Aferró su copa con más fuerza. Había algo que... había algo que se le estaba escapando...

—Oye, yo te conozco —dijo uno de ellos señalando a Jimena.

—Lo dudo mucho —respondió su amiga—. No he venido antes por aquí.

—Te conozco —insistió, acercándose a ella peligrosamente—. Te vi en casa de Will hace unos meses.

Jimena dio un paso atrás y ese pequeño gesto fue suficiente para que Rachel se pusiese en tensión de inmediato.

—¿Will? No sé de qué me hablas. —El tono de su voz había dejado atrás su habitual firmeza y ahora parecía extrañamente frágil.

—¡No te hagas la tonta! —Él miró a sus amigos y les hizo una señal antes de volver a girar la cabeza—. Tú eres la hermana de Héctor. El traidor. —Se cruzó de brazos y la miró de arriba abajo de un modo tan lujurioso que Rachel sintió arcadas.

—¿Traidor? —escupió, a pesar de lo nerviosa que parecía estar—. ¡Hizo siempre todo lo que le pedisteis y lo utilizasteis como a una marioneta! ¡Os aprovecháis de los pobres infelices como él!

—Morena, baja esos humos... —advirtió mientras daba otro paso al frente—. Te recuerdo que tu hermanito todavía nos debe un buen pellizco. Podría cobrármelo ahora, ¿no? —Posó la mano en su cintura y la deslizó hasta el trasero con brusquedad. Lo apretó. Jimena pegó un brinco asustada e intentó quitárselo de encima.

—¡No la toques, idiota! —Rachel se interpuso entre ambos y lo empujó con todas sus fuerzas, aunque él ni siquiera se inmutó. Notaba los nervios bullendo en su estómago y la adrenalina dándole fuerzas.

—¿Y tú quién demonios eres?

Sus amigos habían formado un corrillo a su espalda y Dulce y Sofía se habían apartado rápidamente de ellos, conscientes del peligro que se palpaba en el ambiente. El tipo les sacaba varias cabezas, tenía los ojos color café y llevaba perilla. Vestía una camiseta negra de tirantes y toda la piel de su brazo derecho estaba tatuada desde la muñeca hasta el hombro, pero era justo debajo de este donde se entreveía el lateral de un tatuaje similar al de su compañero. Y al de Mike ¿Por qué demonios todos llevaban el mismo dibujo? Rachel lo miró con suspicacia.

—No te importa. —Tenía un nudo en la garganta, por eso le extrañó el tono sereno de su voz—. ¡Déjanos en paz!

Él emitió una risa desagradable y miró por encima del hombro a los demás. Rachel les indicó a sus amigas que fuesen avanzando hasta la salida, pero cuando se dio la vuelta para seguirlas, notó que la cogían de la muñeca.

—¡Suéltame!

Retorció el brazo intentando liberarse, pero fue peor. Ejerció más fuerza y la empujó hacia él. Olía a maría, alcohol y sudor.

—¿Qué estás haciendo? ¡Suéltala, maldito bastardo!

Jimena lo golpeó inútilmente en el brazo. Uno de los chicos la cogió de la cintura y la arrastró hacia atrás, mientras reía, pegándola a su cuerpo y restregándose tras ella.

Rachel miró a su alrededor, preguntándose cómo era posible que nadie se diese cuenta de lo que estaba ocurriendo. O que nadie intentase ayudarlas...

—Te has ido a enfrentar a los tipos equivocados, *mujer.*

La apretó más fuerte y notó un leve escozor cuando le clavó las uñas en la piel. Consiguió darle una patada, pero él rio escandalosamente como si el gesto tuviese gracia.

—Me importa una mierda quién demonios seas —protestó Rachel—. ¡Quítame tus sucias manos de encima, joder!

—Esta noche te voy a enseñar modales —aseguró con una sonrisa perversa.

Se acercó más a ella y la sujetó de la nuca sin ninguna delicadeza, tirándole también del pelo. Pero antes de que pudiese hacer nada más, alguien apareció tras ellos y le atestó un puñetazo en la mandíbula. El tipo la soltó al fin y se tambaleó torpemente hacia atrás. De inmediato, sus colegas abandonaron cualquier deje de diversión y se alzaron a su lado, alertas. Rachel podría haber jurado que distinguió el filo de la navaja que uno de ellos acababa de sacar. ¿Qué narices...? ¿Dónde se habían metido...?

Al alzar la cabeza tropezó con los ojos de Mike.

No recordaba haberlo visto anteriormente tan nervioso. Y serio. Y temible. Notó el tacto cálido de Jimena cuando la cogió de la mano y se la apretó con fuerza.

—Madre mía, ¡Mike! ¡Nuestro querido Mike! —exclamó con fingida alegría uno de ellos, que llevaba el cabello largo recogido en una coleta baja—. ¡Dichosos los ojos! Nos has tenido un poco abandonados... Y cuando por fin te dejas ver, es para golpear a uno de los nuestros —siseó antes de chasquear la lengua.

Mike gruñó por lo bajo y protegió a Rachel con su cuerpo tras ordenarle que se fuese y darle un empujoncito en el hombro con urgencia.

—¡Sal de aquí! ¡Marchaos! —insistió, y le dirigió a Jimena una mirada suplicante que ella entendió de inmediato.

—¿Esa es tu chica? Me gusta. Me gusta mucho. Tienes buen ojo —habló uno de ellos arrastrando las palabras.

—Cierra la puta boca —le espetó Mike; una vena comenzó a palpitar en su cuello.

—¿Qué pasa, Mike? —Se acercó a él con una sonrisa desagradable—. ¿Ya no recuerdas que con la familia se comparte todo? Por y para siempre, ¿cierto? —Algo destelló en aquellos pequeños ojos negros—. Presiento que vamos a tener que recordártelo; se me ocurren varias formas de hacerlo. Hay quien decía que a estas alturas ya estarías bajo tierra —farfulló—. Pero yo presentía que no. Y me fío de mi instinto. —Se llevó una mano al pecho y curvó los labios—. La mala hierba nunca muere, ¿no es eso lo que dicen, hermano?

—Vamos, camina —le ordenó Jimena a Rachel cuando vio que no se movía.

—¡No! ¿Qué está pasando? —Las tres chicas tiraron de ella con fuerza, alejándola de allí—. ¿De qué están hablando? No, no, no. ¡Soltadme!

—¡Estate quieta! —gritó Jimena. Las luces de colores danzaban alrededor y había perdido de vista a Mike. El corazón le latía a mil por hora—. Tú no sabes quiénes son esos tipos. Todo es suyo. Este local, este barrio, todo. Vamos, amor, tenemos que irnos.

—¡No puedo dejarlo ahí! ¿Te has vuelto loca? Es Mike. No pienso irme sin él.

Apartó la mano de Dulce con decisión y consiguió liberarse. Antes de que pudiese dar un paso al frente, Jimena volvió a interponerse en su camino. Sus ojos, grandes y expresivos, parecían más brillantes de lo habitual y reflejaban desesperación.

—¿No lo entiendes?

—¡Eres tú la que no lo entiende! —Estaba furiosa—. Son cuatro contra uno. No voy a dejarlo solo. Y vosotras, haced algo, ¡llamad a la policía! ¿Qué es lo que os pasa?

Jimena, que le sacaba una cabeza de altura, se inclinó hacia ella.

—Aquí no hay policía que valga, amor. No conoces este mundo. No tienes ni idea de cómo son las cosas para quienes forman parte de una banda.

—Pero...

—Y Mike es uno de ellos.

22

A pesar del frío del exterior, sentía que estaba ardiendo. Por dentro. Por fuera. Por todas partes. Caminó de un lado a otro en la acera, frente a la puerta del local, ignorando las palabras tranquilizadoras de Dulce.

—¿Quién demonios es Will? —le preguntó a Jimena con un hilo de voz—. ¿Por qué te conocían…?

—Will se cobra la deuda de mi hermano. Acudo cada mes para pagarle, pero nunca me había parado a hablar con nadie. No sé cómo me ha reconocido…

—Voy a entrar —repitió Rachel por tercera vez consecutiva—. Lleva ahí más de cinco minutos. Tengo que volver. No puedo dejarlo solo.

—Seguro que estará bien —murmuró Sofía insegura.

—No vas a entrar a ninguna parte. Eso solo empeoraría las cosas —dijo Jimena—. Ni siquiera deberíamos estar aquí fuera. No entiendes de lo que son capaces. Mike sabrá tratar con ellos mucho mejor que tú o yo y…

—¡Deja de hablar como si lo conocieses! —estalló nerviosa y fuera de control—. ¡Mike no tiene nada que ver con esa gente! ¡No sabes nada de él!

En vez de enfadarse, Jimena la abrazó y le frotó la espalda con las manos, reconfortándola. Le iba a dar un ataque. Tenía que esforzarse por mantener estable su respiración. De pronto, un pitido agudo se alzó en la calle, insistente, fuerte y estridente; provenía del interior del local. Rachel se zafó de los brazos de su amiga y dio un paso atrás.

—Lo siento, lo siento, pero necesito saber que está bien —declaró hablando rápido y a trompicones, antes de girarse hacia las puertas negras de La Bahía dispuesta a entrar de nuevo. Los clientes salían a toda velocidad sin mirar atrás y Rachel aguantó la respiración cuando sintió un codazo en las costillas de una de las personas que huían, pero ¿qué demonios...? Tomó aliento mientras intentaba abrirse paso entre la multitud, pero antes de que consiguiese avanzar en dirección contraria a todos los demás, tropezó con él. Le temblaron las rodillas.

Mike la miró con gesto serio y los ojos llenos de preocupación. Le sangraba la nariz y tenía un pómulo enrojecido. Sintiendo que le faltaba el aire, se lanzó hacia él y lo abrazó con fuerza. No quería soltarlo, nunca, nunca, nunca.

—Vamos, pecosa. Necesito que camines. —Desenredó los brazos de su cuello y le dio un pequeño empujoncito—. Venga, no te pares. Más deprisa.

Comenzaron a alejarse de allí por la acera contigua, esquivando a la gente que se arremolinaba frente al local a la espera de descubrir qué había ocurrido. Jimena, Dulce y Sofía se unieron a ellos en cuanto les vieron. Rachel seguía confundida, pero la mano de Mike aferraba la suya con fuerza y casi la arrastraba tras él instándola a avanzar más rápido. Solo cuando se hubieron alejado varias calles, él miró a su espalda con gesto intranquilo y aminoró el paso.

—¿Qué es lo que has hecho? —preguntó Rachel.

—Hacer saltar la alarma de incendios.

Jimena sacó un pañuelo de su bolso y se lo tendió a Mike tras darle las gracias por haberlas ayudado.

—¿Dónde habéis aparcado el coche? —preguntó él y se llevó el pañuelo a la nariz para cortar la hemorragia.

—En la siguiente calle —contestó Dulce—. Ya casi estamos.

Mike volvió a mirar tras él. Seguía inquieto.

—¿Vas a explicarme que está pasando? —insistió Rachel.

—Luego, cuando estemos lejos de aquí. Vamos, sigue andando.

Al llegar al coche, Dulce y Sofía se despidieron entre susurros y se metieron en el interior a toda prisa, mientras Mike miraba fijamente a Jimena.

—¿Tú eres la hermana de Héctor?

—Sí, ¿lo conoces?

—Coincidimos un par de veces —admitió—. ¿Cómo está?

—Entre rejas, pero sobrevive.

Mike asintió, lanzó el pañuelo ensangrentado al suelo y le abrió la puerta de su propio coche, instándola a que subiese. Jimena no protestó. Se sentó en el asiento del conductor y le pasó el bolso de mano a Dulce, que estaba acomodada al lado.

—Id con cuidado. —Les dijo antes de cerrar con un golpe seco.

En cuanto el motor del vehículo comenzó a vibrar, cogió de nuevo la mano de Rachel y la condujo hacia donde él había aparcado, un par de calles más allá.

—Dime que es mentira y que no tienes nada que ver con todo esto.

Se escuchó un ligero *clic* cuando pulsó el botón del mando a distancia para abrir el coche.

—Sube.

—Mike...

—¡Sube, joder! —exclamó enfadado—. ¿Puedes dejar de ponerme las cosas más difíciles? El mundo no se acabará si me haces caso solo una puta vez.

Rachel montó en el coche. Inspiró hondo mientras él lo ponía en marcha, con los ojos clavados en el cristal empañado. Las calles se volvieron borrosas a su alrededor, un lugar repleto de luces y sombras que se fundía en un solo trazo conforme avanzaban más y más rápido al salir a la autovía.

Hasta que no notó las lágrimas recorriendo sus mejillas y deslizándose por su barbilla, no fue consciente de que estaban ahí. Porque eran silenciosas. Y estaban vacías. No había dolor.

Bajó la ventanilla del coche y una ráfaga de aire frío penetró.

—¿Estás llorando? —Mike la miró de reojo con una mano apoyada en el volante—. Pecosa, siento haberte hablado así. No llores, por favor.

—No lloro. Yo nunca lloro.

Bueno, hasta hacía un par de días no lo hacía.

Se sobresaltó cuando él frotó su mejilla, llevándose las lágrimas con el dorso de la mano, como si quisiese cerciorarse de que eran reales. Mike suspiró hondo y se desvió por el primer camino secundario que encontró. Apenas había luz y se escuchaba el cantar de los grillos en el exterior. Estacionó en un lado. Apagó el motor. Tardó varios minutos en hablar.

—Quería contártelo todo... —susurró—. Pero no sabía cómo. No soporto que me odies.

—Es que no entiendo nada. —Le tembló el labio inferior—. No lo entiendo —repitió.

—Todo empezó aquella noche que acudí a tu casa. Fue culpa de mi padre. De Jim. —Se corrigió, con un deje de rabia en la voz—. Por eso nos peleamos. Se había metido en líos con la gente equivocada. Debía un cargamento. Trabajaba en la empresa de camiones y aprovechaba los viajes y las rutas para transportar lo que no debía. Ellos ya no querían tratar con él, pero alguien tenía que terminar lo que había empezado..., quería que yo lo hiciese. Por eso me peleé con él. Por eso desaparecí durante dos días. Por eso cometí la estupidez de engañarte. —Cerró los ojos y arrugó la nariz, como si algo le doliese. Cuando volvió a abrirlos la miró fijamente—. Acababa de volver y estaba colocado. No sabía ni qué mierda estaba haciendo. Y joder, no es excusa, no tengo ninguna excusa válida. Solo sé que en ese momento me pareció una buena vía de escape. Estaba hundido en algún lugar muy profundo y muy oscuro. He estado ahí durante mucho tiempo. —Cogió aire antes de proseguir—: Yo no quería hacerlo, pero era el único modo de proteger a mi familia. Nadie podía sustituirme en eso.

Rachel se quitó el cinturón de seguridad y se arrodilló en su asiento.

Estaba temblando.

—¿A eso te dedicabas? Mike, mírame.

—No tenía opción. ¿Puedes entenderlo? No había salida. Estaba destinado a terminar fracasando y hacer del mundo un lugar peor. —Apoyó la frente sobre el volante del coche—. No te merecía. Tú eras tan ajena a todo... parecías siempre tan feliz... —Tomó aire—. Esa noche, cuando aparecí en tu casa, ya sabía lo que iba a tener que hacer al día siguiente. Tenía claro que me iba a meter en algo de lo que no podría salir. No tenía derecho a besarte, no debí hacerlo. Y lo siento.

Por instinto, casi sin saber lo que estaba haciendo, ella se inclinó hacia él y rodeó su torso con las manos, apoyando la cabeza en su hombro. Sintió a Mike estremecerse ante la caricia.

—¿Me estás abrazando?

—Sí...

—No me sueltes...

Mike levantó la cabeza del volante y la apretó contra él con fuerza, llevándola hasta su regazo. La besó en la mejilla, en los párpados y en la frente y ella se acurrucó sobre su pecho, donde podía escuchar el latir demasiado rápido de su corazón. Quería que se tranquilizase. Quería que aquel sonido se tornase más pausado, más rítmico.

Rachel cerró los ojos mientras él apartaba con cuidado los mechones de cabello que caían sobre su rostro y contaba en silencio las pecas que se agolpaban en torno a su nariz. Había treinta y tres. Y eran preciosas. Mike deslizó la punta del dedo por esas treinta y tres razones que le habían impulsado a retomar su vida, a incorporarse de nuevo al camino adecuado. Ella siempre sería su punto de referencia.

—¿Me odias? —preguntó en un susurro—. Dime la verdad. Lo entendería porque a menudo yo lo hago. Odiarme. Cada mañana me levanto y pienso que tengo que enfrentarme a mí mismo un día más...

—No, Mike. Nunca.

—¿Quieres saber toda la historia?

Asintió con la cabeza, arrugándole la camiseta al frotarse contra él.

Se lo contó todo. Absolutamente todo. Hasta los detalles que había omitido al hablar con Jason o Luke. Y fue liberador.

Aquella madrugada, después de pasar la noche en vela junto al cuerpo cálido de Rachel, había puesto rumbo al sur de San Francisco, a más de una hora de distancia de la urbanización donde vivían. Allí se había encontrado con el que a partir de entonces, durante mucho tiempo, sería uno de sus contactos. Lo había llevado a una casa pequeña y sumida en las sombras; recordaba haber visto a una anciana en el piso inferior, sentada en una silla de ruedas frente a un televisor antiguo. El tipo, que se llamaba Jesse Pinkman y tan solo era unos años mayor que él, lo había cogido del codo con brusquedad y lo había acompañado escaleras arriba hasta una habitación repleta de trastos, con un colchón en el suelo, y que olía a humedad. Había abierto el desvencijado armario y le había tendido el cargamento de cocaína como si fuese un montón de ropa que tuviese que llevar a la tintorería.

«Ahí lo tienes. Todo tuyo», le había dicho tras inspirar sonoramente y pellizcarse la nariz con un gesto rápido. «No te retrases, tío. ¿Piensas quedarte todo el día ahí mirando o qué?»

Por la tarde, estaba listo para terminar su cometido. Esperó en el coche durante media hora, aparcado frente al parque Northern

Rail, hasta que una camioneta se colocó delante y encendió las luces intermitentes. Era la señal. Cogió la mochila que descansaba bajo el asiento del copiloto y salió del coche. Las puertas traseras de la furgoneta se abrieron. Había dos hombres, aparte del que conducía. Entró y se cerraron tras él. Les entregó el paquete y observó cómo lo desenvolvían; uno de ellos sacó un pequeño espejo rectangular y comenzó a pintar un par de rayas sobre el cristal.

Estaba nervioso. Se mantuvo muy quieto cuando aquel tío le tendió el espejo.

—Pruébalo —exigió.

—Paso. Toda para vosotros.

—He dicho que la pruebes. Ahora. —Sus ojos oscuros se endurecieron—. Ya hemos arriesgado demasiado con el imbécil de tu padre. No tengo tiempo para tonterías.

Mike tenía la mandíbula tensa. Todo aquello era surrealista y peligroso; no tenía ninguna oportunidad de salir victorioso de aquella situación. Se tragó sus miedos.

—Dame —cogió el cristal—. Y no es mi padre.

—Mejor. Eso es un punto a tu favor.

La imagen de Rachel acudió a su cabeza durante unos efímeros segundos. Parecía mentira que menos de veinticuatro horas atrás la hubiese tenido entre sus brazos, al fin. Aquel momento se le antojaba lejano y difuso, como si solo hubiese sido producto de su imaginación. Suspiró hondo, consciente del problema que tenía enfrente. Intentando no pensar en lo que estaba a punto de hacer, agachó la cabeza, miró una última vez la sustancia blanca, se metió el billete enrollado en la nariz y esnifó.

Notó un picor leve y una sensación amarga en la garganta antes de alzar de nuevo el mentón y frotarse la nariz con la manga de la chaqueta, molesto. Advirtió un sabor agrio en el paladar. Uno de los tíos rio y le arrebató el cristal de las manos. Los vio esnifar con total naturalidad, acostumbrados a hacerlo.

—Tú te vienes con nosotros —indicó uno de ellos.

—¿Qué? ¿Qué mierda...? —Mike negó con la cabeza—. No. Ya he terminado aquí. He terminado. Esto era lo que tenía que hacer y lo he hecho.

Volvería a casa. Volvería e intentaría olvidar lo que acababa de ocurrir. Seguiría adelante con su vida, aquello solo era un bache más que superar...

—Quieto ahí. —El más alto se interpuso entre él y la puerta mientras su compañero se encendía un cigarro con parsimonia—. Alguien tiene que sustituir a partir de ahora al capullo de Jim. Y tú me gustas. Estás dentro.

—Ese no era el trato.

—Pues ahora sí que lo es. —Se puso en pie y entrecerró un ojo a causa del humo del tabaco—. Voy a darte un consejo que vale su peso en oro, chaval: pórtate bien, haz lo que tienes que hacer y espera tu momento. Llegará. Pero si me jodes, si nos jodes —señaló también a su compañero—, entonces no tendrás ninguna oportunidad. Porque, hasta donde yo sé, los muertos tienen ciertas limitaciones, ¿lo pillas? Así que sal de aquí, sube a tu puto coche y síguenos. Voy a enseñarte dónde y cómo haremos las cosas a partir de ahora.

Un día más tarde, Mike regresó a la urbanización donde había crecido. Aparcó frente a la casa de Jack, que le había mandado un mensaje horas antes para hablarle de no sé qué fiesta estúpida. Todo el mundo parecía ajeno al cambio que se había producido en su vida. Sus compañeros, aquellos a los que conocía desde que era un crío, reían y se divertían, sin ninguna preocupación que los perturbase. Él avanzó por la casa sintiéndose un fantasma. Si rascaban la superficie, todo era lóbrego y hueco.

Ya no sabía quién era.

Había intentado evitar parecerse a Jim todo lo posible. No solo había fracasado, sino que se había convertido en una especie de sucesor, como si tuviese que continuar un legado de maldad. Muy en el fondo no estaba sorprendido, siempre había esperado aquello. Sus días tranquilos solo habían sido una ilusión efímera.

Se encerró en el baño de la casa de Jack y se miró en el espejo unos instantes. Tenía las pupilas dilatadas, los labios y la boca reseca. Se balanceó levemente, apoyado en el lavabo. Al mirar su teléfono móvil descubrió una nueva llamada de Rachel. Otra más. Otra. Le había llamado más de veinte veces en las últimas cuarenta y ocho horas, igual que Jason y Luke. No quería hablar con ninguno de ellos. Estaba convencido de que descubrirían que era la peor persona del mundo en cuanto pronunciase un simple «hola».

Y ella no, ella no podía tener nada que ver con toda esa mierda.

Sacó del bolsillo el gramo que llevaba y permaneció un buen rato mirando la sustancia blanquecina, indeciso. Llevaba toda su vida intentando nadar contracorriente para finalmente terminar engullido por las olas. Todo el esfuerzo no había servido de nada; no era más fuerte que ellos, ni mejor, ni había logrado esquivar ese destino que parecía escrito para él. Lo poco que quedaba de Mike se rompió cuando volvió a salir de aquel baño con menos peso en los bolsillos.

—¿Mike? ¡Colega! —Luke le sujetó el rostro entre las manos—. ¿Dónde te habías metido? ¿Estás bien?

—De puta madre.

—Vale, no te muevas, ¿de acuerdo? Voy a llamar a Jason para avisarlo de que estás aquí. Vuelvo enseguida.

Vio cómo Luke desaparecía. Algunos antiguos compañeros del instituto estaban en la piscina, gritando, lanzándose agua y riendo. Tenía ganas de arrancarles las sonrisas de los labios. No valía la pena sonreír, no. Qué gilipollas. Qué gilipollas eran todos.

Volvió a entrar en la casa, tambaleándose al andar. En la cocina, ignorando a todos los presentes, cogió uno de los muchos cubatas que había sobre la encimera y se bebió la mitad de un trago. No alivió la sequedad que notaba en la boca y la garganta.

—Eh, guapo. —Una joven rubia le tocó el brazo—. Te conozco.

La miró. Llevaba los labios pintados de un rojo muy intenso. Y no, no la conocía de nada. Volvió a salir al exterior. Ella lo siguió. No dejaba de hablar de cosas estúpidas que a él no le interesaba escuchar. Que si el coche que su padre iba a comprarle. Que si pensaba intentar entrar en una dichosa fraternidad... Le dio otro sorbo al cubata y fijó la vista en el cielo. Nada. Ni una miserable estrella que contar.

—¿Nunca dejas de hablar?

—Hum, me gusta hacerlo. Para eso tengo una boca —rio escandalosamente, como si hubiese dicho algo muy gracioso.

—Pues búscale una nueva utilidad. Más interesante. Y más silenciosa.

Algo chispeó en los ojos de la joven. Dio un paso al frente mientras él la miraba fijamente, imperturbable. Se inclinó y posó aquellos labios rojos sobre su clavícula, besándolo, lamiéndolo. Mike cerró los ojos al notar que le daba un pequeño mordisco. Era agradable. Estaba sintiendo algo, aunque fuese un leve dolor.

Cuando volvió a tomar conciencia de sí mismo, ya estaban en la habitación del hermano de Jack; lo supo por los pósteres de Nirvana que empapelaban las paredes y porque en dos ocasiones le había dejado discos de música.

Bajó la vista del techo e intentó fijarla en la chica que tenía encima, sentada a horcajadas sobre sus piernas. Le costaba centrar la mirada en un punto concreto, incluso cuando ella se despojó de la camiseta y del sujetador y le cogió ambas manos para dirigirlas hacia sus propios pechos mientras se frotaba contra su cuerpo de un modo rítmico, suave, placentero. Mike devoró aquella boca, ansioso, y respiró hondo cuando aquellos labios femeninos descendieron después por su cuello, lamiendo despacio la piel que encontraban a su paso.

Por un instante, solo un instante, se convenció de que nada importaba. Y nada era nada, en todos los sentidos. Solo el ahora. Solo el aquí y ahora...

Pero ese pensamiento se tambaleó cuando vio a Rachel parada en el umbral de la puerta. Llevaba el cabello pelirrojo recogido en un moño del que escapaban algunos mechones rebeldes y estaba completamente paralizada, con sus expresivos ojos castaños muy abiertos, como si realmente le sorprendiese encontrarlo allí con otra, como si realmente hubiese creído alguna vez que él pudiese ser una buena persona, alguien normal con quien ir al cine a ver una película o hacer una escapada de fin de semana. La idea era tan lejana a la cruda verdad que resultaba casi ridícula.

Mike pensó en apartarse, pero había algo que lo mantenía inmóvil mientras seguía sintiendo aquella boca desconocida avanzando por su hombro. Frente a él, vio de una forma casi nítida la barrera que los separaba. Era enorme. Altísima. Inmensa.

No iba a poder escalarla.

Ya había perdido antes de empezar.

Los labios rojizos de la chica ascendieron de nuevo por su mandíbula y Mike dudó unos instantes, pero finalmente presionó su boca con fuerza, besándola. Cerró los ojos, como si con eso pudiese cerrar también todo lo demás. Sabía a Fanta de naranja. Y era fácil. Era sencillo acariciar su lengua y perderse en esas sensaciones. No tenía que esforzarse. Ni pensar. Era perfecto.

Cuando volvió a mirar la puerta, allí ya no había nadie.

Rachel se había ido.

Bien.

23

Mike no estaba seguro de cuánto tiempo hacía que Rachel había salido corriendo de la casa de Jack. Se había quitado a aquella chica de encima poco después de ver que había desaparecido, pero no había intentado ir tras ella. ¿Para qué? Perdía el tiempo.

Llevaba un buen rato tumbado sobre la acera de la calle, con los brazos tras la nuca, ajeno a los vecinos curiosos y los vehículos que transitaban la carretera. El mundo daba vueltas a su alrededor, se encogía y se expandía, se retorcía y se rizaba sobre sí mismo. Un maldito espectáculo que solo él era capaz de ver.

—Te dije que no te movieses, llevo un buen rato buscándote. —Luke lo miró desde arriba, lo cogió del codo y tiró de él para ayudarlo a ponerse en pie.

—Deberías buscarla a ella.

—¿A quién?

—A Rachel.

—¿Por qué dices eso?

—Le he hecho algo malo, Luke.

—¿Qué coño te pasa? —Le giró la mejilla para poder mirarlo a los ojos mientras fruncía el ceño—. Tío, tienes las pupilas enormes. Joder, ¿te has metido algo?

—¡Déjame! ¡Aparta!

Lo empujó a un lado y pasó tambaleándose a su lado.

Luke corrió hasta alcanzarlo.

—Eh, colega, ¡espera! Explícame qué es lo que pasa. Sea lo que sea, me tienes aquí. ¿Me estás oyendo, Mike? ¿Mike?

No, no lo oía. Lo cogió de las solapas de la chaqueta y lo estampó contra uno de los vehículos que había estacionados frente a la acera. Luke notó el golpe duro y seco en su espalda, pero ni siquiera eso lo hizo reaccionar. Nunca había visto así a Mike, tan furioso y tan fuera de sí. Irreconocible, esa era la palabra exacta.

—¡Aléjate de mí! ¡Tú, Jason, Rachel y todos! —gritó—. ¡Dejadme en paz! Ya la he jodido a ella y te joderé a ti si no te apartas de mi camino. ¡Haz tu puta vida! ¡Piérdete!

Lo zarandeó una última vez antes de soltarlo, dar media vuelta y alejarse caminando calle abajo. Después de aquello, no volvió a ver a Luke, ni a Jason ni a Rachel.

Tampoco al señor Robin.

Regresó al sur de San Francisco, tal como le habían ordenado que hiciese.

Una semana más tarde le llamó su madre y le contó que había muerto. Un infarto. Así, sin más. Sin ningún aderezo que pudiese enmascarar el dolor. Por la noche, mientras él estaba tumbado en una acera cualquiera, drogado..., Robin se moría. Y era lo más cercano que había tenido a un padre.

—He creído que deberías saberlo —dijo hablando en susurros. Se imaginó a su madre en su habitación, mirando de reojo la puerta con nerviosismo, como si el mero hecho de hacer una estúpida llamada fuese un delito—. Lo enterraron hace cuatro días.

Mike permaneció en silencio. De no ser por el ruido de su respiración que llegaba al otro lado del teléfono, ella hubiese creído que había colgado.

—Lo siento, Mike. Sé que ese hombre te...

—Cállate.

—De acuerdo... —gimió en un susurro.

—No, joder. No. Deja de ceder, ¿vale? No te calles, no seas siempre la persona que los demás pisoteamos cuando nos apetece —masculló—. Qué pasa en tu cabeza, ¿eh? ¡Contéstame! ¡Gríta-me! —Quería descargar todo su dolor en ella. Robin estaba muerto—. Si tú no hubieses sido tan débil todo habría sido diferente, ¿es que no lo ves? ¿Por qué tienes que ser así?

—Cielo, estás enfadado...

Notó las lágrimas que se agolpaban en sus ojos.

—Te odio, mamá. Te odio. A ti. Y a él.

Lloró. Por fin, lloró, y pensó en lo injusto que era que Jim siguiese vivo.

Mike respiró hondo, alzó la mirada al techo desconchado bajo el que se encontraba en esos instantes y se mordió el labio inferior con tanta fuerza que notó el sabor metálico de la sangre.

—Te prometo que si vuelves a casa, intentaré que cambien las cosas. —Continuaba hablando bajito; su voz era una brisa pasajera, suave, como si las palabras se rompiesen y se desintegrasen antes de ser dichas—. Lo intentaré...

—No voy a volver nunca. —Mike tenía la voz rota—. Ni siquiera eres jodidamente consciente del lío en el que estoy metido. No tengo elección. ¿Qué es lo que no entiendes? Todo sería diferente si no lo hubieses preferido siempre a él antes que a tu propio hijo.

—Mi niño...

Mike sintió que se ahogaba. Se limpió las lágrimas con brusquedad y rabia e intentó que el aire llegase a sus pulmones. Daba igual lo que dijese. Daba igual porque ella jamás lo entendería y, aunque llegase a hacerlo, era demasiado tarde. Ya no importaba.

—¿Dónde está ella? —logró decir.

—¿La chica? Se ha marchado.

—¿Cómo? ¿Se ha marchado adónde?

—Creo que a Seattle. Eso me dijo Diane —aclaró; era una de las vecinas de la urbanización—. Después del funeral se fue con un familiar lejano. Vino una furgoneta de mudanzas para recoger algunas cosas, pero todo lo demás lo dejó aquí. La casa es ahora propiedad del banco.

—No puede haberse ido sin más.

—Lo hizo —suspiró—. Unos amigos tuyos vinieron a buscarte hace varios días. Me dijeron que no les cogías el teléfono. Querían saber dónde estabas y si Rachel estaba contigo. Insistieron mucho. Luego se enteraron de lo que había pasado.

Mike se llevó las manos a la frente y después se pellizcó el puente de la nariz. Su mente bullía. Robin estaba muerto. Rachel desaparecida. Y él... bueno, él tenía problemas bastante serios de los que ocuparse.

—Escúchame, no vuelvas a llamarme, ¿de acuerdo? —Oyó el llanto de su madre al otro lado del teléfono. Tan frágil, tan débil, tan poca cosa—. Lo haré yo a partir de ahora. Cuando pueda. Desde otro teléfono.

Su madre sorbió por la nariz sonoramente.

—Vale, cariño. Ten mucho cuidado.

—Por favor, para ya. Deja de fingir que te preocupa lo que me pase. Es casi peor.

—Hijo, sí que me importas, claro que me importas —gimió—. No he sabido hacer las cosas de otra forma. No he podido.

—Está bien, tranquila, olvídalo. Gracias por avisarme de esto. En serio. Gracias —concluyó antes de colgar y estaba siendo sincero: puede que fuese uno de los gestos más bonitos que aquella inalcanzable mujer de tirabuzones rubios y brillantes había tenido con él. El listón estaba muy bajo.

Quitó la tarjeta del teléfono y la dejó caer al suelo. Ya no había nada que recuperar de su pasado. Apretó con fuerza el aparato que aún sujetaba en la mano, haciéndose daño, hasta que sintió un escalofrío al escuchar unos pasos tras él. Alguien descendía las escaleras hacia el sótano.

—Eh, hermano, ¿estás bien?

Mike tardó unos segundos en asentir con incomodidad.

—Me llamo Héctor. Estoy en la habitación de arriba y no he podido evitar escuchar... ya sabes... —Tenía un acento muy marcado, aunque Mike empezaba a acostumbrarse a ello—. ¿Quieres una calada?

Le tendió el canuto que sostenía entre los dedos.

—No lo necesito.

—Vale. Quieres estar jodido y saber que lo estás. —Sonrió—. Lo entiendo.

No lo había visto antes. Tendría su misma edad, pero parecía un crío. Se preguntó si él daba una imagen semejante ante los demás. Probablemente sí.

Le habían dado instrucciones de que permaneciese en aquella casa repleta de gente que iba y venía, que llegaba y se marchaba sin decir adiós. Algunos regresaban. Otros no. Había coincidido con muchas personas en apenas unos días, pero no recordaba los nombres. Sin embargo, la mirada de aquel chaval tenía algo... un algo especial. «Héctor», memorizó. Héctor.

Si se concentraba en ese nombre quizá dejaría de imaginarse al Señor Robin dentro de un ataúd.

—¿Puedo ayudarte en algo, *güey*?

—No. —Caminó de un lado a otro. Era incapaz de estarse quieto—. O bueno, sí. —Lo miró, mientras el otro daba una calada y el humo y el olor a maría envolvía la oscura estancia—. Necesito marcharme. Solo un día.

—¿Marcharte? —Héctor se inclinó levemente hacia delante, balanceándose sobre sus talones—. No sé, tío. Acabas de llegar...

—No desapareceré —aseguró—. No soy imbécil.

Sabía muy bien las consecuencias de cometer una estupidez semejante, sería una especie de suicidio. Héctor pareció dudar, pero finalmente asintió con la cabeza.

—Está bien. Si alguien pregunta por ti, yo te cubro. Pero no me falles.

Le apuntó con el dedo, alzando una ceja en alto.

—Tienes mi palabra. —Cogió las pocas pertenencias que necesitaba; la cartera, las llaves del coche y una chaqueta. Antes de subir por las escaleras, se giró una última vez—. Y te debo una, colega.

—Me lo apunto.

Héctor sonrió y lo vio marcharse.

Visitó la tumba de Robin. Las flores amarillas y blancas que descansaban bajo la lápida aún no se habían marchitado y la tierra todavía estaba removida y suelta. Le hubiese gustado poder despedirse de algún modo, poder haber acudido a su funeral, poder haber consolado y cuidado a Rachel...

Poder haber evitado todo aquello.

Desde aquel día, acudir allí se convirtió en una especie de ritual para él, como si aquel fuese su único pasado, el punto concreto que diferenciaba la persona que había sido de la persona en la que se estaba convirtiendo; porque conforme pasaba el tiempo y quedaban atrás días, meses y años... se iba olvidando de quién era en realidad, de todos esos sueños y planes de vida a los que estaba renunciando.

Dentro de aquel mundo lóbrego, hubo algo que a Mike consiguió reconfortarlo y atarlo. Puede que fuese porque tenían orden de protegerse unos a otros, como hermanos, o porque aquella idea de fidelidad se asemejaba a esa familia que nunca tuvo, pero pasó una época en la que creyó que aquel era exactamente el lugar en el que debía estar, que había nacido para ello. Se le daba bien. Y se sentía arropado, valioso, irremplazable.

Pero no lo era.

Solo cuando tropezó con Luke y Jason se dio cuenta de lo mucho que se equivocaba. Estaban en una fraternidad repleta de estudiantes, en medio de una de las salvajes fiestas en las que su grupo solía suministrar material. Era el lugar perfecto. La gente perfecta.

Supo que aquel chaval de cabello rubio era Jason en cuanto lo vio. Intentó disimular la impresión de encontrarlo así, tan de improviso, después de tanto tiempo... Miró a su alrededor y distinguió a Luke al otro lado de la estancia, hablando con una chica morena. ¿Y Rachel? No, ella no se encontraba en esa fraternidad; de haber estado allí lo hubiese notado de inmediato porque era la única persona en el mundo que lograba que los latidos de su corazón cambiasen de ritmo, metiesen quinta y se acelerasen descontrolados.

Caminó despacio hacia Jason. Todavía no lo había visto; estaba frente a la mesa de bebidas, preparándose un cubata con parsimonia como si todo el jaleo de alrededor no fuese con él. Siempre tranquilo. Siempre centrado. Se paró a su lado.

—¿Vodka rojo? No has cambiado nada —bromeó—. ¿Por qué no pruebas algo más fuerte?

Jason se giró lentamente, como si necesitase unos instantes para reconocer y ubicar el tono de su voz. Lo taladró con la mirada. Y después le dio tal puñetazo que la mesa de las bebidas se tambaleó.

—¿Me has roto la nariz? —Mike se tocó la cara y al bajar las manos descubrió que estaban bañadas en sangre—. Joder, ¡me has roto la nariz!

—Eso va por Rachel.

Mike rio. Empezó como una risa suave que poco a poco se trasformó en una carcajada. Una parte de él estaba feliz. Había consumido lo suficiente aquella noche como para no sentir apenas dolor, aunque le hubiese gustado notarlo. Por fin alguien le daba su merecido, ¿y quién mejor que Jason para hacerlo? Quizá si seguía golpeándolo la culpa se haría cada vez más y más pequeña...

—Ven. Ven aquí, idiota —dijo Jason, cogiéndolo del cuello de la camiseta blanca, ahora repleta de salpicaduras de un rojo brillante.

Sorprendiéndolo por segunda vez consecutiva, lo abrazó fuerte. Demasiado fuerte.

—Ah, tío, con cuidado. Que me has roto la nariz —le recordó.

—Lo siento, pero te lo merecías. Por marcharte. Y por lo que sea que le hiciste a Rachel —apuntó—. Vamos, será mejor que te llevemos al hospital.

Luke ya estaba junto a ellos, con las llaves del coche tintineando en la mano y una enorme sonrisa que se reflejaba en el verde de sus ojos...

—¿Y luego qué paso? —preguntó Rachel, todavía acurrucada entre la seguridad de sus brazos, sobre su regazo.

Él tardó unos instantes en apartar la vista de la ventanilla del coche; creía que se había quedado dormida mientras le relataba lo ocurrido aquellos años. Le acarició el cabello en silencio. No quería romper el momento. No quería decir o hacer algo que pudiese fastidiarlo...

—Luego me peleé con mi grupo cuando fueron a por Jason —dijo—. Las siguientes semanas fueron confusas y algo difíciles. Hubo una redada. No solo pillaron a Héctor, también a unos cuantos más. Yo no había vuelto porque después de que me enfrentase a ellos en aquella fiesta me consideraron un traidor, pero me enteré de lo ocurrido a través de un par de conocidos. Cuando se lo conté a Jason, tuvo la idea de que declarase como testigo de forma voluntaria. Fue lo mejor. Una forma de quitarme un peso de encima, de confesarlo todo. Conseguí que fichasen a varios. De los grandes. Los que están más protegidos. Y les di algunos nombres útiles. Dije todo lo que sabía.

—Entiendo...

—Nunca se enteraron de eso ni pueden hacerlo —aclaró—. Pero no es fácil salir de algo así. Nadie quiere dejar cabos sueltos. Y un antiguo miembro es un cabo muy, muy suelto. Así que hice que mi madre y Jim se mudasen a otro barrio y que entrásemos en el programa de testigos protegidos porque sabía que, si no me encontraban a mí, irían a por ellos —explicó—. Luke y Jason me ayudaron con todo el proceso. Por eso tuve que cambiar de apellido. Desde entonces, uso Cranston. Tuvimos la suerte de que la parte económica no fue un problema; había invertido dinero en un salón de juego meses atrás y funcionó lo suficiente bien como para que pronto abriesen un par de locales nuevos...

—¿Cómo se te ocurrió?

—No quieres saberlo...

—Sí quiero.

Mike sonrió.

—Durante un viaje a Los Ángeles —dijo—, no sé cómo terminé en ese local una noche. Había bebido y quería divertirme. Uno de los socios, Mark, se apostó contra mí una parte pequeña del negocio y perdió. A su favor, tengo que decir que es un buen tío, pero esa noche estaba jodido porque iba a divorciarse de su mujer. Cumplió su palabra y yo invertí el resto de lo que tenía en ampliar mi parte. Tampoco tenía nada mejor en qué gastármelo. Formamos un buen equipo. A Mark y a Alexander les gusta rondar por los locales, conocer a los clientes, pasar tiempo por allí... y a mí me encanta no tener que pisar esos lugares. Además, es más seguro. Ellos también están al tanto de la situación. Tengo que mantenerme un poco en las sombras durante algún tiempo en ese tipo de ambientes, ¿entiendes? Tan solo acudo a las reuniones cuando hay que tomar una decisión importante.

Apoyando un codo sobre el volante del vehículo, ella se incorporó un poco para poder mirarlo a la cara.

—Así que consumías...

—Sí —asintió lentamente con la cabeza, aguantando la respiración.

Aquella era una de las muchas cosas que había temido tener que confesarle. Hay pasados tan turbios que, a veces, rascar la superficie, pulir y sacar brillo se convierte en una tarea ardua.

—¿Y ahora?

—No. Hace casi tres años que no. Te lo prometo.

—Te creo. Confío en ti.

Volvió a enroscar los brazos en su cuello y a abrazarlo con fuerza y Mike expulsó de golpe el aire que había estado conteniendo. Notó los labios de Rachel en su clavícula, rozándole la piel, vacilantes. Tan solo con que girase un poco el rostro hacia ella sus bocas se encontrarían. Podía hacerlo. Quería hacerlo. Se debatió, pero al final decidió que prefería tener tan solo su amistad antes que volver a perderla. Así que correspondió su abrazo, la estrechó contra su cuerpo, y cuando el mundo pareció mecerse en un apacible silencio, en el cristal empañado de la ventanilla del coche trazó con el dedo dos puntos sobre una línea curvada: una carita sonriente.

24

Llovía a cántaros cuando Mike entró en casa cargando las bolsas de la compra. Tenía que ser un día especial. Tenía que serlo. El primer Acción de Gracias que celebrarían juntos. Hasta ese momento, había ignorado la festividad porque no había encontrado ningún motivo concreto por el que tuviese que dar las gracias. Por estar vivo, quizá. Y poco más.

Guardó la comida en el frigorífico y subió al segundo piso dando grandes zancadas. Jason estaba en su habitación guardando en una mochila una camiseta; pensaba quedarse a dormir en casa de sus padres para no tener que conducir después de beber durante la cena. Mike entró sin llamar. Caminó hasta él y observó que se había adueñado de una prenda de ropa suya.

—¿Cómo va eso?

—Bien. Tengo la sensación de que se me olvida algo…

Meditó, contemplando la habitación. Contrariamente a lo que cabría esperar, dado lo perfeccionista que era Jason en el trabajo, no estaba muy ordenada. Luke siempre había sido el más maniático de los tres en cuestión de organización y limpieza. También el más supersticioso. Puede que haberse criado con cuatro mujeres tuviese algo que ver.

—A lo mejor se te olvida cuál es tu ropa y cuál no.

—No, no es eso, sé perfectamente que me llevo tu camiseta —declaró—. Ser tu amigo merece ciertas ventajas. Son como extras navideños, ¿entiendes? Por las molestias.

Mike rio y se dejó caer en la cama. Apoyó la cabeza en una mano.

—Por cierto, Rachel me contó lo de Clarissa... —Habló inseguro—. ¿Estás bien? Si necesitas que hablemos de sentimientos y todo eso... bueno...

A Jason parecieron divertirle sus palabras.

—No, tío, no soy tan emocional como tú. Estoy perfectamente.

—Eh, imbécil. Contrólate.

—He visto que la comunicación ha empezado a fluir entre vosotros... —dijo Jason al tiempo que se guardaba en los bolsillos los objetos que había en su mesilla de noche—. Eso está bien. Qué habléis —puntualizó.

—Lo sabe todo —confesó Mike.

—Ya me lo figuraba...

Hacía unos cuantos días que le había permitido a Rachel unir, encajar y acoplar las piezas de su pasado que no quería que nadie viese. Estaba seguro de que lo odiaría después de descubrirlo, pero se había equivocado. Ahora todo era más fácil, menos enrevesado, como si partes antes opacas comenzasen a tornarse transparentes, permitiendo ver, permitiendo sentir.

—Por cierto, ¿dónde está Rachel?

Jason cerró la mochila y la cremallera produjo un extraño ruido sibilante.

—Pensaba que había ido a comprar al supermercado contigo. No la he visto. Y Luke hace rato que se marchó a casa de su tía con su suéter de renos muertos y demás...

—Joder. —Clavó la vista en el salpicado cristal—. Iré a buscarla.

—Te acompaño.

—No, no hace falta.

Se encaminó escaleras abajo y Jason lo siguió.

—¿Dónde piensas buscarla?

—Habrá salido a correr antes de que empezase a llover. —Mike cogió las llaves que descansaban en la mesa de la entrada y abrió el armario inferior—. ¿Será posible que en esta casa nunca haya un paraguas a mano...? —se quejó.

—¿Cómo lo sabes?

—Porque yo habría hecho exactamente lo mismo si no hubiese tenido que ir a comprar. Es un día en el que se reúnen las familias; si no tienes, no es agradable que el mundo se empeñe en recordártelo. Necesitaría salir, despejarse un poco y desahogarse.

—Os dije que podíais venir a mi casa. Ni a mis padres ni a mis hermanos les importará —insistió—. Todavía estáis a tiempo.

—Tranquilo, estaremos bien. —Se subió la capucha de la sudadera y lo miró por encima del hombro tras abrir la puerta—. Y tú, ya sabes, disfruta de dar las gracias y toda esa mierda. Es mejor de lo que parece cuando tienes la obligación de ir. No te entretengas más o llegarás tarde —sonrió antes de echar a correr.

En menos de un minuto estaba calado hasta los huesos. Avanzó por la acera a paso rápido, chapoteando sobre los charcos. Todavía no había anochecido, pero las nubes que salpicaban el cielo eran tan oscuras que daba esa sensación.

Recorrió el mismo trayecto que solían hacer juntos casi a diario. Una vez pasadas las primeras cuatro manzanas, el camino se alzaba formando una línea recta y era fácil ver lo que había más allá: nada, una calle inmensa y vacía. Siguiendo su intuición, se desvió y ascendió por la colina. La cuesta provocaba que el agua cayese formando diminutos riachuelos. La lluvia caía sin descanso y rebotaba sobre la tierra húmeda, las ramitas y las hojas de los árboles. La vio enseguida. Estaba de pie apoyada en un tronco, bajo la copa frondosa de un pino enorme. Tenía los ojos entrecerrados fijos en el cielo, como si pudiese ver algo especial allá arriba.

—¡Rachel! —Ella sacudió la cabeza en su dirección—. ¿Qué se supone que estás haciendo?

—Quería correr un poco. —Dio un pequeño traspié cuando se movió para acercarse a él. En el suelo se había formado una capa fina y resbaladiza de barro—. Pero no imaginé que justo hoy llegaría el diluvio universal.

—Ven, pecosa. Yo te ayudo. —La alcanzó y le rodeó la cintura con un brazo—. ¿Sabes qué es exactamente lo que no hay que hacer en mitad de una tormenta?

—Es evidente que estás formulando la pregunta para poder autoresponderte, así que dilo y punto.

Aceptó su ayuda cuando comenzaron a descender lentamente.

—Resguardarse bajo un árbol.

—No es que tuviese mucho más donde elegir... —masculló.

Cuando llegaron a la zona urbanizada pudieron avanzar por la acera sin problemas y más rápidamente. Ignoraron la incesante lluvia que continuaba cayendo, formando una cortina de agua cuando algún coche pasaba por la calle e iluminaba con los faros los alrededores.

Un trueno estalló en lo alto del cielo. Rachel se estremeció. Parecía que el cielo se había quebrado, partiéndose en dos, rompiéndose al final con un último crujido seco.

—Por un momento... —Mike se apartó el cabello mojado de la frente, sin quitarse la capucha—, por un momento pensé que quizá te habrías arrepentido de lo de cenar juntos esta noche.

—Qué tontería. Es la primera noche en años que tengo compañía. —Le mostró una sonrisa sincera—. Doy las gracias por ello.

Otro trueno rugió sobre ellos justo cuando se internaron en el camino de la entrada de casa. Se refugiaron bajo el pequeño tejado triangular mientras Mike buscaba las llaves y abría. *Mantequilla* los recibió sentado sobre la alfombrilla granate, completamente seco.

—*Miau.*

—Sí, tú también tienes cena —le aseguró Mike al tiempo que se despojaba de la chaqueta y la colgaba tras la puerta principal. Rachel le clavó una mirada feroz—. ¿Qué pasa? La dieta puede esperar, deja que el gordo de *Elvis* disfrute un poco.

—*Elvis* suena tan estúpido... —farfulló.

—*Mantequilla* desprende inteligencia. Algunos científicos han llamado preguntando por la persona que le puso el nombre. Les he dicho que estabas demasiado ocupada trabajando en la cura contra el cáncer y que ahora mismo no podías ponerte al... ¡Ay!

Se quejó de su manotazo y después rio con despreocupación.

Los dos estaban empapados. Subieron al segundo piso y entraron en el baño con la intención de no ensuciar más la casa. Mike cogió la primera toalla que encontró; sin preguntarle antes, se la puso sobre la cabeza y comenzó a secarle el pelo con suavidad. Rachel dejó que lo hiciese y mantuvo la vista fija en las baldosas blancas del suelo.

—Por cierto, no te lo he dicho antes, pero leí tu novela durante los días que estuve fuera. Después de que discutiésemos —aclaró—. La primera y también la segunda parte. La compré. Quiero que conste que he contribuido al mundo editorial económicamente. Ya no puedes decirme que no leo.

—No lees, Mike.

—¿No vas a preguntarme qué me ha parecido?

—A una parte de mí le da miedo saberlo.

—Me ha gustado —concluyó—. Pero no entiendo a Agatha, ¿por qué es tan caprichosa? ¿Y por qué le dice a Fred cosas como «aléjate de mí» cuando en realidad no quiere que se vaya? Debería ir a un psicólogo.

Rachel lo miró indignada. ¿Cómo había podido sacar ese erróneo mensaje? La novela trataba justo de lo contrario.

—El que se supone que necesita ayuda es él.

—Pero ¿qué dices? Fred es un tío guay. Es un tío con las cosas claras.

—Oh, Dios... —Emitió una carcajada—. No puedo creer que esté discutiendo contigo sobre mi propia novela...

—Y espero que me des algún adelanto de la tercera.

—Ves haciéndote a la idea de que no.

—Hablando de libros... quiero darte algo. —Le sacudió el pelo con la toalla una última vez y se apartó de ella—. Pero antes deberías darte una ducha de agua caliente. Estás helada, pecosa.

Rachel permaneció unos segundos confusa, sin moverse, mirándolo en silencio. Mike alzó una ceja en alto y sonrió de lado.

—¿Estás esperando a que yo te quite la ropa? Porque puedo hacerlo, si quieres...

«Vale. Desnúdame y terminemos con todo ya», pensó mientras negaba rápidamente con la cabeza al sentir la oleada de calor que la sacudió en contraste con el frío del rastro de la lluvia. Él era magnético. Resultaba agotador no poder aliviar aquella inevitable atracción.

—Yo me ducharé en el otro baño. Te espero en mi habitación cuando termines de vestirte. No tardes mucho, porque vamos con un poco de retraso para la cena...

—¿En tu habitación? ¿Por qué en tu habitación? —preguntó con voz chillona—. ¿Y por qué no en el comedor?

—¿Qué te pasa? —La observó con extrañeza, recorriéndola con la mirada de la cabeza a los pies. Rachel se estremeció después de aquel examen a fondo—. Tengo ahí tu regalo. En mi habitación —puntualizó.

—Ah, vale. Eso lo explica todo.

—No explica lo rara que estás, pecosa.

—Parece mentira que todavía te sorprendan mis rarezas —farfulló nerviosa y luego, mientras él reía, le empujó con suavidad invitándole a salir.

Puso el pestillo y recostó la espalda contra la puerta.

Suspiró con los ojos cerrados y finalmente comenzó a desvestirse. Dejó la ropa empapada en el suelo y se metió bajo el chorro de agua caliente. Necesitaba esa ducha, la sensación calmante; Mike tenía razón.

Mike...

Intentó no pensar en él, pero fue en vano porque le resultaba imposible ignorar que en ese instante él estaría haciendo lo mismo que ella a tan solo unos metros de distancia. Desnudo. Enjabonado. Con esa sonrisa insolente que conocía de memoria, hasta el punto de poder dibujarla con los ojos cerrados.

Se reprendió a sí misma, cogió la esponja y dejó de recrear en su cabeza un montón de fantasías tontas cuando se concentró en lavarse. Salió de la ducha tiritando y solo entonces advirtió que no tenía ropa seca a mano. Genial. Se enrolló una toalla blanca alrededor del cuerpo, conectó el secador, y cuando terminó se peinó un poco con las puntas de los dedos antes de salir dejando una nube de vapor a su espalda.

La cama estaba sin hacer. Colocó bien las cortinas. Seguía temblando tras vestirse con unos pantalones de pijama con un estampado de huellas de gatito y un viejo suéter azul oscuro que le había robado a Jason.

Conocer aquello que Mike tanto se había esforzado por esconder tan solo había conseguido derrumbar del todo la barrera que ella había construido entre ellos. Poco a poco. Con esfuerzo. Y ¿para qué? Para que finalmente sus palabras lo redujesen todo a un montón de escombros. Ya no había barrera. No quedaba nada. Y tenía tanto, tanto miedo...

Ahora lo entendía.

Si entendía, sentía...

Y si sentía, se perdía...

—¿Estás tejiendo tu propia ropa o algo?

Mike irrumpió en la habitación de golpe y ella se giró sobresaltada.

—¡Joder! A riesgo de que te irrites los nudillos, podrías llamar de vez en cuando —protestó—. ¿Y si no llego a estar vestida?

—No veo el problema —sonrió.

Rachel puso los ojos en blanco y lo siguió por el pasillo hasta su habitación. *Mantequilla* se unió a la fiesta y decidió acompañarlos; se subió de inmediato en la cama y comenzó a masajear la manta.

Mike se puso de puntillas y cogió un paquete rectangular que guardaba sobre el armario de madera. Se lo tendió. Estaba repleto de polvo y era más que evidente que no lo había envuelto él, porque los trocitos de celo y la forma en la que estaba doblado el papel marrón desprendían cierta delicadeza.

—¿No deberías dármelo en Navidad? —Rachel lo miró dubitativa.

Él inspiró hondo y se frotó la nuca lentamente.

—En realidad pretendía dártelo en cuanto te encontrase —confesó—. Lo compré hace bastantes años, pecosa. —Se inclinó hacia ella—. Porque te juro que sabía... sabía que volveríamos a vernos. Estaba convencido.

Dejó los dedos quietos sobre el primer trozo de celo despegado y se miraron en silencio durante unos eternos instantes. Solo se escuchaba el suave ronroneo de *Mantequilla* al otro lado de la habitación.

—Pero no lo hiciste. No me lo diste cuando nos encontramos.

—Vale, te confesaré un secreto: me daba miedo que me lo lanzases a la cabeza.

—¡Venga ya! —negó mientras sonreía.

—Ábrelo de una vez.

Fue desdoblando lentamente el rugoso papel hasta que la cubierta de un libro antiguo apareció ante sus ojos. El título estaba bordado en color dorado y formaba un marco precioso e increíble que ella recorrió rápidamente con la yema de los dedos. Era una edición antigua de *Orgullo y prejuicio*. El lomo de las páginas estaba un poco amarillento y el ejemplar olía a viejo, a muchas, muchas vidas pasadas.

—Mike... —susurró. Se había quedado muda.

—Es una primera edición. O eso me dijeron —aseguró—. No preguntes qué hacía allí, pero lo compré en una subasta de antigüedades en Haight Ashbury. Cuando lo vi me acordé del día que dijiste que no tenía sentimientos por no enamorarme de Darcy.

—¡No lo dije por eso! Me molestaba que pensases que el amor era una tontería —admitió sin dejar de toquetear el libro. Era curioso lo mucho y hasta qué punto habían cambiado las cosas; ahora era ella la que creía que el amor estaba sobrevalorado. Si se hubiese tropezado con aquel Mike de diecisiete años le habría dado la razón. Negó con la cabeza, incómoda ante aquellos pensamientos tan contradictorios—. Y además, tú me llamaste estúpida —rememoró con aparente despreocupación.

Abrió el valioso ejemplar por la primera página y descubrió el pequeño papelito que había dentro. Los bordes estaban desdibujados, como si lo hubiesen partido con los dedos, pero se distinguía perfectamente la caligrafía irregular de Mike.

Lo siento, pecosa.
Mike.

Nada más. Solo eso. Rachel alzó la mirada hacia él. Le temblaba la mano con la que sostenía el libro y tenía que parpadear más de lo normal para evitar que los ojos se le llenasen de lágrimas. ¿Qué le estaba pasando?

—Deja de decirme que lo sientes, por favor —rogó en voz baja—. Ya no hay nada que perdonarte. Nunca lo hubo, en realidad.

Mike asintió en silencio, mirándola con cautela como si no estuviese totalmente convencido, como si siguiese sintiéndose culpable. Soltó lentamente el aire que había estado conteniendo.

—¿Te gusta? —señaló el regalo con la cabeza.

—Me encanta. Mataría por él si alguien intentase robármelo.

Estrechó el libro contra su pecho con fuerza y las risas de ambos se fundieron en una sola melodía.

—Deberíamos bajar a hacer la cena. ¿Sabes qué hora es?

—No sé, ¿tarde?

—Muy tarde.

—Vale, espera que deje el libro en la habitación y...

—No. Cógelo —pidió—. Yo cocino y tú a cambio lees en voz alta. Descubramos de una vez por todas qué tiene ese Darcy que no tenga yo —musitó con una sonrisa traviesa adueñándose de sus apetecibles labios...

Rachel tragó saliva y dejó de mirar su boca. Lo siguió escaleras abajo y le clavó el dedo índice en la espalda, bajo el omoplato, consiguiendo un quejido por su parte.

—Punto número uno: Darcy nunca sería tan fanfarrón e indecoroso.

—Dichoso Darcy...

25

Mike metió el pavo precocinado en el horno para darle un último golpe de calor. Le había pedido a Renata que le dejase encargarse de la cena y, aunque la mujer le había explicado con paciencia cómo tenía que hacer el relleno de pan, maíz y salvia, finalmente había ido a comprarlo al supermercado. No quería arriesgar y cocinar no era uno de sus puntos fuertes.

Rachel se empeñó en ayudarlo a sacar los ingredientes de la guarnición del frigorífico antes de poner la mesa con cierta parsimonia, alineando los dos platos, los vasos y los cubiertos. Después se sentó y, dubitativa, miró el libro.

—¿No prefieres ver el Desfile de Manhattan? Seguro que lo hacen en diferido. O las típicas películas del especial de Acción de Gracias.

—No. Quiero oírte leer.

—De acuerdo, chef. Vamos allá. —Tomó aire—. «Es una verdad mundialmente reconocida que un hombre soltero, poseedor de una gran fortuna, necesita una esposa.»

—En eso estoy de acuerdo.

—Mike, ¡no interrumpas!

—¿No puedo comentar mientras vas leyendo?

La miró divertido por encima del hombro sin dejar de cortar unas judías verdes en pequeños trocitos.

—¡Mira lo que estás haciendo! ¡Te vas a cortar un dedo!

—Sé manejar un cuchillo —aseguró.

Había vuelto a girarse hacia el mueble de la cocina. Rachel deslizó la mirada por su cuerpo con lentitud, como si intentase retener en su memoria cada tramo y cada curva; los músculos de su espalda se movían al ritmo de los cortes del chuchillo y los vaqueros que llevaba puestos parecían creados para volverla loca.

—Deja que avance un poco, al menos —dijo, y tosió antes de volver a centrarse en el libro y amonestarse mentalmente por su comportamiento. No mirarlo más. No mirarlo y punto. Tampoco era tan difícil—. «Sin embargo, poco se sabe de los sentimientos u opiniones de un hombre de tales condiciones cuando entra a formar parte de un vecindario. Esta verdad está tan arraigada en las mentes de algunas de las familias que lo rodean...»

—¿Te gusta la salsa de arándanos?

—Depende. Si lleva jugo de naranja o jengibre no.

—Qué difícil eres. Pruébala antes de decir nada.

Dejó el libro a un lado con cuidado y se levantó para acercarse a los fogones. En un pequeño cazo al fuego estaba la salsa de un color granate intenso, con pequeñas bolitas a medio machacar. Entonces cogió una cuchara pequeña y sopló antes de probarla. Estaba riquísima. Tras apagar el fuego, Mike metió directamente los dedos en el cazo y se los llevó a la boca.

—Sabe increíble, pecosa. Sé sincera.

Lo miró embelesada. Se había manchado el labio inferior y Rachel estaba segura de que su boca sí tenía un sabor increíble. Por un momento, salió de la jaula que ella misma se había construido y sin pensar ni ser consciente de lo que estaba haciendo exactamente, se inclinó hacia él despacio, muy despacio, y lamió con suavidad la salsa de arándanos deslizando la lengua por aquellos labios tiernos...

Mike tenía una expresión indescifrable en el rostro cuando se separó de él y lo miró avergonzada. ¿Qué acababa de hacer? ¿Qué demonios acababa de hacer...? Madre mía...

—Lo siento. No sé en qué estaba pensando —dio un paso hacia atrás.

—¿Adónde crees que vas? —Mike la retuvo antes de que pudiese escapar.

—Es que no entiendo qué se me ha pasado por la cabeza...

—Para. Deja de hablar.

—Pero es que...

Sin darle tiempo a replicar, Mike acogió su rostro entre las manos y la besó con decisión, porque jamás había estado tan seguro de algo. Hundió los dedos en su pelo y mordisqueó suavemente sus labios hasta que Rachel se rindió y entreabrió la boca permitiendo que sus lenguas se acariciasen y se explorasen sin limitaciones.

—No imaginas cuánto tiempo —la besó intensamente— he deseado esto. —Mike respiró agitado y le dio otro beso y otro más—. Cada día, cada hora, cada jodido segundo.

Deslizó las manos por su espalda hasta presionarle el trasero y alzarla en brazos con facilidad. Ella enredó las piernas en su cintura sin abandonar sus labios y Mike necesitó unos segundos para cerciorarse de que era real, estaba pasando, tenía aquel cuerpo cálido pegado al suyo y el momento era tan perfecto que hubiese estado dispuesto a esperarla mil años más si esa era la recompensa.

Rachel no estaba segura de cómo había conseguido soportar no besarlo durante todo aquel tiempo. Las sensaciones que trepaban por su piel parecían gritarle que todo lo que necesitaba en el mundo estaba frente a ella. Era una idea punzante y dolorosa, pero muy real. Porque solo Mike tenía el poder de hacerla estremecer con una inocente mirada, un simple roce... y la forma en la que la besaba, como si estuviese hambriento y deseare marcar su corazón de algún modo...

Pero no estaba segura de si podía rendirse.

Tenía que sobrevivir. Eso era lo primero.

Abrió los ojos cuando él la sentó sobre la repisa de madera de la cocina. Su excitante sonrisa la hizo temblar. Era demencial. Luego, sin apartar aquella mirada grisácea de ella, separó sus rodillas con una lentitud enloquecedora, sujetó firmemente sus caderas y se colocó entre sus piernas. Moriría allí mismo, estaba segura. Rachel jadeó cuando Mike ejerció más presión contra su cuerpo, revelando su dura erección.

—Rachel, tú eres...

—No digas nada.

—Tengo un millón de cosas que decir.

—Solo tócame... —Ante su atenta mirada se quitó el suéter azul y luego le cogió la mano derecha con suavidad y la dirigió hacia sus pechos. Mike repasó con la punta del dedo el contorno del sujetador negro que llevaba puesto y tomó una bocanada de aire, como si tocarla fuese casi doloroso y aún se estuviese conteniendo.

Pero ver a Rachel apretarse contra él de aquel modo tan seductor pareció romper todas sus defensas. Murmuró algo ininteligible que sonó como un gruñido mientras tiraba de la tela del sujetador hacia abajo y dejaba aquel pecho terso y suave a la vista. Rozó el pezón con delicadeza, antes de apresarlo entre sus dedos con más brusquedad y conseguir que ella gimiese sorprendida y su espalda chocase contra la pared de azulejos al arquearse más hacia él.

—¡Madre mía! Espera, Mike. —Le costaba respirar—. Yo también quiero verte; deja que te quite esto... —Le sacó la camiseta por la cabeza y la dejó caer al suelo de la cocina.

Aunque lo único que deseaba era abalanzarse sobre ella y terminar de una vez con aquella deliciosa tortura, aguantó estoicamente mientras la mirada cálida de Rachel recorría su cuerpo atlético como si desease grabarlo a fuego en su memoria. Sentía esa especie de electricidad que parecía chisporrotear entre ellos. Era una locura. Y siempre había estado allí, siempre, desde que eran unos críos; una sensación rara que no había experimentado con nadie más y le hacía creer en el destino, en que estaban hechos para recorrer juntos todos los caminos, hasta los senderos más pedregosos y difíciles. Él había abierto una grieta inmensa años atrás, pero de verdad que podían saltarla y dejarla atrás. Podían.

Se estremeció cuando ella trazó con los dedos los abdominales, explorando y conociendo cada centímetro de su piel, bajando después hasta la uve dibujada al final de su estómago, marcándolo con sus manos. Estaba seguro de que no podría soportar que ninguna otra mujer volviese a tocarlo después de aquello, después de Rachel. Nunca había estado tan excitado. Tan receptivo. Cuando notó sus dedos colándose por la cinturilla de sus vaqueros, atrapó su mano y la sujetó con firmeza; sentía el pulso acelerado golpeando contra su piel, la vida fluyendo en sus venas...

Podía contar las pulsaciones de Rachel.

Y eran muchas y muy rápidas. Para él. Por él. Se miraron en silencio, mientras Mike seguía presionando la yema de su índice contra su muñeca. El mundo podría haberse parado en ese instante, congelado. Eran incapaces de apartar la vista el uno del otro, como si un hilo invisible los conectase y los obligase a seguir observándose.

Rachel notó su estómago encogerse y le clavó las uñas en los hombros desnudos para impulsarlo nuevamente hacia ella.

—Bésame.

—Hasta que me digas que pare.

La boca de Mike volvió a apoderarse de la suya. Todavía sabía a salsa de arándanos. Seguía sin saber qué la había impulsado a lamer aquella sustancia dulce de sus labios, pero después de probarlos, estaba segura de que si volviese atrás lo haría de nuevo. Rachel enredó las manos en su cabello castaño y cerró los ojos con fuerza cuando notó aquella boca deslizándose por su cuerpo, lamiendo, mordiendo y besando los tramos de piel que iba encontrando hasta llegar a sus pechos y atrapar un pezón con los labios.

Era delirante. Apenas podía respirar.

Gimoteó, sintiéndose indefensa ante aquel cúmulo de sensaciones, y advirtió cómo los labios de Mike se curvaban sobre su piel al sonreír. Seguía haciéndolo cuando alzó la cabeza y sus miradas se enzarzaron en una batalla silenciosa. Él se pegó más a su cuerpo y Rachel se sintió desfallecer cuando se frotó contra ella, rítmicamente, presionando su entrepierna contra la parte inferior de su vientre una y otra vez. Se le contrajo el estómago. La estaba llevando al límite. Estaba haciendo de aquello una tortura sin precedentes. Rachel jadeó y se mordió el labio inferior; el movimiento resultaba tan estimulante que pensó que solo con que la rozase un poco más, solo un poco, lograría terminar. Estaba a punto, tan a punto...

Que quiso matarlo cuando él se apartó y le dedicó una sonrisa malvada.

—No pienso dejar que te corras con los pantalones puestos —murmuró al tiempo que deslizaba una mano por su trasero para bajarle de un tirón los pantalones del pijama y la ropa interior hasta las rodillas—. Quiero verte. Y quiero que me digas qué es lo que quieres, con todo lujo de detalles.

—¿Acaso no es evidente?

Él no contestó, tan solo se relamió los labios sin dejar de acariciarle los muslos con las palmas de las manos, ascendiendo peligrosamente hasta llegar al centro de su deseo. Sentía la piel erizada. Un solo roce justo ahí fue suficiente para que Rachel temblase. Mike esbozó una sonrisa triunfal y, después, con suavidad, deslizó un dedo en su interior y ella tuvo que hacer un esfuerzo enorme para mantener los ojos abiertos mientras se sujetaba a la repisa de la cocina. Era el único eje estable de aquella habitación que parecía girar al son de sus emociones.

—¿Qué quieres? —repitió él, hablando con esa voz grave y profunda que aplastaba cualquier atisbo de duda que todavía revolotease por su cabeza.

—Ya lo sabes... —susurró indefensa.

Dejó de tocarla y Rachel sintió un vacío inmenso. Tragó saliva con nerviosismo cuando Mike le sujetó la barbilla con la punta de los dedos y la obligó a mirarlo directamente a los ojos. Y esos ojos representaban tantas contradicciones, tantos momentos. No deseaba llevar el peso del pasado a cuestas; quería advertirle que lo que buscaba se acercaba más a «follar» que al amor. Que ya no era esa chica ingenua que anhelaba un idilio perfecto y un montón de palabras huecas.

—No. Necesito que me lo digas. Me hiciste prometer que no volvería a tocarte, ¿recuerdas? Pero... —su otra mano se escurrió por su cuello, por el relieve de su clavícula, por sus pechos visiblemente sensibles—, no puedo evitarlo, pecosa. No puedo. Así que quiero oírtelo decir. Quiero saber que no te arrepentirás después.

—No me arrepentiré, Mike.

Quería tenerlo. Quería tenerlo en ese preciso instante y cualquier otro pensamiento quedaba desdibujado y borroso. Ya tendría tiempo de pensar en las consecuencias. Ahora su aroma mentolado y la vibración de su voz le nublaban los sentidos. No deseaba más preguntas ni más respuestas. Deslizó la mano entre ambos y acarició su erección, todavía oculta tras los vaqueros, presionó ligeramente y él cerró los ojos en respuesta y gruñó antes de expulsar muy despacio el aire contenido.

—Dilo. Di qué quieres de mí —insistió Mike.

Y demonios... ¿Por qué tenía que ser siempre tan cabezota? Hasta en aquella situación, estaba a punto de que le diese un infarto o algo parecido. Maldito testarudo.

Estuvo a punto de ceder, de pedirle que le hiciese el amor, pero seguía teniéndole un miedo atroz a lo que esas palabras implicaban. A-m-o-r. Cuatro letras de las que Rachel aún se escondía; no la atraparían, esta vez no. Aquello era sexo, solo eso. Sexo sin aderezos ni añadidos. Sexo a secas.

—Fóllame —pidió finalmente en un susurro.

Mike pareció dudar durante una milésima de segundo. Sus iris claros relucían, vacilantes y un músculo se movió en su mandíbula, tenso, pero escondió su reacción al inclinarse hacia su cuerpo y atrapar con los dientes el lóbulo de su oreja. Rachel cerró los ojos con satisfacción.

—Me muero por hacerlo.

—¿Y a qué estás esperando? —Se frotó contra su cuerpo, anhelante y excitada. Quería a Mike dentro de ella, en su piel, en todas partes menos en su cabeza—. Dejémonos de juegos. Te necesito ahora.

—Desde cuándo eres tan impaciente, ¿eh?

—Mike, por favor, hazlo ya...

—Hum..., esto se pone más interesante por momentos...

Quería borrarle aquella sonrisa de la cara. Lo miró con los ojos entrecerrados. ¿Por qué no podía darle lo que tanto deseaba y ya está? ¿Por qué todo tenía que ser tan difícil con él? Silenció sus pensamientos cuando le rozó la garganta con los dientes antes de incorporarse y volver a besarla. Rachel gimió ante la desesperación de aquel beso, ante la intensidad y su sabor enloquecedor. Joder. Vale, se rendía.

—Mike...

Él acunó sus mejillas y le sostuvo el rostro con las manos sin apartar los ojos de ella; las espesas pestañas negras enmarcaban el deseo y el calor que irradiaba su mirada.

—Pienso follarte de todas las formas habidas y por haber —aseguró—. Pero primero voy a devorarte porque necesito averiguar de una vez por todas a qué sabes.

—Estás de broma, ¿verdad? ¿Intentas hacerme suplicar o algo así? Porque estamos llegando a un punto suficientemente preocupante como para que empiece a planteármelo como una opción.

Mike emitió una vibrante carcajada y después, sin previo aviso, le separó más las piernas, que todavía colgaban sobre la encimera de la cocina, y bajó la cabeza hasta sus muslos. Rachel se estremeció cuando notó el primer lametazo, directo a su centro, concentrándose en el lugar exacto que necesitaba aliviar. Si existía el cielo acababa de llegar a él. Se retorció de placer.

—Oh, Dios.

Mike la miró desde abajo. Tenía las pupilas dilatadas y estaba sonriendo, con los labios brillantes y mojados. Mojados de ella.

—No soy Dios. Pero casi.

Rachel ahogó una risa cuando su boca volvió a cerrarse en torno a ella. Enredó los dedos en su cabello sedoso con la intención de guiar sus movimientos, pero no hizo falta porque él sabía perfectamente lo que debía hacer; cómo acariciarla con la lengua hasta hacerla delirar, cómo cambiar el ritmo en el momento exacto en el que lo necesitaba... Estaba a punto de acabar. Le temblaban las piernas y le ardían las mejillas. Cuando sintió su cuerpo agitarse y jadeó profundamente, Mike le sujetó las piernas a ambos lados y lamió y succionó con más intensidad. Un placer extenuante e intenso se apoderó de su cuerpo y se abandonó a él mientras gemía y temblaba entre sus brazos.

Mike se quedó quieto unos segundos, dándole tiempo a recuperarse y admirando la expresión satisfecha que cruzaba su rostro. Después, paseó con lentitud la boca por su estómago, besándole el ombligo y mordisqueándole la barbilla hasta llegar a sus labios. La sujetó por la nuca y atrapó sus labios con vehemencia, dándole a probar su propio sabor.

—¿Te gusta? Eres deliciosa, dulce.

—Joder, Mike... —susurró.

—Eso vamos a hacer ahora...

Rachel volvió a acariciarle la entrepierna e intentó bajarle torpemente los pantalones vaqueros por las caderas. Frustrada, cuando no consiguió quitárselos del todo, metió la mano dentro y acogió su palpitante erección. Mike agachó la cabeza y miró cómo lo acariciaba con lentitud. Inspiró hondo, temblando. No estaba seguro de cuánto tiempo iba a poder aguantar, porque Rachel lo volvía loco y resultaba terriblemente excitante saber que era su mano la que lo tocaba y lo sacudía entero...

—Yo también quiero probarte —le susurró seductora y se relamió el labio inferior.

—Te aseguro que me parece el mejor plan del mundo, pero si no quieres que esto acabe ya, casi mejor que lo dejamos para otro día y ahora... —Cerró los ojos con fuerza cuando los movimientos de su mano se volvieron más rápidos y precisos—. Joder, Rachel. Me estás matando.

Ella rió al ver la expresión de contención que se adueñaba del rostro de Mike. Le resultaba gracioso y excitante tenerlo por una vez a su merced, saber el poder que ejercía sobre él y sobre su cuerpo. Y cuando su risa se extinguió suavemente, cuando tan solo sus respiraciones agitadas volvieron a inundar la estancia, se dio cuenta de que era demasiado fácil estar con él. Demasiado sencillo. Encajaban. Entonces sintió un vuelco en el estómago y tragó saliva, inquieta, sin apartar la mirada de aquellos ojos enigmáticos. No se sentía cohibida al estar desnuda, como si fuese la cosa más normal del mundo y lo hiciesen a todas horas. Esa familiaridad, el hecho de poder divertirse en una situación que casi siempre había sacado a la superficie su lado más nervioso e inseguro...

Rachel no quería pensar en el significado de todos esos pequeños detalles.

Bajó del mueble de la cocina de un salto, hundió los dedos en su cabello y se puso de puntillas para poder alcanzar sus labios. Mike no se movió, cerró los ojos y respiró entrecortadamente cuando ella deslizó la lengua por su labio inferior, sin llegar a besarle, hasta que no pudo más y la pegó contra su pecho con un gruñido.

—Deja de torturarme, pecosa.

—¿Eso lo dice el señor «dime qué es lo que quieres»? —bromeó imitando su voz grave y él sonrió, al menos hasta que Rachel se arrodilló frente a él y su semblante se tornó serio, con el deseo reflejado en sus ojos. Ella peleó con el borde de sus vaqueros, impulsando la tela hacia abajo.

—Hay una cosa... una cosa por ahí que se llaman botones... —declaró.

—Ah... —Rachel alzó la mirada hacia él, y era tan bonita y le resultaba tan gracioso ver cómo sus mejillas se teñían de un rojo tan intenso como el de su pelo...—. Creía que estaban todos desabrochados. A ver... qué mierda de cierre es este...

Y justo cuando por fin había conseguido desabrochar el último botón y tocar y deslizar la mano por toda su longitud, se escuchó el ruido de la puerta principal, seguido de voces y pisadas.

26

Rachel se vistió a toda prisa mientras él volvía a abrocharse los botones del pantalón. El corazón le latía a un ritmo frenético y todavía le temblaban las piernas. Cuando Jason entró en la cocina, Mike aún estaba terminando de ponerse la camiseta.

—¿Qué cojones...? —Los miró sorprendido, después sacudió la cabeza, pasó entre ellos hacia el hornillo y apagó el horno donde seguía estando el pavo, ahora algo ennegrecido—. ¿Pretendíais morir calcinados?

—Más o menos —contestó Mike. Sus pulsaciones aún estaban fuera de control—. ¿Qué estás haciendo aquí? —Una parte de él quería matarlo por interrumpir aquel momento.

Jason los miró alternativamente e intentó esconder su evidente asombro.

—¿No habéis visto los mensajes? Nos vamos a Las Vegas —dijo sin alterarse, como si estuviese hablando del parque de enfrente—. La «mujer» de Luke ha dado señales de vida. Se ha puesto en contacto con su abogado y ha dicho que se reúnan allí mañana, en el mismo hotel que estuvimos, para intentar solucionar lo del divorcio —resumió—. El abogado está en Nueva York celebrando Acción de Gracias, pero mañana por la mañana regresa a las Vegas, cogerá el vuelo de las siete y media. —Sacó su móvil y comenzó a teclear. Hizo una pausa y alzó las cejas al mirarlos—. ¿Por qué seguís ahí parados? Luke está arriba buscando algunos papeles que tiene que coger. Os aconsejo que os deis prisa si queréis... vestiros y llevaros algo. —Dio un paso hacia la puerta, pero antes de salir clavó la vista en la sonrojada Rachel y chasqueó la lengua—. Y, por cierto, ya he reservado las habitaciones. Cuatro. Pero supongo que podría tomarme la molestia de cancelar una de las reservas.

—No. Así está bien —se apresuró a decir ella.

—Como queráis. —Jason se encogió de hombros, volvió a mirar su móvil y salió de la cocina dejándolos a solas.

Rachel se frotó el brazo con nerviosismo. Tuvo que hacer un gran esfuerzo para mirarlo de reojo y apartó la vista en cuanto sus ojos se encontraron. Nadie diría lo que estaban a punto de hacer apenas unos minutos atrás. No sabía qué decir. Afortunadamente, él rompió aquel incómodo silencio.

—¿Por qué has dicho que no? —preguntó y le acarició la mejilla con el dorso de la mano, apenas un roce trémulo.

Algunos mechones anaranjados enmarcaron su rostro cuando bajó la cabeza.

—No quiero que confundas esto... —Volvió a levantar el mentón y suspiró sonoramente, sin encontrar las palabras exactas que pudiesen explicar lo que sentía—. Ya sé que yo lo he empezado, pero no quiero que implique nada más que lo que es.

—¿Y qué es? —Mike la miró divertido y se cruzó de brazos—. Vamos, ilumíname.

—Sexo. Ya está. Sabes que siempre me has gustado. Qué hay algo en ti que me atrae. Pero eso es todo.

Él asintió con la cabeza con gesto pensativo.

—Pues pensaba que para tener sexo no estaba de más utilizar una habitación. —Miró la repisa de la cocina—. No me malinterpretes, lo que hemos hecho ahí ha sido increíble, pero... no diría que no a una cama.

—Ya, bueno, también necesito mi espacio —farfulló nerviosa, confundida y molesta, todo a un mismo tiempo—. Me gusta tener mi propia habitación.

Comenzó a caminar, dando por zanjada la conversación y dispuesta a coger algunas cosas, pero Mike la retuvo antes de que pudiese salir de la cocina, abrazándola por la espalda. Descansó la barbilla en su hombro y le mordió la oreja, antes de susurrar:

—Esto solo acaba de empezar, pecosa. —Tenía la voz grave y ronca—. No voy a dejar que te me escapes de nuevo. Veamos cuánto tiempo puedes seguir mintiéndote a ti misma y diciéndote que no sientes nada por mí. —Le acarició la tripa bajo la camiseta con la palma de la mano abierta—. Mientras tanto, bueno, vamos a divertirnos mucho...

Rachel permaneció quieta y muy callada durante todo el viaje porque era un suplicio estar en aquel coche, tras el asiento del conductor que Jason ocupaba y con unas vistas perfectas de Mike, que no dejaba de girarse para mirarla por encima del hombro con cierta inquietud, enmascarada bajo ese brillo extraño que avivaba la palidez de sus ojos en la penumbra.

Si no hubiese sido porque Luke estaba nervioso y fuera de sí, se habría quedado en casa para procesar y asimilar lo ocurrido. Tiempo, tiempo, tiempo; no dejaba de preguntarse por qué a ella le costaba un mundo cualquier cosa en la que tuviese que dar algo de sí. Le daban ganas de arrancarse el corazón del pecho y tirarlo por la ventanilla del vehículo. Un modo poético y algo macabro de terminar con todo y no tener que darle vueltas a lo mismo...

—¿Falta mucho? —preguntó Luke por quinta vez consecutiva.

—Sí —contestó Jason, mirándolo desde el espejo retrovisor—. Relájate. De todas formas, hasta mañana no podremos hacer nada. Deberías dormir para ir despejado a la reunión.

—No, no puedo... —Luke no cesaba de mover la pierna una y otra vez como si siguiese el ritmo de una batería imaginaria—. Pon algo de música, Mike —pidió.

—Hecho.

El aludido abrió la guantera y comenzó a inspeccionar los discos que Jason tenía.

—Tranquilo. —Rachel frotó el hombro de Luke con cariño y él, sentado a su lado, dejó caer la cabeza sobre el respaldo y la miró. Sus ojos recordaban al color del césped en verano y estaban repletos de preocupación. Ella quería apaciguar sus temores—. Seguro que todo irá bien. Estamos contigo. ¿Qué es lo que tanto te asusta?

—No sé —sonrió sarcástico—. ¿Qué estoy a punto de conocer a mi querida y adorable esposa, por ejemplo? Joder, ¿y si está loca, eh? ¿Y si en realidad es un hombre con nombre de mujer? —Se tapó la cara con el dorso del brazo.

Mike se giró y apoyó las manos en el asiento del copiloto que ocupaba.

—Hombre, si te la tiraste y no te diste cuenta de que era un tío creo que tienes serios problemas...

—¡No, no me la follé! —Le dio una pequeña patadita al asiento de delante, donde estaba Mike—. Simplemente iba borracho y me casé con ella. Y ya está, ¿vale? A la mañana siguiente tenía los papeles del matrimonio en el bolsillo. Vosotros tampoco os acordáis de nada, por lo tanto, no me miréis así.

—¿Ni siquiera sabes si estaba buena?

—¡Cállate, tío! —Luke suspiró y negó con la cabeza, pero después una sonrisilla traviesa se apoderó de sus labios—. Recuerdo que era rubia y que llevaba un vestido rojo y unas antenitas de abejita o algo así, de esas que dan en las despedidas de soltera. Y tenía unas buenas tetas. —Deslizó la mirada por las de su amiga—. Más grandes que las de Rachel. Como dos o tres tallas, no sé.

—Eh, imbécil, aparta los ojos de ahí.

Mike lo fulminó con la mirada.

—¿Desde cuándo tengo prohibido admirar la belleza de la naturaleza? —dijo, intentando contener una carcajada, sabiendo que lo estaba provocando a propósito.

Luke le pasó un brazo a Rachel por encima del hombro.

—Jason, para el coche. Pienso matarlo.

Ella suspiró y puso los ojos en blanco mientras Luke reía. Jason soltó la mano derecha del volante para coger a Mike por la solapa de la chaqueta y exigirle que mirase al frente e intentase controlarse y dejarse de tonterías.

Avanzaban por una carretera recta y desierta, sin apenas compañía ni luces que iluminasen las infinitas hectáreas de terreno que se extendían a ambos lados del asfalto. La luna era un diminuto arco en lo alto que parecía la puerta entornada del cielo.

Jason eligió un disco y subió el volumen de la música, acabando así con cualquier posible discusión. Todos se relajaron cuando empezaron a sonar los primeros acordes de *Back in Black*, de ACDC y ella se esforzó por soportar el sonido de esa voz aguda y punzante que volvía locos a los chicos.

Rachel se pasó la mitad del trayecto dormitando y la otra mitad pensando en aquellas manos grandes y familiares recorriendo su piel desnuda y sensible. No imaginó que sería tan maravilloso, tan adictivo. Necesitaba tocarlo de nuevo. Hacerlo una vez no había servido para calmar el deseo, sino todo lo contrario. Se sentía como si acabasen de darle una muestra del chocolate más delicioso del mundo y quería más.

Estaba jodida.

Si Las Vegas ya era una ciudad estrafalaria durante todo el año, en Navidad esa apariencia se acrecentaba mucho más. Mirasen donde mirasen, había carteles, letras de neón aún apagadas, plantas de

Pascua con sus rojizas hojas adornando los escaparates, bolas brillantes y árboles de navidad.

—¡Bienvenidos a la ciudad del pecado! —exclamó Mike, que ahora estaba al volante del coche tras turnarse con Jason a mitad de camino.

Aunque era media mañana, el hotel parecía encontrarse en pleno apogeo, sus clientes iban y venían. Rachel tan solo llevaba una bolsa de mano y no dejaba de alzar la cabeza hacia el impresionante techo del edificio, repleto de enormes bóvedas doradas de las que pendían lámparas de araña con miles de cristalitos, mientras Jason firmaba los papeles en recepción y recogía las llaves de las habitaciones.

—Es increíble —susurró.

—Y tanto. —Luke apareció a su lado—. ¿Y si es esa de ahí? —Señaló a una joven rubia embutida en un vestido corto de color rosa chicle; era evidente que acababa de regresar tras una noche de juerga—. O esa. O esa otra. —Movió la cabeza en dirección a dos chicas que parloteaban cerca de las puertas de la entrada.

—No hablaba de eso, pero tranquilo. ¿Por qué te importa tanto cómo sea? Da igual. Lo único que tienes que conseguir es un divorcio amistoso y fácil, nada más.

—Lo sé, lo sé. —Luke se revolvió el pelo con una mano y resopló—. Joder, qué situación, ¿eh? Gracias por estar aquí, pequeña zanahoria, tú que no tuviste nada que ver con lo que ocurrió ese fin de semana. —La estrechó contra su pecho con una fuerza descomunal—. Por cierto, ¿te apetece una copa? ¡Será divertido!

—Me *eftas* ahogando... —se quejó.

Luke la soltó de inmediato y Rachel intentó peinarse el pelo alborotado con la punta de los dedos mientras Jason ponía freno a la habitual impulsividad de su amigo.

—¿A las ocho de la mañana? De eso nada. —Les tendió las llaves de las habitaciones—. Tenemos que descansar aunque sea un par de horas, ¿entendido?

Lo taladró con aquella mirada azul suya repleta de serenidad.

—¿Te tiraste a mi madre en algún momento y no me he enterado? No sé por qué tienes que comportarte siempre como si fueses mi padre, joder. —Luke frunció el ceño—. ¿Qué tiene de malo que nos tomemos un par de copas?

—Luke, estamos aquí precisamente porque en tu última visita te tomaste demasiadas copas, así que cierra el pico.

Mike le dirigió una mirada de advertencia que luego suavizó al palmearle la espalda con cariño mientras se dirigían hacia los ascensores.

—Vale, vale, tenéis razón, es que estoy nervioso.

—Te vendrá bien dormir —insistió Jason.

El cubículo tenía las paredes de cristal y era enorme. Desde allí, mientras ascendían, podían verse los alrededores de la ciudad. Rachel apoyó las palmas de las manos sobre las paredes transparentes y sonrió maravillada, ignorando el sueño que tenía por lo poco que había dormido durante el trayecto. Las vistas eran increíbles.

Mike se inclinó hacia ella, mientras el ascensor continuaba elevándose.

—Duerme conmigo —le susurró al oído.

—No —respondió tan bajito que él solo adivinó su decisión al mirar el movimiento de sus labios. De esos labios perfectos que quería devorar.

—¿Por qué me lo pones tan difícil? ¿Crees que después de tantos años deseando esto, me rendiré a la primera de cambio? Es inútil. —Apoyó una mano en el cristal, junto a la de ella—. Quiero dormir contigo.

—Lo que quieres es algo bien distinto —aclaró, incómoda porque había dos personas más en aquel ascensor. Por suerte, estaban hablando de quién sabe qué. ¿Aquel dichoso cubículo no iba a dejar de ascender jamás? Se encontraban a tanta altura que los pocos transeúntes que había en la calle parecían hormigas.

—Eso también —admitió—. Pero ahora me conformaría solo con dormir un rato.

Rachel se giró hacia los demás manteniendo los labios apretados en un rictus.

—Pero ¿en qué piso estamos?

—Ya no falta nada —contestó Jason.

El ascensor paró. Al fin. Emitió un suave pitido y las puertas se abrieron delicadamente. Rachel fue la primera en salir, sujetando con fuerza el asa de la mochila de mano que llevaba. Les habían dado las habitaciones contiguas, de modo que las cuatro estaban alineadas en el mismo pasillo. Se despidió de todos ellos rápidamente prestando especial atención a un apático Luke al que le dio un beso en la mejilla. No le gustaba verlo tan perdido, tan... triste.

—¿Acabas de besarme? —Luke se frotó la mejilla con el dorso de la mano—. Joder, Rachel me ha dado un beso. Debo de tener pinta de estar a punto de palmarla o algo así.

Todavía reía como un crío cuando ella entró en su habitación, dispuesta a descansar y a alejarse de Mike todo lo posible, porque era agotador mantenerse tan alerta en su presencia, notar un estremecimiento con cada roce, temblar cada vez que se hundía en sus ojos y sentir su corazón agitarse en cuanto lo veía sonreír...

Cualquier sensación relacionada con Mike resultaba extenuante.

La habitación del hotel era la más grande que había visto en su vida. En el centro había una cama donde podría dormir perfectamente una familia entera y tenía aspecto de ser mullida y confortable.

Llamaron a la puerta.

Cerró los ojos con fuerza y se preparó mentalmente para otro enfrentamiento. ¿Acaso no podía darle un poco de tiempo para procesar todo lo que había ocurrido...?

Pero no era Mike, sino Jason.

—¿Qué pasa?

—Nada. Solo quería asegurarme de que estabas bien.

—Sí, claro que sí. Buenas noches. O buenos días.

Comenzó a entornar la puerta, pero Jason apoyó el hombro en el marco antes de que pudiese cerrarla.

—Ten cuidado, ¿vale? No quiero que te haga daño. Y tampoco quiero que tú se lo hagas a él. —Expulsó el aire lentamente como si llevase horas preparando aquella frase.

Rachel ignoró sus buenas intenciones y arrugó la nariz un poco enfadada.

—De verdad que todo está bien. Nos vemos aquí a las once. —Era lo que habían acordado para desayunar juntos y poder acompañar a Luke a su cita de las doce y media—. Hasta luego.

Se acercó al sillón beige donde había dejado la mochila y cogió una muda y ropa interior limpia antes de dirigirse al servicio. El lugar le pareció tan impresionante, todo construido en un mármol rosado y reluciente, que en el último momento descartó la ducha y se decidió a darse un baño. Tenía que aprovechar de algún modo aquella descomunal bañera. Activó la calefacción y abrió el grifo. Pronto, la estancia se llenó de vaho y la temperatura aumentó varios grados. Rachel se despojó de la ropa y se metió en el agua caliente y deliciosa...

Cerró los ojos cuando se hundió del todo. Quería quedarse allí para siempre. Solo dormiría un par de horas. Solo eso.

27

La despertó el teléfono de la habitación. Se había quedado dormida en la bañera y estaba tiritando. Se puso en pie rápidamente, buscó el aparato y descolgó.

—¡Ya era hora! ¡Llevamos una eternidad intentando localizarte! —Era Mike—. Estaba a punto de matar al de recepción para conseguir la llave de tu habitación y no paraba de taladrarme la cabeza con no sé qué mierda sobre la privacidad.

—Me he quedado dormida en la bañera...

—¿Y no has oído los golpes en la puerta ni las llamadas? Joder, Rachel. Jason y Luke están con el abogado. Hemos venido aquí por lo de la esposa de Luke, ¿recuerdas? Aunque ya no tienes que preocuparte por eso, hace un rato que se marcharon.

—Pero ¿qué hora es?

—Las doce menos cuarto.

—¡Mierda! Qué desastre.

—No sufras, el abogado ha dicho que con Jason como acompañante ya era más que suficiente; nos habrían vetado de todos modos —explicó—. Así que tú y yo vamos a aprovechar la mañana. Ve preparándote y subo a recogerte en diez minutos.

Todavía tenía el pelo mojado.

—Dame veinte minutos.

—Quince y es mi última oferta.

—Hecho.

Cuando llamó a la habitación todavía no estaba lista del todo. Lo dejó pasar y se secó el cabello en el cuarto de baño mientras él la observaba en silencio a través del enorme espejo. Vestía unos vaqueros desgastados y una chaqueta negra, estaba apoyado en la pared de azulejos celestes y mantenía los brazos cruzados sobre el pecho.

—¿Qué potencia tiene ese secador?

—No lo sé. —Lo miró de reojo—. ¿Por qué lo preguntas?

—Porque tengo la sensación de que llevamos años aquí dentro. —Hizo una mueca y se impulsó contra la pared para acercarse a ella por detrás—. Quita. Déjame a mí. Seguro que será más rápido.

Le arrebató el secador de las manos y lo dirigió hacia ella sin miramientos, moviéndolo de un lado a otro.

—¡Ay, joder, me estás quemando! Y enredándome el pelo —siseó tras volver a cogerlo—. Siéntate ahí y estate quieto.

Mike gruñó por lo bajo, pero se armó de paciencia.

—¿Por qué tienes tanta prisa?

—¡Estamos en Las Vegas! Y conozco un lugar donde hacen unas tortitas increíbles —dijo—. Supongo que tenemos algo de tiempo hasta que estos nos llamen. A no ser que prefieras que nos quedemos en la habitación... también se me ocurren muchas cosas interesantes que hacer aquí. Podríamos empezar por la ducha y luego...

—Lo de las tortitas suena bien —contestó con un nudo en el estómago.

Había mucha gente en las calles. Rachel no estaba acostumbrada a tener que esquivar a transeúntes y en un par de ocasiones le faltó poco para perder de vista a Mike. El ambiente festivo conquistaba cada tramo de ciudad. Era Black Friday y todo el mundo parecía ansioso por inaugurar la temporada de compras navideñas.

Hicieron una parada frente a un improvisado espectáculo en medio de la calle, donde unos piratas atacaban a un par de damiselas ataviadas en preciosos vestidos de época; los niños que paseaban cogidos de las manos de sus padres reían y señalaban a los actores con sus deditos regordetes. Después volvieron a detenerse frente a un impresionante escaparate de una tienda de regalos. Tras el cristal se alzaban varios árboles de Navidad en medio de una nieve figurada sobre la que había un montón de pingüinos de peluche, vestidos con bufandas y gorros coloridos de donde colgaba la etiqueta del precio.

—¿Quieres que entremos? —preguntó Mike.

—Quizá más tarde. Ahora me muero de hambre.

—Entonces vamos, Jason me acaba de escribir un mensaje diciéndome que han llegado al restaurante del hotel con diez minutos de antelación. Todavía no ha aparecido la chica misteriosa. Nos irá comentando algo más cuando tenga noticias.

—Vaya... ¡pues a comer!

Mike esbozó una irresistible sonrisa, la cogió de la mano y volvieron a reanudar el paso. Rachel notó cómo se estremecía y se debatió durante unos segundos sobre si soltarlo o continuar tal como estaban... ¡Pero hacía tanto frío! Y él tenía siempre la piel caliente y era agradable caminar a su lado y aspirar aquel aroma a jabón y a menta y sencillamente dejarse llevar...

Consiguió dejar de comportarse como una adolescente hormonada en cuanto entraron en el local donde iban a comer y él le soltó la mano para quitarse la chaqueta. Se acomodaron en una mesa apartada, al lado de la cristalera desde donde se podía ver a los turistas en la calle paseando, sonriendo y haciéndose fotografías. El camarero les sirvió un plato con medio kilo de humeantes tortitas. Rachel casi se atragantó con el café al ver la ingente cantidad.

—¡Madre mía, qué barbaridad! ¿Son amigos de Renata y están aliados o algo así?

Mike rio con una despreocupación que no había sentido desde hacía mucho tiempo. Pinchó la primera tortita con el tenedor y se la llevó a su plato.

—No sufras, pecosa. No sobrarán.

—¿Cómo crees que irá lo de Luke?

Él se encogió de hombros.

—No lo sé. A mí todo este asunto me da mala espina.

—Pienso lo mismo... —Torció el gesto mientras masticaba—. Yo digo que la chica no se presenta, pobre Luke. No va a admitirlo, pero se quedará destrozado.

Mike asintió con la cabeza.

—Tú y yo sabemos que hay pocas personas a las que las cosas le afecten tanto como a él, aunque finja que es un descerebrado y que no le da mil vueltas a todo.

—Tenéis muchas cosas en común tú y él —bromeó ella, y pinchó otro trozo.

—Qué graciosa te has levantado hoy.

—Me inspiras.

—Voy a tener que empezar a cobrarte un porcentaje. Inspiro tu sentido del humor, las escenas eróticas...

Rachel rio mientras negaba con la cabeza y pasado un minuto de silencio alzó el rostro hacia él y le miró con seriedad. Le dio un sorbo al café con leche.

—¿Puedo hacerte una pregunta?

—La que quieras.

—Estos últimos meses, cuando desaparecías, ¿adónde ibas? ¿A Los Ángeles?

—No iba a ningún sitio concreto —contestó, sin apartar los ojos de ella—. Simplemente conducía. Conducía sin parar. Y paraba en estaciones de servicio para dormir, para comer... y el resto del tiempo seguía conduciendo. Y no sé, cuando me cansaba y me daba cuenta de que no estaba yendo a ninguna parte, de que aquello no servía para nada, daba media vuelta y volvía.

—Mike... —Saboreó el nombre en sus labios.

—Dime.

Le mostró una sonrisa pequeña que escondía emociones muy grandes.

—Yo... te entiendo. De verdad. Entiendo las cosas raras que haces a veces.

—Lo sé.

—¿Lo sabes?

—Claro. Por eso siempre has sido tú.

Rachel se mordió el labio inferior y bajó la mirada a su plato.

Terminaron de comer en silencio. Tal como él había predicho, no sobró nada. Ya estaban recorriendo el camino de regreso cuando Jason les llamó y les dijo que los esperaba en la habitación de Luke con malas noticias. Incluso de haberse ahorrado el último comentario, lo habrían deducido rápidamente al llegar y ver la ropa por el suelo, la cama movida y una de las mesitas tumbada sobre la moqueta.

—¡No lo entiendo! —aullaba Luke—. ¡Accede a quedar y luego no aparece! ¿Qué problema tiene? ¿Qué mierda de broma es esta?

—Así que no ha ido...

Jason negó con la cabeza y suspiró hondo.

—Ni rastro de la famosa Harriet Gibson. Hemos esperado más de una hora en el restaurante del hotel y nada. La buena noticia es que, si demuestra que no viven juntos, pronto podrá tramitar el divorcio sin acuerdo. La mala noticia es que Luke sigue obsesionado con averiguar quién es ella y por qué está haciendo esto...

—¡No estoy obsesionado! Solo quiero respuestas.

—¿Habéis probado a intentar localizarla de nuevo? —preguntó Mike.

—El teléfono desde el que llamó al abogado está apagado.

Luke se tiró sobre la cama y cruzó los brazos tras la nuca.

—Me intriga esa tía. ¿Por qué no quiere el divorcio? Es ilógico.

—Quizá le convenga por algo —opinó Rachel.

—Ni en una de tus novelas pasaría algo tan rocambolesco.

Luke torció el gesto.

—No, tío. En sus novelas solo ocurren cosas calientes y... —Se calló al ver cómo Rachel lo taladraba con la mirada—. Pero dinos qué necesitas. Haremos cualquier cosa que quieras. ¡Hoy será *el día de Luke*!

Ella se acercó a la cama donde estaba tumbado y le presionó la rodilla con la mano. Luke refunfuñó por lo bajo, pero después una sonrisa perversa conquistó su rostro.

—Bueno, vale. Me parece justo. ¡Quiero un fin de semana como el de la última vez! ¡Salgamos a divertirnos! ¡Quememos la ciudad!

—¡¿Cómo el de la última vez?! ¿De verdad ha dicho eso? Los hay que nunca aprenden... —susurró Jason.

—¿Ya empiezas a fastidiar *el día de Luke*?

Jason sonrió, negó con la cabeza y, cuando Luke se puso en pie, le pasó un brazo por los hombros y lo atrajo hacia él con brusquedad.

—Está bien. Vamos a divertirnos. —Miró a los otros dos—. A fin de cuentas, todavía no hemos celebrado la llegada de Rachel ni que volvemos a estar todos juntos.

—Hace meses que nos encontramos —protestó ella.

—¡Chsss! —Luke se llevó un dedo a los labios—. El bueno de Jason solo está intentando encontrar cualquier excusa patética que le haga sentirse menos culpable. Entiéndelo —añadió y la risa de Jason inundó la estancia.

Rachel nunca había ido a un local de juego. Le pareció impresionante la facilidad con la que el dinero desaparecía de las manos. No le gustó esa sensación de que sus ahorros se convirtiesen en algo tan efímero, con tan poco valor. Apenas jugó, igual que Mike, pero sí se entretuvo enormemente viendo cómo los otros dos se empeñaban en intentar recuperar algo de lo perdido jugando a la ruleta. Luke era el que peor suerte tenía y, cuando se cansó de tirar dinero a la basura, propuso ir a un club de *striptease*.

—Hum, yo estoy muerta de hambre —declaró Rachel.

—Joder, no había caído en que estabas tú. Vale, es temprano pero podemos picar algo y luego ir a dar una vuelta por ahí.

—Por mí no os cortéis. Cenamos y vamos a ese club de *striptease*.

—¿Estás segura?

—Claro. Es el *día de Luke*, ¿no?

—Y esta es la razón por la que eres mi única amiga. —Una sonrisa iluminó su rostro.

—Me lo tomaré como un halago.

Abandonaron el casino y se dirigieron hacia el restaurante del hotel. Mike le rodeó la cintura mientras esperaban a que les asignasen una mesa.

—¿Por qué quieres ir a un sitio así? —preguntó en susurros—. Podemos quedarnos tú y yo aquí. Ellos saben divertirse solos, hazme caso.

—Solo son tías desnudas. Podré soportarlo.

—Como quieras.

La cena estuvo deliciosa. Había un plato central con un montón de verduras diminutas y crujientes que estaban en su punto: corazones de alcachofas, judías aliñadas con vinagre y especias, daditos de patata y zanahoria, cabezas de brócoli al vapor que parecían simular ser árboles en medio de todos los demás elementos. De segundo, ceviche de atún y de postre una mousse de chocolate.

Lástima que el local de *striptease* que eligió Luke no fuese tan agradable. Rachel había imaginado algo más alegre y elegante, pero el lugar era muy oscuro y tan solo estaban iluminados los diferentes escenarios que había a lo largo de la sala. Al fondo se alzaban un par de lámparas de las que emanaba una luz rojiza ambiental. Se sentaron cerca de una tarima donde bailaban dos chicas. Jason pidió un whisky y los demás ron con cola.

—Desde luego les importa un rábano que sea invierno —comentó distraída, sin apartar los ojos de aquellos traseros perfectos tan solo cubiertos por el hilo del tanga.

—¿Esperabas que llevasen abrigo? —Mike la miró divertido.

—No, pero que si se ponen sujetador y bragas tampoco pasa nada, eh. Continuaría siendo erótico. Pero veo que lo de insinuar más que enseñar no les convence del todo. —Le dio un sorbo a su bebida en cuanto la camarera le tendió el vaso.

—¿Y qué gracia tendría? —Luke frunció el ceño—. ¡Para ver eso me voy a la playa!

—No puedo contestarte porque ni siquiera sé qué gracia tiene esto en sí. —Señaló al frente con una mueca—. Pensaba que habría algún tipo de espectáculo, con luces, una música más divertida o algo así.

—A eso se le llama «circo» —rio Luke.

No entendía demasiado bien cuál era la satisfacción de ver a un montón de chicas moviéndose al son de una música lenta, desprendiéndose de la poca ropa que ya llevaban en cuanto pisaban el escenario y observar cómo los pechos enormes se balanceaban de arriba abajo, de un lado a otro. Algunos clientes tenían la suerte de que las chicas bajasen y se acercasen a ellos, se sentaran en su regazo y les concedieran un baile. Y después les metían un par de billetes dentro del tanga (tampoco es que pudiesen colocarlos en ningún otro sitio, claro).

De vez en cuando, observaba a Mike de reojo e intentaba averiguar si prestaba especial interés por alguna de las chicas. Ver a Mike dentro de aquel club le parecía igual de agradable que arrancarse una muela sin anestesia, porque todas ellas eran perfectas y se movían con gracia e inevitablemente él llamaba la atención.

Suspiró hondo y se cruzó de brazos. ¿Cuánto tiempo tendrían que estar ahí dentro? Rachel miró su vaso ya vacío, giró la cabeza y levantó la mano para llamar a una de las camareras que había en la sala. Tampoco es que ellas fuesen mucho más tapadas que las que estaban sobre los escenarios. Debían de ser colaboradoras o algo así.

—¿Me pones otro ron con cola?

Asintió con la cabeza y después sus llamativos ojos azules se centraron en la persona que estaba sentada a su lado. Una sonrisa enorme apareció en sus carnosos labios.

—¿Mike?

El aludido cortó a mitad la conversación que estaba manteniendo con Jason.

—¿Y tú eres...? —Pareció desconcertado durante unos segundos, pero Rachel advirtió enseguida el reconocimiento en su mirada.

—¡Susan, tonto! Me he cortado el pelo, ¿ves? —explicó, tocándose la melena con la palma de la mano—. Gracias por lo de la otra vez. No sé qué habría sido de mí si no llegas a aparecer. No creas que no iba a acordarme de ti —dijo con una voz sensual y Rachel pensó que ella no lograría imitar ese tono ni aunque pasase meses ensayando frente al espejo—. Los tipos como tú son difíciles de olvidar.

Después, sin previo aviso, se sentó sobre su regazo y le rodeó el cuello con una mano. Mike intentó levantarse, pero cuando consiguió quitársela de encima, Rachel ya se había puesto en pie y estaba saliendo por la puerta del local, cansada de todo aquello.

Él se puso la chaqueta torpemente mientras la seguía por las iluminadas y transitadas calles de la ciudad. El hotel quedaba a unas manzanas de distancia. La llamó a gritos, ignorando a los transeúntes que lo miraban, y finalmente corrió tras ella hasta alcanzarla.

—¿Qué demonios te pasa?

—Nada —siguió caminando. Era dolorosamente consciente de que estaba siendo irracional y comportándose como una cría, pero sentía un montón de emociones entremezcladas sacudiéndole el estómago y exigiéndole que les prestase atención. Y no quería. Rachel no quería—. Vuelve por dónde has venido, Mike.

—¿Estás celosa? ¿Es eso?

La cogió del brazo y la obligó a ralentizar el paso.

—No. —Sacudió la mano, intentando inútilmente soltarse de su agarre.

—¡Eres tú la que te has empeñado en venir a este sitio!

—¡No pensé que sería tan aburrido! —farfulló furiosa—. ¡Y tampoco imaginé que las tías iban a lanzarse encima de ti en cuanto entrásemos! ¿Por qué demonios te ha dado las gracias?

Mike expulsó el aire entre dientes.

—Tan solo se acuerda de mí porque la ayudé cuando vinimos a Las Vegas la otra vez. Trabajaba de camarera en un bar cercano y unos tíos estaban... molestándola. Es una larga historia. Pero ¿qué más da? ¿A quién le importa?

Dejó de caminar y se paró frente a él, muy cerca.

—A mí me importa. —Notaba la tensión en sus hombros—. Contéstame una cosa: aparte de sacar a relucir tu faceta solidaria, ¿te la tiraste?

Mike la miró fijamente.

—Sí.

—Vale. Genial.

Antes de que Rachel pudiese huir hacia las puertas del hotel, que estaban a unos metros de distancia, la sujetó por las caderas y la retuvo frente a él.

—¿Cuál es el problema? ¡Fue hace tiempo, un puto lío de una noche! ¿Vamos a ponernos a hablar ahora de cuántas personas han pasado por nuestras vidas? ¡Ni siquiera eres capaz de reconocer que estás celosa! —gritó—. ¿Por qué te cuesta tanto?

—¡Porque no quiero estar celosa! ¡No quiero! ¿Qué es lo que no entiendes?

—¡A ti!

Ella dejó caer las manos.

—¡Pues no es tan difícil! ¡Claro que me da rabia pensar que has estado con otras! Eso me hace sentir... me hace sentir insegura y enfadada, ¿vale? Odio esas emociones, ¡odio que formen parte de mí!

—Es normal. Es perfectamente normal. —La retuvo más cerca de él—. ¿Crees que no me he preguntado un millón de veces qué manos te habrán tocado? Detesto pararme a pensarlo. Me dan ganas de matarlos, sean quiénes sean. Pero nuestra vida no ha sido lo que esperábamos y solo podemos aceptarlo, no hay ningún modo de cambiar el pasado. Ojalá, de corazón, ojalá hubieses sido la primera y la última, Rachel, porque eres todo cuanto necesito.

Ella bajó la cabeza y estudió en silencio las baldosas del suelo.

—Pecosa, mírame —rogó en un susurro.

—No me gusta volver a tener ese tipo de sentimientos hacia ti, no puedo cometer los mismos errores —gimió, aterrada.

—¿Qué sentimientos? —Buceó en sus ojos marrones y le sujetó la barbilla con los dedos largos y cálidos, evitando que apartase la mirada.

—Ningunos.

—Rachel, ¿qué sentimientos? —insistió—. ¿Me quieres?

Ella tenía los ojos acuosos cuando negó débilmente con la cabeza. Mike sonrió lentamente y entornó los párpados.

—Me quieres —aseguró, y después acunó su rostro entre las manos y la besó con dureza, devorando su boca y explorando cada recoveco, cada terminación nerviosa que despertaba en cuanto sus lenguas se rozaban, cada escalofrío que los envolvía cuando sus pieles se encontraban...

28

No era demasiado consciente de cómo habían llegado al ascensor, pero había estado lo suficientemente ocupada y entretenida como para ignorar cualquier rastro de vergüenza. Ni siquiera ahora, que Mike la tenía aprisionada contra el cristal y había metido una mano en el pantalón y bajo sus bragas, oponía resistencia. Bajar la guardia resultaba de lo más tentador.

—¿Te gusta? —Movió los dedos con una lentitud denunciable por el lateral de su muslo derecho y después volvió a acariciar su punto más sensible. Una caricia suave, demasiado suave.

—Ahí. Es ahí.

—Ya sé que es ahí. —Mike sonrió travieso y Rachel intentó sofocar un gemido ansioso—. Me muero por estar dentro de ti.

—Este... dichoso... ascensor —balbuceó—. ¿Por qué tarda... tanto?

De pronto se paró y emitió un pitido. Mike apartó la mano y colocó el cuerpo de Rachel delante del suyo para tapar la visible erección que presionaba la tela de sus pantalones.

—Buenas noches, señoras —murmuró divertido cuando dos mujeres de alto standing entraron en el cubículo.

Rachel intentó no temblar durante el medio minuto que el ascensor tardó en elevarse hasta el piso donde tenían que bajar. Salieron disparados de allí en cuanto las puertas se abrieron. Mike le mordisqueó el cuello mientras ella sacaba las llaves del bolsillo y abría después la puerta de su habitación. La cerró con un golpe seco cuando entraron. Sin perder ni un segundo, él le sujetó las mejillas con las manos y pegó su cuerpo al suyo, arrinconándola contra la pared.

—Me vuelves loco, pecosa. —Apoyó su frente a la de ella—. De verdad que tú eres todo cuanto quiero. Todo cuanto necesito. No busco nada más. Pero no sé cómo hacértelo entender, no sé cómo llegar a ti...

—Ya has llegado —susurró.

—Vale.

—Vale.

Rachel acortó la escasa distancia que los separaba y rodeó su cuerpo con los brazos. Le mordió el labio inferior mientras deslizaba las manos por los músculos de su espalda y los notaba tensarse y agitarse conforme aquel beso se tornaba más profundo y desesperado; sus lenguas se acariciaron con lentitud.

—Levanta los brazos —pidió.

Mike esbozó una sonrisa tan preciosa que le temblaron las rodillas. Alzó ambos brazos en alto y la miró fijamente, respirando con pesadez, mientras ella lo desnudaba. Lo despojó de la camiseta y después deslizó los dedos por su estómago liso y duro, clavando la yema en la piel caliente. Solo con tocarlo sentía todo su cuerpo estremecerse y arder; lo deseaba de todas las maneras posibles en las que se puede desear algo. Había algo hipnótico en sus movimientos felinos, en sus gestos pausados, en su mirada cauta y pensativa. En todo él, como si un halo magnético lo rodease.

Él volvió a inclinarse y a presionar su boca con violencia, como si no pudiese soportar la idea de estar sin besarla un solo instante; exploró aquella cavidad dulce y adictiva sin dejar de tocarla por todas partes. Le arrancó la ropa y se pegó más a ella. Rachel tenía los pezones endurecidos y los pechos más sensibles de lo normal y se sintió morir cuando aquellos labios descendieron por su garganta hasta ellos y notó el tacto húmedo y delicioso de su lengua trazando círculos sobre la piel. Ahogó un gemido e intentó sobreponerse y respirar con normalidad cuando él volvió a ascender poco después, dejando un reguero de besos por su cuello y su mandíbula hasta susurrar contra sus labios entreabiertos.

—Esto —cogió la mano de Rachel y la llevó a su entrepierna— es lo que me pasa cada vez que te miro si no consigo controlarme. Desde que tengo uso de razón. Una tortura.

Rachel sonrió y él correspondió el gesto.

—Deberíamos ponerle solución...

—Nunca he estado tan de acuerdo en algo.

—Podemos retomarlo donde nos quedamos ayer.

—De eso nada. —Le dio la vuelta y la sujetó contra la pared, de espaldas a él, en la penumbra de la habitación—. No me malinterpretes, estoy deseando sentir tu boca —le acarició el labio inferior con la punta de los dedos—, pero ahora necesito estar dentro de ti. No puedo esperar más.

Rachel escuchó el ruido del cinturón al caer al suelo cuando Mike se quitó los pantalones, seguido del chasquido que produjo el papel de un preservativo al romperse. Tembló de anticipación. Se arqueó hacia atrás, ansiosa por sentirlo y tuvo que hacer un esfuerzo enorme por mantenerse en pie cuando las manos de Mike aferraron su trasero y separaron las nalgas con suavidad. Su miembro presionaba el punto exacto que Rachel necesitaba aliviar, pero no se hundió en ella, tan solo se quedó allí, quieto, rodeando con un brazo su cintura y respirando contra su cuello, abrazándola muy, muy fuerte.

—Mike...

—Dime.

—¿Qué demonios estás haciendo?

O mejor dicho: qué no estaba haciendo. Intentó girar la cara para poder verlo, pero él la sujetó con más firmeza contra la pared. Cuando Rachel le buscó impulsándose hacia atrás, la retuvo por las caderas con suavidad.

—¿Por qué paras?

—Porque después de esto no habrá marcha atrás. Quiero estar dentro de ti en todos los sentidos. Dentro de tu cabeza. Dentro de tu vida. No pienso renunciar a tenerte, Rachel. Necesito que lo entiendas.

Ella pestañeó y tragó saliva. Notaba los ojos acuosos.

—Vale. Y ahora fóllame.

—No pienso follarte, voy a hacerte el amor.

—Bien. Hazlo. Llámalo como quieras. —Tomó una bocanada de aire.

Mike se apartó un poco para poder darle la vuelta de nuevo. Quedaron frente a frente. Él paseó la mirada por su rostro, por sus mejillas encendidas, los labios enrojecidos y la barbilla que se alzaba orgullosa a pesar de que se sacudía ligeramente.

—Todavía no he oído de tu boca lo que sientes por mí.

—Ni yo de la tuya.

—Yo lo siento todo por ti. Todo lo que humanamente puede sentirse, pecosa. Todo.

—¿Por qué lo estás haciendo tan difícil?

Estaba temblando. Se aferró a su cuello y entornó los parpados al sentir la dura erección que presionaba en la parte inferior de su estómago. Sus ojos grises brillaban más que nunca. Vivos. Anhelantes.

—Porque te quiero. —La besó y habló contra sus labios—. Esto es diferente. Tú y yo somos diferentes. No voy a conformarme solo con follarte. Te quiero —repitió.

Una sensación estremecedora la recorrió, como si alguien aferrase en un puño su maltrecho corazón y lo apretase demasiado. Ella nunca, nunca en toda su vida, había oído decir a Mike que quería a alguien. Ni estando borracho. De hecho, siempre había sido extrañamente consciente de que la noche que estuvieron juntos siendo unos adolescentes, él no la había correspondido cuando ella confesó quererlo y pronunció esas dos palabras que tanto implicaban.

—Rachel... —insistió y le apartó el cabello del rostro sin dejar de mirarla con una intensidad abrumadora.

Contuvo el aliento.

—Yo también... —susurró.

—Necesito oírtelo decir.

—Yo también te quiero.

Fue como si se abriese en canal y arrancase una parte muy profunda y muy importante de sí misma. Ni siquiera estaba totalmente segura de que fuese su propia voz la que acabase de decir aquellas palabras. Lo quería. Claro que lo quería. Pero aun así... a pesar de quererlo...

Ahogó una exclamación cuando Mike le sostuvo una pierna en alto y resbaló dentro de ella. Un golpe preciso, profundo, sin vacilar. Lo sintió en su interior, en su mente, en su corazón.

—Joder... —respiró contra su mejilla—. Joder.

Su cuerpo encajaba en el suyo a la perfección, como si fuesen dos piezas perdidas de un puzle que al fin se habían encontrado. Mike comenzó a moverse lentamente en su interior, y el mar en calma se transformó en oleadas de placer que la mecían en un delirante vaivén. Se retorció entre sus brazos cuando la alzó y la obligó a enroscar las piernas en sus caderas.

—Usemos la cama de una vez por todas. —La cogió con fuerza mientras recorría la habitación y, sin salir de ella, la soltó sobre la mullida manta de la cama. Le acarició la mejilla con los nudillos—. Eres tan preciosa... —Comenzó a moverse nuevamente en su interior—. Estoy deseando ver cómo te corres. Mírame.

—No pares ahora —rogó.

—No voy a parar.

Rachel le acarició la espalda y bajó las manos hasta su trasero, intentando controlar el ritmo de las embestidas, que cada vez era más rápido, más desesperado. Sentía un placer tan intenso que le costaba mantener los ojos abiertos; le ardía la piel y le faltaba el aire, como si hubiesen exprimido sus pulmones. Jadeó y volvió a aferrarse a sus hombros para arquear la espalda e impulsar las caderas hacia él, buscando más, todavía más. Su mirada se tornó borrosa. En el fondo, muy en el fondo, había imaginado aquello tantas veces que le costó no ponerse a llorar contra su pecho.

Sintió todo su cuerpo sacudirse cuando Mike volvió a besarla con dulzura y, en contraste a ese gesto tierno, la penetró con fuerza a un ritmo más frenético, saliendo y entrando completamente en ella con cada embestida. Rachel no consiguió ahogar el grito sofocado que escapó de su garganta y el temblor se extendió por sus piernas y ascendió hasta su sexo, envolviéndola en una neblina de placer.

Él le sujetó la cara con una mano, presionando el pulgar sobre la mejilla, y contempló maravillado cómo se corría entre sus brazos. Solo entonces se hundió en ella con un último golpe, gruñó y escondió el rostro en su cuello mientras se vaciaba en su interior. Pasados unos segundos, Mike dibujó un camino de besos que empezaba en su nuca y terminaba en sus labios.

—No voy a cansarme de repetir esto durante el resto de mi vida.

Rachel rio, exhausta, y deslizó los dedos por su cabello.

—Es como morir e ir al cielo.

—Y eso que solo acabamos de empezar... —Sonrió—. Será mejor que empieces a resucitar porque te quiero en la ducha. Conmigo. Ahora.

Cuando salió de su interior, Rachel sintió un inmenso vacío. Tembló cuando él le regaló un beso suave al lado del ombligo y, pillándola por sorpresa, la cogió en brazos cargándola sobre uno de sus hombros para llevarla a cuestas hasta el cuarto de baño.

—Sé andar.

—Ya. Demasiado. —La dejó en el suelo, sobre una toalla, y abrió el grifo del agua caliente—. ¿Cómo sé que no te escaparás? Todavía no tengo claro si puedo fiarme de ti.

—No voy a irme —murmuró muy bajito. Tan bajito que hasta ella misma advirtió la duda que dejaba al descubierto el tono de su voz.

Mike la miró de soslayo una última vez antes de cogerla de la mano y meterse en la ducha. La abrazó mientras el agua caía sobre sus cabezas y el vapor empañaba los cristales. Quería retenerla allí para siempre.

—Tengo que confesarte algo —susurró.

—Lo que sea, Mike.

—Me asusta estar solo —dijo con la voz quebrada.

—Ya lo sé.

—Y no quiero estar con nadie más que no seas tú.

Rachel asintió con la mejilla apoyada en su pecho; no podía hablar, no podía moverse. Ella sabía de sus carencias y de sus miedos, por eso no estaba segura de ser buena para él, de conseguir contrarrestar todo lo malo como antaño porque, ahora, Mike, ya no era el único de los dos que arrastraba tras de sí una pesada carga. Cuando notó que le estaba clavando las uñas en el hombro, sacudió la cabeza y expulsó lejos todos aquellos miedos y temores que eran como carcoma colándose en su piel.

Incapaz de seguir escuchando los latidos de su corazón, tan rítmicos, tan perfectos..., se apartó y bajó la mirada por su torso, acariciándolo con las dos manos, intentando memorizar cada centímetro de piel, cada marca, cada lunar y cada diminuta cicatriz que simbolizaba un recuerdo doloroso y oscuro. Las besó todas. La alargada que estaba sobre la clavícula, las ovaladas que dejaban las marcas del cigarrillo, las que ya eran casi imperceptibles a la vista pero seguirían allí para siempre, imborrables. Mike mantenía los ojos cerrados con fuerza y su cuerpo parecía tiritar bajo el influjo de sus labios. Quería borrar todo lo malo. Construir cosas buenas sobre aquellas ruinas que no valían la pena. Fue descendiendo lentamente hasta arrodillarse frente a él.

—Pecosa...

Antes de que dijese nada más, se introdujo en la boca la palpitante erección con lentitud, alargando el placentero momento. Sintió una extraña satisfacción al sentirlo estremecerse ante sus caricias. Mike respiró hondo, sus muslos se tensaron, enredó los dedos en su cabello y le alzó con suavidad la cabeza para obligarla a mirarlo. Era increíblemente excitante ver sus rasgos cincelados contraídos por el placer. Rachel mantuvo los ojos fijos en los suyos sin dejar de saborearle y lamerle despacio... hasta que él emitió un gemido ronco y se retiró hacia atrás, abandonando sus labios. Pareció necesitar unos segundos para serenarse.

—Ven aquí.

La instó a ponerse en pie y apoyar las palmas de las manos contra el cristal de la mampara antes de penetrarla con un gruñido ahogado mientras el agua caliente seguía cayendo sobre ambos. Gimió al sentirse de nuevo invadida por Mike. Intentó moverse más rápido contra él, pero parecía empeñado en alargar aquella tortura y salir y hundirse suavemente en ella una y otra vez, sin prisa, disfrutando cada embestida, cada golpe de su pelvis contra las nalgas, cada estremecimiento y cada caricia.

—Más fuerte —jadeó—. Por favor.

—Joder, Rachel... esto es...

—¿Perfecto? ¿Increíble o...?

Se silenció cuando la penetró tan profundamente que lo sintió en su interior de todas las maneras posibles. Sus movimientos se tornaron más ásperos y bruscos. Dejó de intentar controlar el ritmo entrecortado de su respiración cuando él deslizó una mano hacia delante y frotó el centro de su deseo con la yema de los dedos, mientras seguía llenándola de aquel modo tan electrizante, pausado e intenso. Él le besó el hombro y mordisqueó y lamió la piel que encontraba a su paso mientras Rachel llegaba al ansiado final y el orgasmo la sacudía. Solo cuando el pacer se convirtió en una vaga neblina y volvió a recuperar el aliento, advirtió que habían terminado a la vez y que le temblaban tanto las piernas que Mike tenía que sostenerla con delicadeza contra su pecho.

Le daba miedo moverse. Le pitaban los oídos y estaba segura de que si Mike la soltaba se caería al suelo. Se quedó muy quieta cuando él salió de su interior. Y todavía más cuando le echó un poco de champú sobre el pelo y comenzó a frotar con cuidado, respirando pesadamente contra su oído. Seguía estando en *shock* mientras le enjuagaba el cabello intentando que no cayese jabón sobre sus ojos.

—Gracias —dijo, haciendo un gran esfuerzo por no llorar. No sabía si era por todas las emociones desatadas o por la satisfacción y el cansancio físico, pero sí sabía que hacía una eternidad que no se sentía tan arropada, tan cuidada, tan querida.

—No hagas eso. No me las des.

—¿Por qué?

—Porque es lo que siento, lo que sentimos... —Deslizó la esponja por su estómago, trazando círculos—. Pecosa, no necesitas darme las gracias por nada.

Terminó de enjabonarla y permanecieron unos segundos más bajo el agua antes de salir de la ducha.

—¡Joder, qué frío! —Mike cogió uno de los dos albornoces que colgaban tras la puerta y se lo pasó a Rachel. Él emitió una vibrante carcajada mientras conseguía refugiarse también bajo el cálido algodón de la prenda. La miró, todavía sonriente, y luego agachó la cabeza y contempló sus pecas antes de besarle la punta de la nariz.

29

Mike descorrió las cortinas de la habitación y dejó que las luces de la luna y la ciudad bañasen la estancia. Cogió todas las mantas que encontró, el edredón y las sábanas que cubrían la cama y las tiró bajo el cristal del ventanal que cubría la pared lateral.

—¿Qué haces?

—Este techo es muy aburrido. El cielo me gusta más. Siempre y cuando no te importe dormir en el suelo, claro.

Ella sonrió y se tumbó a su lado cuando entendió que desde allí podían ver el cielo. Y aunque no había estrellas, tenía algo de especial poder alzar la vista hacia el infinito mientras entraban en calor bajo las capas de ropa. Apoyó la cabeza en el hueco de su hombro y permitió que él le quitase el albornoz y volviesen a encontrarse piel con piel. La abrazó con fuerza y permanecieron unos minutos en silencio.

—Vamos a empezar de cero de verdad, Rachel. Esta vez sí. Nos lo merecemos. Bueno, unos más que otros —añadió, besándola en la cabeza—. Pero lo haremos juntos —insistió y respiró hondo—. ¿Te he hablado alguna vez de mi padre?

—¿De Jim?

—No. De mi padre verdadero.

Ella negó con la cabeza.

—Había dado por hecho que no sabías nada de él...

—En realidad no sé mucho —dijo—. Mi madre fue dejando caer alguna que otra cosa con el paso de los años y yo fui uniendo todos aquellos pedazos hasta que averigüé quién era y dónde vivía.

—Nunca me dijiste nada...

—Lo descubrí cuando ya te habías marchado, pecosa. —La cogió de la mano y acopló los dedos entre los suyos—. Fue gracias a una carta que encontré cuando hacía la mudanza de casa de mi madre y de Jim —puntualizó, haciendo un esfuerzo para no referirse a él como *papá*—. Investigué un poco por mi cuenta y até algunos cabos.

—¿Y quién era?

—La cuestión no era quién era, sino cómo era. Era un cabrón más. Estaba casado cuando tuvo una aventura con mi madre. Después de dejarla embarazada la ignoró, le dio algo de dinero y le dijo que no volviese a contactar nunca con él. Y unos años más tarde Jim entró en nuestras vidas y no sé cómo se metió en su cerebro y ella se convirtió en alguien egoísta y despreciable. Me dolía más su indiferencia que los golpes de él. Mucho más. —Rachel se estremeció—. Siempre tenía la esperanza de que si hacía las cosas bien, si le hacía entender que yo me preocupaba por ella, entonces... entonces ella haría lo mismo por mí. Que sería algo recíproco.

—Lamento tanto no haber podido ayudarte...

—Tú y Robin ya hicisteis suficiente —declaró—. Y cuando encontré esa dirección, no sé, creí que era una especie de señal, que quizá mi lugar estaba allí, solo que llegaba un poco tarde. Llegué incluso a llamar a la puerta... —Se silenció, pensativo—. Estaban todos juntos celebrando una barbacoa en el jardín principal. Mi padre y su mujer y sus dos hijos, y un nieto que apenas sabía caminar y que iba correteando por el césped descalzo. Me quedé allí como un idiota, mirando al niño pequeño... no sé por qué no podía dejar de mirarlo. —Inspiró hondo—. Mi padre sujetaba la puerta entreabierta y sé, te juro que sé que me reconoció. Lo vi en sus ojos. En cuanto reaccioné, di un paso atrás y dije que me había equivocado.

Ya no volví. Tampoco me hacía falta hacerlo para ver que el mundo había seguido su curso, avanzando, y que todos tenían sus dichosas vidas perfectas mientras yo me había quedado anclado en algún punto... y me di cuenta de que en parte tú eras ese punto. Sabía que tenía que encontrarte, pero, joder, no pensé que fuese a ser tan difícil. —Le acarició la mejilla—. Y al final estás aquí.

—Mike, ¿tienes dos hermanos? —Se apartó unos centímetros de él para poder mirarlo—. ¿Lo estás diciendo en serio?

—Los únicos hermanos que tengo son Luke y Jason.

—Pero, Mike...

—No conozco a esos tíos. No los conozco y no quiero conocerlos. —La apretó contra él—. No estás entendiendo lo que intento decirte.

—¿Qué intentas decirme?

—Yo quiero todo eso contigo —aseguró—. ¿Recuerdas cuando pasamos el día en Fisherman's Wharf? Tú dijiste que deseabas una vida normal. Estabilidad.

—Lo recuerdo...

—En ese momento me di cuenta de que seguías siendo la misma de siempre. Es lo que tú hubieses querido antes de... antes de todo lo que pasó aquella noche. —Torció el gesto—. Como si nada hubiese cambiado.

—Claro que he cambiado, Mike. Pero aun con todos esos cambios sigo siendo la misma persona. Solo... bueno, he adoptado algunas costumbres nuevas.

Como pensar un millón de veces las cosas. Pero eso no lo dijo en voz alta. Ahora era más reflexiva, más esquiva y había llegado a la conclusión de que la desconfianza ganaba por varios puntos a la confianza. Que el dicho «Dos más dos no siempre son cuatro» era una soberana tontería. Sí eran cuatro. Y punto.

—Entonces, ¿sigues queriendo todo eso? —Los dedos de Mike presionaron con un poco más de fuerza su cintura.

Rachel empezó a sentir los latidos de su corazón más pesados, más sonoros. Notó la boca seca y se lamió los labios despacio, intentando procesar lo que implicaba la conversación que estaban teniendo.

—No lo sé.

Intentó que no notase los nervios que la sacudían. Ella no podía digerir tantas emociones en un plazo de tiempo tan corto. Simplemente no podía. Y no dejaba de pensar que él debería saberlo, debería.

—Bueno, pues piénsatelo bien, porque yo sí lo sé —replicó con dureza—. Llevo toda la vida perdiendo el tiempo. Mientras los demás hacían cosas de provecho yo tiraba los días uno a uno a la basura. Ahora tengo las cosas claras. Quiero estar contigo. Y quiero que hagamos cosas normales, que paseemos por la calle cogidos de la mano o que vayamos al cine, qué sé yo, ¡cualquier cosa fácil! Sin dramas y sin estar removiendo siempre la misma mierda. Te quiero a ti tal como eres en este momento.

Se giró para mirarla de frente y encontrar sus ojos en la oscuridad. La cogió de las mejillas y saboreó sus labios en un beso ansioso que después se fue tornando más lento y suave. Entrelazaron las piernas y los brazos, como si buscasen formar un solo cuerpo para dormir lo más cerca posible el uno del otro.

Rachel no podía dejar de caminar. Una, dos, tres, hasta casi veinte veces rodeó estúpidamente la parada del autobús. Miraba el cartel enorme que anunciaba la llegada del Cirque du Soleil a la ciudad por Navidad. Y después volvía a dar la vuelta. Hacía mucho frío. Dolía el mero hecho de saber que todavía estaba a tiempo de volver a la habitación, meterse bajo las mantas y acurrucarse junto al cuerpo cálido de Mike y fingir que no había intentado huir en mitad de la noche, atemorizada, incapaz de abrirse y dar nada de sí misma. Lo quería todo para ella de un modo tan profundo que empezaba a sentir que no podía retenerlo todo, que era como una presa a rebosar de agua que alguien tenía que abrir y vaciar.

Sintió que se rompía una parte de sí misma cuando subió en el autobús, dejó su escaso equipaje a los pies de su asiento y se sentó al lado de una de las ventanillas, ignorando a los demás viajeros que había a su alrededor, deseando desaparecer a los ojos del mundo. Sabía que lo estaba haciendo mal y que quizá aquello fuese un gran error, pero no podía arriesgarse a salir mal parada de nuevo. ¿Y si Mike descubría en un par de meses que en realidad no era esa chica que llevaba años esperando? ¿Y si se cansaba de ella? ¿Y si volvía a hacer cualquier tontería sin pensar en las consecuencias...? Se concentró en las luces de la ciudad que dejaba atrás, intentando calmar la ansiedad que la ahogaba.

Le quedaba poca batería. Finalmente se decidió, llamó a Jimena y le pidió si podía recogerla el día después a media tarde en la estación de autobuses. Empezó a hacerle mil preguntas, pero Rachel todavía no sabía responderlas.

Tal como prometió, Jimena estaba allí, esperándola.

Subieron en su viejo Fiat blanco.

—¿No vas a decirme qué ha pasado?

—Es que todavía no estoy segura. —Rachel evitó mirarla—. Solo... solo necesito pensar las cosas. Ahora ni siquiera puedo entenderme a mí misma, pero sé que la idea de Mike y yo... sé que no puede salir nada bueno de ahí.

Jimena condujo en silencio por las calles de la ciudad en dirección a la casa que compartía con los chicos. Tenía que coger algunas cosas, lo más básico, y decidir qué hacer con *Mantequilla*. De momento lo único que tenía claro era que debía alejarse de Mike. Sentía su estómago encogerse cada vez que imaginaba cómo se habría sentido al despertarse. Era una maraña de sentimientos contradictorios que se iba haciendo más grande a cada minuto que pasaba y ya no sabía desenredarlos.

Le pidió que la esperase en el coche mientras entraba. La casa estaba completamente vacía y esa soledad momentánea le provocó un extraño escalofrío. Lo ignoró, fue a la cocina para asegurarse de que Renata le había puesto comida al gato de buena mañana, subió a su habitación y abrió una maleta pequeña sobre la cama donde empezó a meter algunas de sus cosas. Por una parte, echaba de menos los días en los que no tenía a nadie, la tranquilidad de su silencioso apartamento donde no había nada que perder ni nada que ganar, cuando su mayor riesgo era decidir qué cenar, «¿comida tailandesa o pizza?» Le gustaba esa simplicidad, esa ausencia de elecciones sustanciales. Era fácil. Era tan fácil...

Bajó por las escaleras a trompicones, arrastrando la maleta tras ella. Se paró en el último escalón, incapaz de avanzar. Se le dispararon las pulsaciones.

Mike acababa de entrar por la puerta.

Cerró con un golpe seco mientras la taladraba con la mirada. Ella podía sentir cómo removía cada parte de su cuerpo solo con aquel gesto.

—¿Qué estás haciendo? —Tenía la voz ronca y seca y una vena palpitaba en su cuello—. ¿Ni siquiera vas a contestar? —El silencio les envolvió y Mike la miró como si la viese por primera vez, como si no la conociese. Eso dolió—. Has huido, he cogido un avión solo para intentar descubrir qué es lo que te pasa y tú ni siquiera piensas contestar. Bien. Empiezo a entender muchas cosas.

—Tengo que irme... —susurró.

Se sorprendió por ser capaz de decir algo. Tenía un nudo en la garganta que la ahogaba. Notó las lágrimas brotar al fin y escurrirse por sus mejillas en silencio. Intentó limpiárselas torpemente con el dorso del brazo.

La mirada de Mike se tornó más suave. Guardó en algún lugar toda la rabia y la acarició con los ojos. Dio un paso hacia ella, despacio, muy despacio.

—No vas a irte. Te quiero.

—No puedo... Mike, de verdad que no puedo... Ahora mismo solo es que... necesito pensar, alejarme un poco.

—¿No me crees?

—Te creo. Pero no soporto la tensión, que todo sea tan frágil...

—¿De qué demonios estás hablando?

Ella se secó las lágrimas con la manga de la chaqueta.

—Sé que me quieres a tu manera, pero...

—¿A mí manera? Pecosa, te quiero de todas las maneras posibles que existen. Supe lo que significaba esa palabra gracias a ti. —La miró con desesperación—. Te quise antes y te quiero ahora. Te he querido toda mi vida. Y lo seguiré haciendo aunque te vayas... Pero no lo hagas. No te vayas ahora, Rachel. No vuelvas a romper con todo.

—No puedo, de verdad que no... —repitió, incapaz de procesar nada más. Su mente estaba sellada, como si alguien hubiese decidido protegerla colocando un candado a todos los pensamientos enmarañados. Se sentía exhausta—. No es por ti, Mike. Hace mucho tiempo que tú dejaste de ser el problema. Soy yo. El problema soy yo. Y de verdad que creo que tienes razón y deberías empezar desde cero; mereces ser feliz.

—Rachel, para. Para de decir tonterías. —Dio un paso al frente. Quería tocarla. Quería retenerla de algún modo, pero no sabía cómo hacerlo sin obligarla o imponerse sobre ella—. Tú no eres el problema, ¿me oyes? Sea lo que sea, lo arreglaremos juntos.

No tenía arreglo. Avanzó hasta la puerta que él protegía con su cuerpo y aquella mirada avasalladora.

—Déjame salir.

—No.

—Por favor... —Asió con fuerza el asa de la maleta que arrastraba.

Mike volvió a negar con la cabeza y endureció el gesto.

—Dime qué puedo hacer para que no salgas por esa puerta. Dímelo y lo haré. Sea lo que sea. No hablaremos. Ni te rozaré. ¿Necesitas tiempo? ¿Es eso? Pídemelo.

—Ni siquiera tengo derecho a pedirte algo así —murmuró.

—Créeme, sí que lo tienes.

Rachel sorbió torpemente por la nariz.

—Lo que necesito es salir de aquí, Mike. De verdad. No puedo. No puedo... —repitió con voz acongojada. Estaba bloqueada.

Él tensó la mandíbula y le sostuvo la mirada durante lo que pareció una eternidad. Finalmente Mike cortó aquella conexión de golpe, bajó la vista al suelo y se movió despacio hacia un lado. El silencio era aplastante.

—¿Qué haces ahí parada? —Tenía la voz rota—. Vete. Vete ya.

El murmullo de las ruedas de la maleta al arrastrarse por el suelo de madera fue lo último que se escuchó antes de que la puerta se cerrase suavemente.

30

El apartamento que Jimena compartía con Dulce era exactamente el tipo de piso que Rachel hubiese deseado encontrar tiempo atrás. Antes de que todo se complicase tanto. Antes de que llegasen a aquel punto que parecía inevitable desde el comienzo. Se había acostado la tarde anterior nada más llegar, con el estómago vacío, y había tardado una eternidad en dormirse a pesar de estar agotada. No podía dejar de pensar en lo que había hecho. En si estaba bien o, por el contrario, se equivocaba. A la mañana siguiente, tuvo que hacer acopio de todas sus fuerzas para ignorar el dolor que sentía en el pecho, reprimir las ganas de llorar y levantarse.

El salón era una estancia acogedora, pequeña, con un sofá repleto de almohadones de diferentes texturas y colores y un minúsculo pero gracioso árbol navideño dentro de una maceta, decorado con lacitos rojos y dorados. Flotaba en el aire el aroma a té mentolado que Dulce estaba preparando en la cocina. Jimena, sentada con la espalda muy recta, le dio los buenos días y le indicó que se sentase a su lado.

—¿Qué hora es?

—Casi la una. Debías de estar agotada, amor.

—Apenas he dormido estos últimos días.

—Acabamos de comer, íbamos a tomar ahora el té. Pero tengo un poco de pollo asado en la nevera, ¡ándale! Está delicioso. Tienes que comer para recuperarte.

—Gracias, pero de momento un té está bien.

—¿Quieres hablar?

—No. —La miró suplicante—. Todavía no. Pero gracias por dejarme venir aquí. En serio. Mañana mismo buscaré algún otro lugar; no quiero molestar.

—¡Deja de decir tonterías! —exclamó con un marcado acento.

—Puedes quedarte aquí todo el tiempo que quieras. —Dulce avanzó hasta ellas y dejó el té caliente sobre la mesita auxiliar—. Y ten cuidado, que está quemando.

Permanecieron calladas. Rachel le dio unos cuantos sorbitos al vaso e intentó concentrarse en la decoración de la casa para dejar de pensar en la última mirada fría y distante que Mike le había dirigido antes de apartarse de la puerta. Pero es que no podía. Era como si lo hubiese invadido todo.

Todo, todo, todo.

—¿Podemos poner la televisión? —preguntó con un hilo de voz.

—Claro que sí, amor. —Jimena buscó el mando entre los cojines del sofá, la encendió y fue pasando canales—. Elige: *American Idol*, reposiciones de *Dexter*, *Cocina con mamá*, el apareamiento del pingüino emperador, *Master Chef*...

—El apareamiento de los pingüinos.

Se acurrucó en el sofá y las tres se mantuvieron en silencio, viendo con interés al sensato pingüino moverse con cierta torpeza, buscando entre cientos de los de su especie a la hembra indicada junto a la que, probablemente, permanecería durante el resto de sus días. Empezó a acicalarse con gracia, a hacer un nido con las ramitas que iba encontrando y transportando en su pico y a emitir sonidos hasta que finalmente ella accedió. Ya eran una pareja. Así de fácil. Un dichoso nido y toda la vida juntos, año tras año fornicarían entre ellos y pondrían sus huevitos y los cuidarían e irían envejeciendo...

—¿Qué más hacen en la tele?

Intentó coger el mando que Jimena sujetaba en la mano pero ella lo alejó con decisión.

—¡No! ¡Ya está bien de lo que sea que te estés montando en tu cabeza! —protestó—. ¡Ni siquiera puedes soportar ver cómo dos pingüinitos se aman!

—No se aman. Son animales.

—Lo que sea. Deja de esconderte de ti misma. ¿Qué es lo que ha sucedido?

Rachel cerró los ojos y suspiró hondo.

—Nos enrollamos y todo eso, ¿vale? ¿Ya estás contenta?

—Pues no, déjame decirte que era bastante previsible. Pero eso no explica que estés aquí, ¿qué pasó después?

—No hay un después —atajó—. Yo me fui.

—Pero ¿por qué te fuiste? —insistió, manteniendo los ojos muy abiertos.

—Por lo que pasó entre nosotros.

Dulce se levantó y recogió las tazas vacías de té.

—No quiero inmiscuirme y será mejor que vaya a arreglarme para irme a trabajar, pero, por si os interesa, desde fuera se ve claramente que estáis entrando en bucle.

Con la mano que tenía libre, quitó una pelusilla del suéter de lana blanco que Rachel llevaba puesto, sorprendiéndola con aquel simple gesto de familiaridad, y después de dejar en la pila de la cocina las tazas sucias, se metió en su habitación.

—¡*Niña*, estás loca! —Jimena la miró consternada—. ¿Por qué no quieres ser feliz?

—Porque después de la felicidad siempre llega la infidelidad —explicó—. ¿De qué otro modo si no podríamos comparar el nivel satisfactorio de nuestras vidas? Si evito lo primero evito también lo segundo. Es lógico.

—No es verdad. Eso no es lo que quieres, amor.

—Mira, en la vida hay cosas que parece que quiero. *Parece* —recalcó—. Pero eso es solo la parte teórica de mi cerebro que a veces se apodera de mí y me hace decir estupideces. ¿Recuerdas ser adolescente y beber cerveza mientras debatías con otros cuatro borrachos lo genial que sería vivir en una anarquía y blablablá? Todos sabíamos que era mentira, una utopía, pero era agradable fingir que podía ser real.

Jimena la miró como si estuviese loca.

—No, no recuerdo hablar de nada semejante porque al parecer yo fui una adolescente normal y tú no. ¿Adónde quieres llegar? ¿Y por qué siempre me pones a prueba para que consiga entenderte?

Rachel se mordió el labio inferior, perdida en sus propios pensamientos.

—Lo que quiero decir es que en una vida utópica yo sería feliz con Mike y en teoría, solo en teoría, nos mudaríamos a una casa y viviríamos felices, no habría malos recuerdos. Nos comportaríamos como una pareja normal, sería divertido y las discusiones se limitarían a luchar por el mando a distancia de la televisión. Y no sé, todavía no sé si me apetece tener hijos o si quiero recorrer el mundo o... ¿quién sabe? Las posibilidades son infinitas. Lo único cierto dentro de ese sueño idílico es que lo decidiríamos juntos... —Tragó saliva con esfuerzo y advirtió que estaba llorando; se enjugó los ojos y cogió el pañuelo que Jimena le tendía con delicadeza—. Pero la parte práctica no tiene nada que ver. En la parte práctica yo me veo incapaz de hacerme responsable de nada ni de nadie. No puedo atarme a otra persona porque si en algún momento uno de los dos cortase esa cuerda que nos une me quedaría colgando, a la deriva, y ya sé lo que es eso y no quiero volver a revivirlo. Y no dejo de llorar, no sé por qué mierda estoy llorando tanto. Parezco imbécil. Soy imbécil.

—Toda la razón.

Rachel la fulminó con la mirada y Jimena acortó la distancia que las separaba y la abrazó con fuerza, impidiendo que pudiese escurrirse de sus brazos.

—Amor, te estás empeñando en poner un montón de barreras y todavía no te has dado cuenta de que no tienes nada de lo que protegerte. No hay lobos ahí fuera. Y si en algún momento llegasen y alguno te mordiese, no pasaría nada, te curarías. Todos pasamos por lo mismo, arriesgamos y perdemos, tropezamos y caemos. Tienes suerte. Deberías estar contenta por haber tenido una segunda oportunidad con esos amigos tuyos. ¿Dónde estarías ahora si no? Sola, sin preocupaciones, ¡pero también sin todo lo bueno! Y no me habrías conocido a mí, claro. —Le guiñó un ojo—. No sabrías bailar *bachata* ni conocerías el sabor de un buen taco preparado como Dios manda.

—¿De dónde demonios te sacas estos discursos, cuando se supone que ni siquiera me comprendes?

—¡Esto no es nada comparado a lo que mi abuela se guardaba en la lengua! —dijo con alegría—. Tendrías que haberla conocido. Te hubiese caído bien; era muy tú. Distante pero cariñosa, práctica pero enrevesada a un mismo tiempo... Héctor salió a ella. Son dos gotitas de agua —suspiró nostálgica.

Rachel sorbió por la nariz e intentó inspirar hondo, pero era como si el aire que entraba en su cuerpo no fuese suficiente para aliviar la sensación de ahogo. Jimena le acarició la mejilla con mucho cuidado y la miró fijamente.

—Tranquila. No pasa nada por tener miedo, aprenderás a controlarlo poco a poco, a entender tus propias emociones...

Notó de nuevo los ojos empañados. Permanecieron un minuto en silencio, mientras ella intentaba retomar el control de su cuerpo. Cuando se sintió algo más calmada, sacudió la cabeza.

—¿Cómo está tu hermano?

—Bien, mejor que nunca. —Hizo una mueca—. Sabías que Mike pagó su deuda, ¿verdad? Todo. Yo quería darle las gracias personalmente, pero Héctor me pidió que me mantuviese al margen...

—No lo sabía.

—Parece un buen tipo.

—Lo es.

—Y tú aquí, en mi sofá, perdiendo el tiempo...

—Sí.

—¿Piensas levantarte algún día?

—¿Me estás echando?

—No. Te estoy animando a que des el paso y te atrevas a ir detrás de lo que quieres, por una vez en tu vida. ¡Lánzate! Deja de ser tan cobarde.

Se frotó el brazo de arriba abajo, nerviosa y pensativa.

—Me dijo que me fuese y ahora...

—*La neta,* seguro que tú le dijiste cosas peores. Conociéndote, me apuesto lo que sea. —Suspiró hondo—. Mira, hagamos algo. Tú te tranquilizas, comes algo y cuando esta tarde me acerque a la cafetería te dejo en casa, ¿qué te parece?

Rachel movió la pierna rítmicamente, golpeando el suelo casi al son de los latidos de su corazón. Hacía menos de veinticuatro horas que había salido por aquella puerta como alma que lleva el diablo, pero tenía la extraña sensación de que hacía una eternidad y que llevaba muchos días sin ver a Mike.

Quería verlo. Quería tocarlo. Quería besarlo. Incluso sin estar totalmente segura de lo que estaba haciendo, sin tener claro cuál era el camino correcto. Puede que la respuesta no fuese a aparecer nunca frente a sus narices en un brillante cartel de neón y su única certeza era que lo quería, que en realidad cuando estaba con él se divertía, se relajaba, era ella misma, se dejaba llevar, se sentía en casa. Y no existía ninguna otra persona en el mundo que despertase aquel cosquilleo en su piel, las aceleradas palpitaciones, el estremecimiento de todo su cuerpo con una sola mirada. Porque era cierto: solo una dichosa mirada hacía falta para derretirla.

—Me dijo que podía pedirle tiempo... —susurró muy bajito.

—¿Y por qué no lo hiciste? —Jimena le acarició la cabeza con firmeza, como si quisiese dejar claro que no iba a dejar de hacerlo por mucho que a ella le molestase que la tocasen.

—Porque en realidad no necesito tiempo; lo que necesito es cerrar las puertas del pasado, dejar de juzgarlo por lo que hizo, aceptarlo o apartarlo de mi vida para siempre. Aunque me encantaría, no puedo quedarme eternamente en un punto muerto. Todo se reduce a la confianza, pero es que... ¡es tan difícil! —Respiró hondo—. Lo echo de menos. Siempre lo he echado de menos, todos estos años...

Rachel se mordió el labio inferior con mirada ausente antes de tomar una decisión y ponerse en pie.

—¿Qué haces? —preguntó Jimena.

—Ya comeré más tarde, voy a ir ahora mismo.

—Amor, tranquilízate, ¡eres demasiado impulsiva!

Rachel nunca había conocido a nadie que desprendiese tal instinto maternal sin tener hijos. Era como si lo llevase tatuado en su ADN, ser dura y tierna a un mismo tiempo, y firme pero flexible en el momento adecuado.

Le sonrió.

—Tú me calmas. Gracias. —No recordaba la última vez que había sido tan sincera con alguien que no formase parte de su vida desde siempre—. Pero de verdad que necesito verlo ya. Ni siquiera sé en qué estaba pensando cuando me subí a ese autobús... No soporto la idea de hacerle más daño. Él ya ha sufrido demasiado. Tengo que ir ahora e intentar, no sé..., explicar lo poco que sé explicarme a mí misma...

Jimena curvó los labios con ternura.

—De acuerdo. Levanta el culo del sofá. Vamos.

El teléfono móvil empezó a sonar mientras se ponía en pie de un salto. Era Jason. Supuso que habría llegado a San Francisco la noche anterior y ya estaría al tanto de todo lo ocurrido. Vaciló un segundo, porque no quería hablar con nadie antes de poder hacerlo con Mike y aclarar lo que sentía, pero finalmente descolgó la llamada.

—¿Rachel? ¿Me oyes? ¿Rachel?

—Sí, aunque falla un poco la cobertura. Escucha, no tienes que preocuparte por nada. Ha sido un error, un lapsus. Ya me conoces. Estaba a punto de...

—Rachel, la madre de Mike ha fallecido. Parece que ha sido un suicidio. —Hizo una pausa—. Estábamos a punto de salir para allá, pero quería decírtelo antes —agregó—. Murió ayer. Una vecina con la que tenía amistad avisó a Mike esta mañana y no ha dejado que lo acompañásemos, pero he averiguado dónde es el funeral y vamos a ir de todos modos. Sabes cómo es, y seguro que ahora mismo estará encerrado en sí mismo, culpabilizándose y...

Rachel parpadeó conteniendo las lágrimas.

—Deja que vaya yo.

—Rachel...

—Puedo entenderlo, Jason. Sé lo que estará sintiendo, conozco esa sensación de preguntarte si podrías haber hecho algo más y sentirte impotente. Y por mucho que nos pese a nosotros, él la quería; era su única familia, nunca ha conocido nada más —dijo, ansiosa y con los nervios dirigiéndola hacia la puerta que conducía a la salida de la casa de Jimena—. Además, necesito hablar con él. A solas. Por favor.

Escuchó a Jason suspirar al otro lado de la línea mientras Jimena le hablaba a la vez y le aseguraba que podía acercarla con su coche.

—Está bien, pero mándame un mensaje cuando llegues. Quiero saber cómo está —cedió—. ¿Tienes un papel a mano para apuntar la dirección?

31

Mike ladeó la cabeza sin dejar de observar aquel rostro perfecto y pálido, preguntándose por la vida que hubiese podido tener y que nunca llegó. Aguantó estoicamente, de pie, mirando su cuerpo inerte como si quisiese retener aquella imagen en su memoria para siempre. Pensó en todas las palabras no dichas, en todos los momentos que no vivieron juntos, en los anhelos y posibilidades. Intentó imaginarlo. Intentó imaginar una especie de vida alternativa junto a aquella mujer de delicado cabello rubio y rostro frágil.

Él la había querido.

La había querido de un modo insano e incomprensible, quizá, pero lo había hecho. Intentó odiarla y fracasó, no pudo. Igual que ahora tampoco podía evitar esa tristeza que trepaba por su cuerpo aspirando a colarse en su corazón, buscando la culpa, buscando los cimientos endebles a los que se aferraba y que a veces no eran lo suficientemente sólidos como para que consiguiese mantener el equilibrio.

Él no había dejado que jamás le faltase nada, no había permitido que le hiciesen daño después de convertirse en un traidor para aquellos que años atrás decían ser sus hermanos y nunca se había negado a darle más dinero, cada mes, cada vez que él gastaba más de lo previsto y regresaba con los bolsillos vacíos...

De lo único de lo que no había podido protegerla era de Jim; esa sombra que la engullía lentamente y transformaba en oscuridad todo lo bueno.

Cerró los ojos intentando ignorar los murmullos que se escuchaban a su espalda. Le echó un último vistazo a su rostro, que ahora parecía descansar al fin, antes de dar media vuelta con la mirada clavada en el suelo y caminar hasta el primer banco de madera de aquella diminuta iglesia blanquecina que se alzaba al final del pueblo donde había vivido esos últimos años.

Se concentró en las grietas de la madera. Se concentró en contarlas mientras decidía si quedarse hasta el final del entierro o irse ahora, irse ya y huir de un pasado del que ya no quedaba nada que rescatar. Todo estaba roto. «Seis, siete, ocho, nueve, diez, once, doce, trece...» Ella había sido demasiado débil para seguir viviendo. «Veinticuatro, veinticinco, veintiséis, veintisiete, veintiocho.» Y él no había podido evitar aquello. No había logrado impedir que se tomase todas esas pastillas y decidiese que era mejor irse a otro lugar, marcharse para siempre, poner fin a una existencia desdichada e irreparable. Porque ella misma siempre fue su propio verdugo. «Veintinueve, treinta, treinta y uno, treinta y dos.» Se iba a ir, no tenía fuerzas para permanecer allí, para esperar ese último adiós. «Treinta y tres...»

Estaba a punto de levantarse cuando una mano cálida y familiar se aferró a su brazo y lo instó a quedarse. Rachel se sentó a su lado, en silencio. La ternura que vio en la profundidad de sus ojos dorados lo sobrecogió y se quedó muy quieto mientras ella le sostenía de la barbilla y deslizaba el pulgar por su mejilla con suavidad, limpiándole...

Ni siquiera se había dado cuenta de que estaba llorando.

Logró contener las demás lágrimas que pugnaban por salir. Quería pedirle que lo abrazase, pero no tuvo que hacerlo porque se le adelantó; lo rodeó con los brazos, apoyó la cabeza en el hombro y respiró contra su nuca.

Ninguno de los dos hizo el amago de moverse mientras la ceremonia daba comienzo. Su madre había sido católica protestante y a él lo tranquilizó saber que la despedida transcurría según sus deseos.

—Estoy aquí —le susurró Rachel al oído.

No levantó la cabeza, pero asintió, reconfortado.

Pasó la misa concentrado en cómo el pulgar de Rachel trazaba círculos sobre el dorso de su mano, contando las veces que su dedo giraba rozando su piel. Cuando todo terminó, Mike se puso en pie con los ojos fijos en las tablas algo desvencijadas del suelo. Necesitaba salir. No podía verlo. Verlo sería demasiado para su autocontrol. Rachel cogió su mano y avanzaron por el pasillo oscuro hasta la claridad que se adivinaba en el exterior. Por lo poco que vio de reojo, advirtió que apenas había gente y eran escasos los vecinos que habían acudido a decirle adiós. No podía culparlos. Su madre siempre había estado tan atada que casi no se relacionaba con nadie, vivía dentro de sí misma, encerrada y marchita, obsesionada con una sola persona.

Un cielo de un gris verdoso los recibió. Mike tomó una bocanada de aire, sintiéndose abrumado como si llevase horas conteniendo la respiración. Y entonces lo oyó. Era la última persona del mundo a la que deseaba oír.

—¿Adónde crees que vas?

Se giró lentamente mientras Rachel apretaba su mano con más fuerza.

Jim le dirigió una mirada cargada de odio y rencor, como si lo ocurrido fuese obra suya y, joder, estaba tan acostumbrado a culparse de todo lo dañino que sucedía a su alrededor que tuvo que recordarse a sí mismo que no había hecho nada malo esta vez.

—¿Qué quieres? —Su voz sonó extrañamente serena, sin reflejar la ira que se entremezclaba en su interior.

—¡Darte una buena tunda, maldito idiota! —bramó.

—Mike, vámonos.

Rachel tiró de él intentando evitar aquel enfrentamiento, pero solo sirvió para que la soltase de la mano y diese un paso al frente, encarándose con ese hombre que había llenado su cuerpo y su alma de cicatrices.

—Solo eres un viejo idiota. Yo no soy tan cobarde como tú, no busco al más débil para desquitarme. Vuelve por dónde has venido o te juro que te arrepentirás.

Jim no había cambiado demasiado. Seguía siendo grande, con menos pelo y más odio en su gélida mirada. Tenía los dientes amarillentos y por el olor que desprendía había estado bebiendo hacía poco tiempo.

—Estarás contento ahora que al fin has acabado con ella.

—¿Vas a culparme también de esto? —Mike rio con amargura—. ¡Adelante! ¡Hazlo! ¿Sabes qué...? Ya me da igual. No vales la pena.

Estaba a punto de darse la vuelta cuando la voz acidulada de aquel hombre lo frenó de nuevo.

—Tu mera existencia en este mundo ha sido un error. —A Jim nunca le hizo falta gritar para que sus palabras sonasen hirientes y estuviesen cargadas de aversión—. Eres tan poca cosa, un fracaso tan despreciable, que ni siquiera pudiste conseguir que tu propia madre te quisiese. No esperes que nadie más lo haga. No esperes que nadie vea más allá de la mierda que eres —escupió—. Si hubieses sido un hombre de verdad ella no habría muerto de pena. Fuiste un suplicio en su vida, no tienes ni idea de cuántas veces lo repetía y...

Le calló con el primer puñetazo.

Y luego llegó un segundo y un tercero. Jim se tambaleó y acabó en el suelo con Mike sobre él, golpeándolo contra el pavimento de la entrada de la iglesia. Los pocos vecinos que habían acudido al funeral salieron alarmados y se congregaron en los escalones frente al umbral de la puerta que rodeaban dos parterres de flores anaranjadas.

—¡Mike! ¡Mike, no! —Rachel intentó separarlos, pero no tenía fuerza para hacerlo—. ¡Para, por favor! ¿No te das cuenta de que esto es lo que quiere, lo que está buscando...? ¡Mike!

Lograron contenerlo entre dos hombres. Rachel vio la sonrisa que Jim se esforzaba por esconder mientras el pastor lo ayudaba a ponerse en pie y evaluaba las heridas que cubrían su rostro.

—¡Llévenselo de aquí! —exclamó Jim mientras se limpiaba la sangre con un pañuelo blanco—. Ni sueñes con que después de esto dejaré que nos acompañes al entierro. Eres un peligro para todos nosotros. Un maldito caso perdido.

Mike se zafó de los brazos extraños que lo sujetaban, dio media vuelta y salió de la diminuta parcela. Rachel lo siguió. Lo siguió mientras corría por las calles hasta el final del pueblo. Y lo siguió también cuando se adentró en un tramo de bosque que se abría al final de un polvoriento camino de tierra. Corría, corría y corría, como si no pudiese dejar de hacerlo, como si lo necesitase más que respirar. Y en cierto momento, con las piernas doloridas y temblorosas, entendió que no solo huía de su padre y de todas aquellas personas anónimas, sino también de ella.

—¡Mike! ¡Espera, por favor!

Estaba exhausta. Apartó las ramas de los pinos y los abetos que crecían salvajes a un lado del sendero y lo cubrían todo a su paso. El suelo estaba húmedo tras las últimas tormentas de esos días invernales y resbaló un par de veces por culpa del musgo que crecía entre las rocas y el barro deslizante. Lo encontró por el sonido de los golpes. Los golpes que le atestaba sin control al tronco de un árbol.

—¿Qué estás haciendo? Dios, ¿qué demonios...? —Le sujetó el brazo y abrió los ojos con sorpresa; la sangre se deslizaba por el dorso de la mano y tenía los nudillos destrozados y en carne viva. Rachel tragó saliva, temblando—. Ni se te ocurra, Mike. Ni se te ocurra dar un solo golpe más —gimió y lo abrazó por la espalda, como si desease contener todo su dolor—. ¿Por qué te has hecho esto?

—Porque él tiene razón. Joder, tiene razón. —Su voz estaba tan teñida de dolor que a Rachel le costó reconocerla—. Ella no me quiso.

—Eso no es verdad... —susurró—. No supo hacerlo bien, pero te quería a su manera. Estaba muy rota y perdida, Mike.

—No, no. —Alzó un brazo, dispuesto a dar otro puñetazo al tronco, pero finalmente lo dejó caer, derrotado—. No es fácil quererme. No es fácil y lo entiendo, de verdad que sí, porque a mí también me resulta complicado... —Abrió la boca para tomar aire, pero no pareció conseguirlo.

—¿Qué estás diciendo? —Rodeó su cuerpo hasta plantarse frente a él y sostenerle el rostro entre las manos—. Yo te quiero, Mike—. Él negó con la cabeza sin levantar la vista del suelo—. Te quiero muchísimo. Y estaba a punto de volver para decirte todo esto cuando Jason me llamó y me contó lo que había pasado. Tienes que creerme, porque es la verdad. Sabes que jamás te diría algo así si no fuese cierto.

—No puedo... respirar.

Era cierto. Rachel notó cómo volvía a intentar tomar una bocanada en vano. Le cogió de la mano y el suelo crujió cuando dio un paso atrás para dejarle un poco de espacio. Un par de pájaros sacudieron la copa del árbol más cercano al alzar el vuelo emitiendo un graznido.

—Solo es un ataque de ansiedad, ¿de acuerdo? Inspira profundamente. Y luego expulsa el aire poco a poco. —Él mantuvo los ojos cerrados mientras se esforzaba por seguir sus indicaciones, pero sus pulsaciones cada vez se aceleraban más; había perdido el control—. Tienes que tranquilizarte. Respira, pero no tan rápido. Respira e intenta que el aire llegue a los pulmones.

—No puedo, joder... no. —Mike se llevó una mano al pecho.

—Solo debes calmarte... —Acogió su rostro con una mano y le obligó a mirarla—. Concéntrate en ellas. —Rachel se señaló con un dedo la mejilla y él tardó unos segundos en comprender lo que quería decir—. Cuenta las pecas, Mike. Cuéntalas despacio y olvídate de todo lo demás. Solo nosotros, aquí, ahora. Y lo único que debes hacer es respirar. Contar y respirar. Respirar y contar. Lo estás haciendo, ¿verdad? ¿Las estás contando...?

Mike asintió sin apartar los ojos de las estrellas que salpicaban su rostro.

—Estoy contando. Estoy respirando.

32

Mike se quedó dentro del coche después de que ella insistiese hasta la saciedad en acercarse al centro del pueblo para comprar gasas, agua y cualquier otra cosa que encontrase y sirviese para curarle las heridas. Apenas le dolía. El dolor físico estaba sobrevalorado. Todo lo contrario a ese dolor silencioso e invisible que se lleva dentro y cala hasta los huesos.

Suspiró hondo mientras recostaba la cabeza en el mullido asiento del coche. La arquitectura del lugar era curiosamente simétrica; casas de madera, no muy grandes, pintadas de un blanco que en otra vida parecía haber sido azul, se alineaban a un lado y otro de la calle, flanqueadas por árboles de aspecto triste y ramas desnudas.

Ella regresó poco después cargando una bolsa de papel marrón contra el pecho. Abrió la puerta del copiloto, donde Mike se había sentado, y le pidió que se girase y sacase la mano fuera.

—Pecosa, no tienes que hacer esto...

—Eres un animal —sentenció con una mirada de reproche—. ¿En qué estabas pensando? Vamos, extiende los dedos poco a poco.

Eso sí dolía un poco. Mike permaneció en silencio mientras intentaba no encoger los dedos por puro instinto y dejó que ella le limpiase con agua y frotase con cuidado las heridas abiertas, intentando quitar los restos de sangre y piel.

—No había agua oxigenada ni antisépticos, pero esto servirá —añadió en un murmullo tras extender una venda suave sobre su piel y rodear el contorno de la mano con tres vueltas. Cuando acabó, ató los extremos y sostuvo la mano entre las suyas más tiempo de lo necesario—. Mike, lo que he dicho en el bosque...

—No quiero tu compasión.

—Bien, porque no era compasión. Cometí un error al irme así y siento haberte hecho más daño, pero es que —lo miró fijamente—, quererte me da miedo. Volver a estar expuesta, a arriesgar, con todas las posibilidades que eso conlleva, tanto las buenas como las malas... Me ha costado un poco entender que por ti vale la pena lanzarse al vacío. Ya sé que piensas que siempre llevo paracaídas y que me aferro a la seguridad, pero no es verdad. La mayoría del tiempo me siento muy frágil e insegura.

—Pues te prometo que eres la persona más fuerte que conozco.

—Después de ti...

Ella esbozó una sonrisa que rápidamente transformó en una mueca cuando recordó dónde estaban y volvió a fijarse en la mano vendada de Mike. Rodeó el coche con paso firme y se sentó en el asiento del conductor. Cogió con manos temblorosas el volante.

—Dame las llaves.

—Ni de coña. Hace años que no conduces.

—¿No confías en mí?

—¿Me estás poniendo a prueba o algo así?

—Solo quiero llevarte allí, al cementerio, para que puedas despedirte de ella por última vez. Esperaremos a que el funeral termine y todos se hayan ido. Y después nos marcharemos a casa y no volveremos a mirar atrás —explicó—. Está al otro lado del pueblo, a menos de cinco minutos. Las llaves —añadió, extendiendo una mano.

Mike emitió un largo suspiro antes de sacarlas del bolsillo del pantalón y dárselas. Rachel arrancó el coche y necesitó unos segundos para atreverse a quitar el freno de mano y pisar el acelerador muy poco a poco, intentando no ponerse nerviosa.

Avanzaron con lentitud por las calles solitarias y algo opacas del lugar.

—No sé si quiero entrar —admitió él cuando pararon frente a la puerta.

—Sí que quieres. No dejaré que te arrepientas después o que pienses que Jim ganó e impidió que vinieses. Lo ha hecho solo para hacerte daño, lo sabes, ¿verdad? Ese hombre está enfermo.

Él permaneció unos instantes en silencio, con la mano cerrada en torno al mango de la puerta y la mirada clavada en la ventanilla.

—¿Cómo fue el suyo? —preguntó, y Rachel lo entendió de inmediato.

—Poco concurrido —murmuró, y se arrepintió de lo que acababa de decir en cuanto se topó con los ojos inquietos de Mike—. En realidad, me hubiese encantado que los tres estuvieseis en el funeral. Me hacíais mucha falta. Pero... —Se mordió el labio—. ¿Te he contado que llevé un radiocasete?

Mike negó lentamente, atento a sus palabras, intentando recrearlas mentalmente y recordar todos los buenos momentos que había vivido con Robin. Era una especie de punto de apoyo, la certeza de que alguien lo había querido por quién era, sin aderezos ni reproches.

—Pues sí, lo hice. —Apoyó un codo en el volante del coche al girarse hacia él y se llevó un mechón de cabello rojizo tras la oreja mientras sonreía nostálgica—. Era un día luminoso y le dije al reverendo que podía irse en cuanto terminó. Tía Glenda también lo hizo, para dejarme a solas. No había escrito ninguna despedida, pero entendí que en parte tenía sentido porque ya sabes que papá era un hombre de pocas palabras. Así que tan solo me quedé allí un rato, con él, y cuando empezó a atardecer le puse su canción favorita. Se la puse unas ocho veces seguidas e imaginé que estaría partiéndose de risa allí arriba viéndome entrar en bucle...

—*Who wants to live forever* de Queen. Esa pusiste —susurró Mike, y ella asintió con la cabeza y volvió a sonreír cuando advirtió que por primera vez podía hablar de su padre sintiéndose serena, agradecida por haberlo tenido en su vida.

—Fue bonito y sencillo. Como él. Y dejé que la música dijese todo lo que había que decir —concluyó y emitió un sonoro suspiro antes de dar un golpecito en el volante con la punta de los dedos—. Y ahora vamos, es hora de cerrar esta puerta, Mike. Confía en mí.

Juntos traspasaron el umbral de la entrada y serpentearon entre las tumbas hasta llegar al sitio indicado. Era un cementerio muy pequeño y la tierra sobre la que se erguía la lápida de la madre de Mike estaba cubierta de flores frescas.

—¿Estás bien?

Mike asintió lentamente con la cabeza y ella lo abrazó por la espalda, aspiró su aroma al pegar el rostro a su camiseta y se prometió que no volvería a soltarlo hasta que él se lo pidiese. Se quedaron allí, en silencio, y dejaron que los minutos pasasen y que todo se tiñese de color caramelo cuando el sol empezó a caer tras la línea rosada del horizonte. Mike suspiró entonces, todavía con un montón de pensamientos enredados en su cabeza, pero terminó entendiendo que había llegado el momento de dejar atrás todo aquello y permitir que las heridas sanasen y cicatrizasen.

Cuando salieron de allí, lo hicieron a paso lento. Rachel volvió a empeñarse en conducir y él cedió tras algunas protestas inútiles; se montó en el asiento del copiloto mientras ella se abrochaba el cinturón de seguridad y dejaba caer las manos sobre el volante. La vio suspirar profundamente.

—No tienes por qué hacer esto, pecosa. El camino de vuelta es demasiado largo y apenas tienes práctica. Yo estoy bien, de verdad. Puedo conducir. No me duele —añadió, en referencia a la herida de la mano.

—Quiero hacerlo —aseguró—. ¿Y si, antes, cuando te ha dado ese ataque de ansiedad, hubiese tenido que acercarte a un hospital o...?

—Estás pensando demasiado.

—No, es justo al revés. Tengo que dejar atrás mis miedos, igual que tú. —Giró la llave en el contacto y el motor del coche rugió—. Iremos poco a poco, Mike. Y superarás esto, igual que has superado todo lo demás. Lo haremos juntos. Sé que somos personas con tendencia a caer y a escondernos, pero podemos sostenernos el uno al otro.

Mike se giró en el asiento y su mirada reflejó toda la ternura que a veces no sabía expresar con palabras. Alzó una mano y la deslizó con suavidad por su mejilla, acariciándola con la yema de los dedos.

—Eres la chica más preciosa del mundo. Supe lo especial que eras desde el primer día, cuando te vi sentada en esa acera y pensé que tenías el pelo de color calabaza y la piel llena de estrellas como si alguien te hubiese salpicado con una brocha de pintura.

—Qué bonito —bromeó Rachel con ironía, pero tragó saliva al ver que él seguía estando serio. De hecho, nunca la había mirado con tal intensidad, como si estuviese viendo dentro de ella, despojándola de todas las capas, buceando en su alma.

—Para mí lo es. Nunca nadie me había cantado algo tan tonto. —Una sonrisa de añoranza curvó sus labios—. ¿Cómo era...? «Cerebro de mosquito, orejas de rana, ni oyes ni piensas, eres como una banana...»

Rachel correspondió su sonrisa y tardó unos segundos en hablar.

—Lo recuerdo. Me encantaba esa canción —admitió—. Pero será mejor que no malgastes todas tus reservas de romanticismo ahora mismo porque todavía me debes una cita. Es hora de volver a casa.

Estaba a punto de quitar el freno de mano cuando él le rodeó la muñeca con los dedos y sostuvo su mano en alto al tiempo que la miraba con curiosidad.

—¿Una cita? —preguntó.

—Eso dijiste.

—¿Cuándo?

—La otra noche, en el hotel. Dijiste que querías que saliésemos por ahí, al cine, y que fuésemos cogidos de la mano como una pareja normal y corriente.

—¿Y quieres eso?

—Sí, eso quiero.

—De acuerdo. Así que tenemos una cita pendiente. Me gusta.

Ella pareció pensativa unos instantes.

—Y ya que estamos, también podrías esmerarte un poco e invitarme a cenar. En un italiano. Con terraza. Bajo las estrellas.

Mike la miró divertido.

—¿Algo más, *cariño*? —se burló.

—Rosas. Cierto. Lo olvidaba.

—¿En serio? ¿Quieres que te compre una rosa?

—No, no voy a hacerte ir a una floristería para comprar solo una rosa —dijo—. Mejor una docena. Que sea uno de esos ramos enormes, con mucho celofán y lleno de lacitos.

—Jamás dejarás de sorprenderme...

—¡No me mires así! Nunca he tenido una cita de verdad y quiero saber qué se siente.

—Yo tampoco. Así que vamos a estrenarnos en esto juntos; rompiendo una única regla, claro.

—¿Qué regla?

—La de no besarnos hasta la segunda cita.

—Ah, qué oportuno —bromeó.

—Pecosa, vivimos juntos —le recordó divertido y deslizó los dedos por sus labios—. No voy a dejarte en la puerta y esperar fuera cinco minutos para entrar. Será mejor que solucionemos ya ese pequeño inconveniente... —Y antes de que pudiese volver a protestar, se inclinó y presionó su boca con fuerza en un beso lento y húmedo, y Rachel pensó en lo increíble que iba a ser poder hacer eso mismo cada mañana y cada noche, durante cada segundo que los alejaba de sus pasados y de todos los temores que estaban dispuestos a saltar y superar.

Epílogo
Siete meses más tarde

—¡Tenemos que irnos!

Ante la nula respuesta dejo a un lado los platos que estaba metiendo en la pila e intento esquivar al pesado de *Mantequilla*, que no deja de exigir más comida; ha engordado cien gramos aprovechando el lío de la mudanza.

—¿Quieres matarme para apoderarte del mundo, gato? ¿Es eso? —Salgo de la cocina caminando a trompicones—. ¡Mike! ¿No me oyes?

Al parecer, no.

Tiene la puerta de su nuevo despacho cerrada. En realidad no lo necesita para nada en concreto, pero le dio envidia la habitación que me preparé para escribir (es preciosa, con estanterías enormes y una mesa *vintage* de segunda mano que compré en un mercadillo), así que decidió ocupar la última estancia que todavía quedaba libre.

Cuando entro lo veo sentado en el sofá beige, que es lo único que hay aparte de un dibujo de Natalie colgado con una chincheta en la pared que ella misma puso ahí anoche. Mike está mirando la sala blanca y vacía con gesto ausente. Me da un vuelco el estómago y me pregunto, en realidad no dejo de preguntármelo, si algún día desaparecerá esa sensación de vértigo al verlo. Espero que no. Desliza la vista hacia mí y sonríe, esa sonrisa tan deslumbrante y perfecta que se cuela bajo mi piel y parece acariciarme en algún lugar muy profundo, cerca del corazón. No es por la sonrisa en sí. Es por todo lo que implica, por el resplandor que adquieren sus ojos en ese preciso instante, por la sinceridad del gesto.

—Llegamos tarde, ¿qué estás haciendo?

—Pensar.

—¿Puedes ser algo más concreto?

Miro el reloj que llevo en la muñeca; son casi las nueve y no solo yo llego tarde, porque él también tiene que acudir a una reunión con sus socios. Mike se frota el mentón recién afeitado con gesto pensativo.

—Pensaba en qué podría meter en esta habitación. Está vacía.

—Claro, para que puedas llenarla —contesto con impaciencia—. Y ahora, levanta.

—Muy útil tu aportación —protesta mientras se pone en pie—. Ese es precisamente el problema, que no sé para qué puede servirme. La idea de escribir novelas eróticas y hacerte la competencia está descartada, así que...

—¿Por qué no sigues dándole vueltas al tema mientras vamos de camino?

Salimos de su *despacho* e intento ignorar que el comedor está hecho un completo desastre; anoche celebramos una cena para inaugurar la nueva casa. Jason ha demostrado ser el mejor agente inmobiliario del mundo, porque es maravillosa y pequeña y el lugar más acogedor en el que he estado jamás. En cuanto puse un pie en este suelo de madera unos meses atrás, supe que iba a ser mi hogar. Un hogar mil veces mejor de lo que había imaginado. Un hogar que ahora está totalmente revuelto y lleno de trastos tras la caótica visita de nuestros amigos.

Pero no importa, porque fue una velada divertida e inolvidable. Luke rompió dos copas (es lo que pasa cuando bailas mientras pones la mesa), Jimena nos regaló un karaoke que ella, Dulce y Natalie monopolizaron, Renata no me dejó terminar de preparar la cena y Jason me dio un sermón tan emotivo sobre lo orgulloso que estaba de nosotros que por poco inundo el salón (vuelvo a permitirme llorar de vez en cuando). Si un año atrás alguien me hubiese hablado de todas las personas increíbles que terminarían formando parte de mi vida, habría sopesado mejor las ventajas que tiene esto de arriesgar y dar antes de saber si vas a recibir algo a cambio. Anoche comprendí que todos ellos eran irremplazables y que, llegados a este punto, haría cualquier cosa por no dejarlos escapar.

El sol centellea en lo alto del cielo cuando salimos al exterior, así que me pongo las gafas de sol mientras nos acercamos al coche. Esta vez conduce él. Empiezo a organizar el desastre que hay dentro de mi maletín, que todavía huele a nuevo. Está lleno de bolígrafos, papeles, libretas y más bolígrafos...

—Me toca a mí elegir música. —Sonríe cuando nos incorporamos a la carretera y empieza a sonar una canción de Nirvana. Lo miro divertida antes de seguir a lo mío y clasificar esos garabatos incomprensibles que se supone que deberían ser apuntes. Se me caen las llaves de casa dentro del maletín sin querer y cuando vuelvo a cogerlas la veo, ahí, brillante, y de pronto soy incapaz de apartar la vista de la diminuta llave morada que me acompaña desde hace tanto tiempo. Esa llave...

Pienso en música y en Mike. Respiro hondo y lo miro de reojo mientras canta *About a girl* feliz, tranquilo, como si estuviese en paz con el mundo. Y de hecho, creo que lo está. Al fin.

—¿Sabes? Ya sé qué puedes meter en tu nuevo despacho.

—¿En serio? —El gris de sus ojos resplandece bajo el día despejado—. ¿Qué es?

—Después. Te lo enseñaré después, cuando me recojas.

—¡Vamos, pecosa, sabes que las sorpresas me ponen de los nervios! No puedes dejarme así. Me pasaré toda la reunión intentando adivinar de qué se trata.

—Lo hago para que siga siendo una sorpresa, Mike. Sé que en el fondo me lo agradeces, aunque sea de un modo retorcido.

—¿Sabes que hay tiburones más tiernos que tú? —refunfuña.

Tiene su gracia conocer tan bien a alguien como para saber todos y cada uno de sus puntos débiles, hasta los que son tonterías. Como lo mucho que a Mike le inquietan las sorpresas. O lo poco que le gusta dormir en el lado derecho de la cama, que gaste toda el agua caliente de la ducha cada vez que me lavo el cabello, o tener que acompañarme los sábados en busca de productos ecológicos al mercado agrícola en Ferry Building. Puedo prever sus reacciones y adivinar el significado de sus gestos y silencios. Me encanta. Me encanta esa familiaridad que siempre ha existido entre nosotros.

Avanzamos por las calles con la voz de Kurt Cobain como única compañía. Nuestra nueva casa no está lejos de donde viven Jason y Luke, y la zona es tranquila y muy verde, perfecta para salir a correr. Ahora solemos hacerlo al atardecer, casi cuando cae la noche, y resulta extrañamente relajante ser testigo de cómo el día llega a su fin y el sol resbala lentamente tras el horizonte.

Sonrío y disfruto del resto del viaje sin dejar de acariciar con los dedos la llave morada. Tras una media hora de camino, estaciona cerca de la puerta principal y sonríe travieso.

—Sé buena y no dejes que los demás niños se burlen de ti.

—Ya, vale, muy gracioso —farfullo cabreada antes de salir y cerrar la puerta del coche con un sonoro portazo. No he dado ni dos pasos cuando Mike me alcanza, sin dejar de reír, y me coge de la manga del suéter verde finito que llevo puesto.

—¿Pensabas irte sin darme un beso? Ven aquí, pecosa.

—No te lo mereces.

—Eso es verdad, pero... —Todavía con una sonrisa, se inclina y atrapa mis labios. Al final cedo. Es inevitable. Es demasiado tentador. Me pongo de puntillas para profundizar más el beso y él me sujeta de la cintura, aferrándose a la ropa. Cuando nos separamos, niego con la cabeza y me relamo saboreando todavía el momento.

—No creas que no soy consciente de que estás intentando marcarme como una especie de animal o algo así. —Adivino al tiempo que me subo el asa del maletín al hombro—. Pero no tienes nada que temer, aquí soy demasiado vieja como para que los tíos se molesten en mirarme, y aunque lo hiciesen...

—Que digas eso solo prueba que eres muy inocente y tienes más fe de lo debido en la especie masculina. Cariño, esas pobres crías no son competencia. Es imposible que tú no llames la atención, todos van a mirarte. Y vale, sí, admito que me siento un poco inseguro. Solo un poco. Cada vez que pienso que esto fue idea mía...

Le doy otro beso y otro más y él me retiene contra su cuerpo.

—Vamos, vete ya, ¡vas a llegar tarde!

Asiente con la cabeza y luego toma una bocanada de aire mientras me mira satisfecho y las llaves del coche tintinean en su mano.

—Te recojo en cuatro horas. Y me dirás cuál es esa sorpresa.

Le digo que sí y vuelvo a reírme de su nerviosismo mientras me doy la vuelta y camino a paso rápido por el campus de la universidad. El césped, de un verde jade, contrasta con la piedra gris de los edificios repletos de estudiantes que entran y salen, bromean y cuchichean entre ellos a la espera que den comienzo las clases.

Fue idea de Mike inscribirme en la universidad. Bueno, en realidad, fue tan idea suya que no supe que había enviado la solicitud hasta que llegó la carta de admisión a casa, hace poco más de un mes. Me cogieron en literatura y escritura creativa. Y sí, al principio me bloqueé y decidí que rechazaría la plaza. Estaba a un paso de cumplir veinticuatro años y no le encontraba la gracia a eso de entremezclarme con gente a la que le sacaba media década. Ese día Mike no estaba en casa ni cogía el móvil (muy oportunamente), así que llamé a Jason en plan desesperada.

—¡No te lo vas a creer! ¡El idiota de mi novio mandó una solicitud a la universidad! Y me han aceptado. Es de locos.

—Hum, eso me hace pensar que quizá no sea tan idiota —contestó divertido.

—No tiene gracia, Jason. Ya soy vieja para estas tonterías.

—¿Desde cuando llevas bastón?

—¿Estás de su parte? —gruñí y tras un esclarecedor silencio empecé a encajar las piezas—. Oh, Dios, ¡tú lo sabías! ¡Maldito traidor!

—No sé por qué te enfadas tanto, rechazar la admisión solo te llevará un minuto o dos; creo que puedes hacerlo en la web del centro. —Jason hizo acopio de su habitual calma al hablar—. ¿Sabes? En realidad creo que lo que te molesta es que en el fondo quieres hacerlo, siempre lo quisiste, y ahora ya no puedes seguir ignorando ese deseo. Buena suerte con la decisión, Rachel.

Y colgó. Tan tranquilo, tan impasible, a sabiendas de lo mucho que a mí seguían costándome los cambios y los nuevos retos. Pasé el resto del día de morros, pensativa, dándole mil vueltas a lo mismo. Para cuando Mike llegó a casa, ya había decidido que iba a volver a saltar sin paracaídas. Otra vez.

Toda mi rabia se transformó en gratitud. Terminé confesándole mis miedos y él me tranquilizó con el tema de la edad y me aseguró que lo suyo siempre había sido mío y que teníamos dinero de sobra para no tener que pedir un crédito. Cuando le pregunté por qué lo había hecho, solo sonrió juguetón y, mientras le acariciaba la cabeza a *Mantequilla*, comentó que le ponían a tono las universitarias traviesas y que esperaba cumplir ciertas fantasías que tenía en mente. Le lancé un almohadón y solo conseguí que el gato saliese despavorido por el pasillo y que él se abalanzase sobre mí con una mirada hambrienta.

Así que ahora tengo que compaginar la escritura con la universidad, pero no podría ser más feliz. Solo llevo una semana asistiendo a las clases presenciales (algunas las hago a distancia, para organizarme mejor), pero ya no me siento como si estuviese a punto de sufrir un infarto cada vez que piso el campus. Creo que me estoy aficionando a saltar baches y empiezo a entender que no vale la pena el tiempo que invertirnos en rodear los obstáculos. El futuro es una línea recta.

Todavía no he hablado con nadie de por aquí (aunque hoy una chica me ha pedido si le podía dejar un bolígrafo y supongo que eso es un comienzo), pero no importa. Pienso dejar que las cosas fluyan y las clases son geniales.

Cuando unas horas después dejo atrás el campus me siento satisfecha. Mike ya ha llegado. Ha aparcado en el mismo sitio y está fuera, apoyado en el coche con los brazos cruzados y la mirada fija en las nubes. Sé que las está contando. Seguro.

—¿Ya te han admitido en el club de animadoras? —bromea.

—Todavía no y es una pena porque el *quarterback* está tremendo. A ver si consigo hacer un triple salto mortal la próxima vez.

Mike entrecierra los ojos y me da un beso antes de tenderme las llaves del coche. Él se acomoda en el asiento del copiloto mientras refunfuña por lo bajo. Ojalá no resultase tan divertido hacerle enfadar.

—¿Y mi sorpresa?

—Sabes que conduzco hacia ella.

—¿Está lejos?

—Un poco.

—Me pido elegir música.

—Pon lo que quieras.

—Cuando cedes tan fácilmente me das miedo.

Niego con la cabeza intentando no reírme y él se recuesta sobre el asiento y se relaja mirando por la ventanilla, hablándome de las canciones que suenan, de tal o cual acorde ultraespecial al que yo no consigo encontrar la gracia, del regalo de cumpleaños de Natalie que tenemos que comprar la próxima semana y de las cosas que faltan en la nevera, asegurando que mañana irá al supermercado.

Paro frente a un edificio en un polígono algo apartado, aunque hay algunas personas y coches aparcados en los alrededores.

—¿Dónde coño estamos?

Yo tampoco lo tengo demasiado claro. Solo he estado en este lugar en una ocasión y todo era muy diferente. O puede que ni siquiera me fijase en los detalles en aquel momento. Pero sé que debemos ir al edificio más grande. Caminamos hasta allí y al entrar en la enorme nave le enseño al guardia de seguridad la llave morada.

—¿Dónde está exactamente? —pregunto.

El hombre, que tiene un bigote poblado y bien recortado, se inclina e inspecciona la llave unos instantes. Señala el número veintitrés que hay gravado en la superficie.

—Todo el pasillo recto y luego hacia la izquierda.

—Gracias.

A ambos lados hay puertas blancas iguales y simétricas.

—Es un trastero de alquiler —susurra Mike, mirando a su alrededor.

Paro frente al lugar indicado. Él señala la puerta con la cabeza y después me mira. Parece algo nervioso y se le nota tanto cuándo está agitado..., es un libro abierto. Sé que ya ha deducido por qué estamos aquí; lo sé porque tiene los ojos más brillantes de lo normal por mucho que intente disimularlo. Le tiendo la llave y luego lo abrazo con suavidad.

—Todo lo que hay ahí dentro es para ti, Mike —susurro en su oído y lo noto estremecerse.

—No, no puedo, pecosa.

—Claro que puedes. —Me aparto de la puerta y apoyo una mano en su hombro—. Vamos. Ábrela.

Lo hace.

El interior está oscuro y huele a humedad. Tanteo la pared hasta encontrar el interruptor de la luz, que no es muy potente y tiene un color anaranjado que le resta intensidad. Mike se queda en el umbral de la puerta y yo me tomo ese tiempo para inspirar hondo e intentar sobreponerme a esa ansiedad que a veces dejo que me controle. «Solo son recuerdos. Solo eso», me digo. Quiero que este sea un buen momento para él. Todo está lleno de las cosas de papá. Los pocos objetos que seleccioné antes de irme a Seattle. Este es el trastero en el que invertí la cuenta de ahorros con ayuda de aquel hombre simpático del banco; fue lo más económico que encontró. Si he de ser sincera, nunca pensé que volvería aquí, no creí que recuperaría nada; hasta ahora no había sentido que tuviese ningún lugar, ningún hogar que poder llenar de recuerdos... Pero cuando Mike habló esta mañana de vacío y de música en nuestra nueva casa...

Lo cojo de la mano y lo insto a dar otro paso más. No deja de mirarlo todo. Algunas cosas grandes están a la vista, como una guitarra y una estantería con libros míos, pero la mayoría están metidas en cajas. Abro unas cuantas al azar, mientras él sigue quieto en mitad de la pequeña estancia, y cuando encuentro lo que estaba buscando sonrío y le pido que se acerque.

—Toda su música —digo—. ¿Qué te parece? Puedes colocar los discos en el despacho, como él lo tenía. Fue lo que pensé esta mañana.

Se agacha y pasa la yema de los dedos por los títulos de los vinilos viejos y repletos de polvo. Está temblando. Lo abrazo por detrás y le beso la nuca y el hombro.

—Gracias.

—Él lo hubiese querido así —le susurro—. No sé cómo no se me ocurrió antes. Todo lo suyo debe estar contigo. Nadie lo cuidará nunca mejor que tú. Y ahora tenemos un lugar donde guardarlo.

Todavía me cuesta creer que esa casa sea nuestra; no mía ni suya, sino nuestra. Que estemos compartiendo una vida. Es el refugio perfecto para los dos. Me aparto un poco hacia atrás cuando él se gira y me mira. Hay algo intenso en sus ojos, una emoción que no sé descifrar. Sostiene mi rostro con ambas manos, se inclina y me besa en la punta de la nariz despacio, muy despacio.

—No hay pecas suficientes para todos los «te quiero» que siento cada vez que te miro. Treinta y tres sería solo un prólogo; voy a tener que contar las pecas de todo tu cuerpo y así al menos tendremos el principio, el comienzo de todo lo que está por llegar. De todos los infinitos que no voy a poder contar.

Agradecimientos

Es casi más difícil enfrentarse a la hoja en blanco de los agradecimientos que a la que da comienzo a una nueva historia. ¿A quién incluir? ¿Me estoy olvidando de alguien importante...? Aquellos que me conocéis bien deberíais daros por aludidos pero, por si acaso, muchas gracias a mi familia y a los amigos que perduran en el tiempo, gracias por estar y acompañarme en el camino. No podría desear nada más.

Y ahora sí, como ya es tradición, quiero centrarme en las personas que han contribuido de forma directa para que ahora mismo tengas esta novela en tus manos. Todos ellos han aportado su granito de arena y han hecho posible que podáis conocer la historia de Rachel y Mike.

A la Editorial Urano, por darme la oportunidad de formar parte de esta casa. A Esther Sanz, por ser tan amable, paciente y entusiasta; no hay nada mejor que estar en manos de alguien que disfruta y se ilusiona con su trabajo. Y a Laia, por ese empujón.

A los lectores. Muchas gracias. Sin vosotros nada de esto tendría sentido.

A mamá. Gracias por leer todo lo que pasa por mis manos (¡hasta los pósits de colores que había en aquella caja, al lado de las alas de hada de los piñones!) No concibo mandar un manuscrito a nadie antes de que lo leas (a pesar del «aquí no pasa nada»). Gracias por escuchar todas y cada una de mis ideas y divagaciones, incluso cuando ya no sabes de lo que hablo y solo me dices que sí como a los locos. Gracias, mami. Y papá, a ti también. Y al tete. Os quiero mucho a los tres.

A Rocío, muchísimas gracias por estar siempre ahí y hacerme saber que puedo contar contigo, por conocer a Luke antes que a Mike y exigir más de Jason.

A Eva, por estar siempre al otro lado del teléfono. He aprendido muchísimo de ti. No sé con quién hablaría de libros y comentaría el habitual «Ahora debería estar escribiendo, pero...» Gracias por tu amistad y tu apoyo incondicional. Eres increíble.

A Dani. En primer lugar, porque si no fuese porque los títulos que se te ocurren son gratis, tendría que empezar a pedir un préstamo. No, ahora en serio, que seas el mejor lector cero del mundo es algo anecdótico y tonto al lado de la suerte que tengo de tenerte como amigo. Sé que seguirás ahí dentro de muchos, muchos años. Gracias por estar a mi lado durante todo el proceso, antes de que plasmase esta historia sobre el papel, durante y después (y en el momento de querer usar la papelera, el mechero... y esas cosas). Te adorito.

A mis gatos. Sí, sé que no pueden leer esto. Y sí, también sé que suena estúpido. Pero los quiero. Escribir no sería lo mismo sin tenerlos a los dos alrededor (y encima, y abajo y molestando) y, además, puede que entonces *Mantequilla* ni siquiera existiese.

Y como siempre en último lugar, a J. Por ayudarme y leer lo que escribo (a pesar de tenerle alergia a la novela romántica), por hacerme reír a diario y ver siempre el lado positivo de las cosas y por darme confianza cuando la pierdo. Gracias por llegar, quedarte y seguir. Te digo lo mismo que Rachel le dijo a Mike: «Sabes que siempre estaré para ti. Incluso aunque no te entienda. No importa. Supongo que puedo entender que a veces no consiga entenderte».

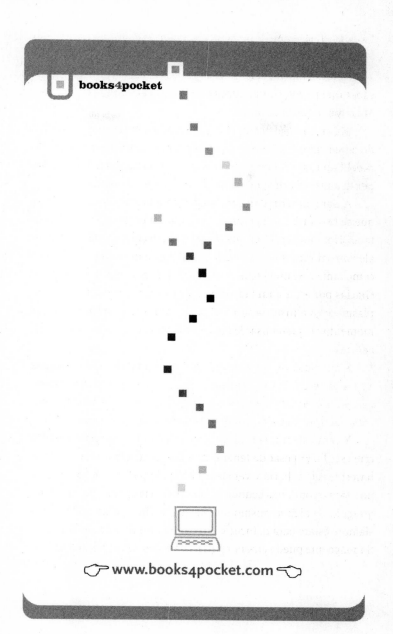

books4pocket

www.books4pocket.com